LA FRANCE EN POLITIQUE
1989

4. Élections en série

JOURNAL

REPÈRES

En page de couverture : Les élections présidentielles (Raymond Depardon, Magnum Photos).

La France en politique 1988

I. L'ÉTAT DE LA DÉMOCRATIE

Michel Marian : Les deux champs de bataille du PAF

Pascal Perrineau : Front national : l'écho politique de l'anomie urbaine

Pierre Avril : Fin de la Constitution gaulliste ?

Gérard Grunberg : Cohabitation et opinion publique

II. VRAIS ET FAUX DÉBATS

Eric Conan : Le SIDA dans l'espace public

Pierre Hassner : Un chef d'œuvre en péril : le consensus français sur la défense

Olivier Mongin et Jean-Luc Pouthier : Libéralisme/socialisme : une confrontation manquée

Bernard Manin : Tristesse de la social-démocratie ? la réception de John Rawls en France

Jean-Claude Chesnais : La France et l'enjeu méditerranéen

Elie Cohen : Fatalité du déclin économique

Philippe Mongin : Leçons d'un krach

Paul Thibaud : Du Goulag à Auschwitz : glissement de la réflexion antitotalitaire

III. LE POLITIQUE CONTOURNÉ

Evelyne Pisier et Pierre Bouretz : Le retour des sages

Jean-Louis Schlegel : Vide éthique et parole de l'Eglise catholique

Daniel Soulez Larivière : La magistrature : « to be or not to be »

IV. HÉRITAGE HISTORIQUE OU CULTE D'ANNIVERSAIRES ?

Daniel Lindenberg : Un anniversaire interminable : 1968-1988

Myriam Revault d'Allonnes : En finir avec la Révolution ?

Éditorial

La France en politique 1989

Voici donc la seconde livraison de « La France en politique ». Lorsque nous avons, l'an dernier, lancé cette formule, nous pensions qu'il serait utile de jeter chaque année un regard rétrospectif sur le passé immédiat pour tenter d'en discerner quelques lignes de force. Nous avions donc choisi le principe d'un « annuel », et nous voici aujourd'hui au premier rendez-vous que nous nous étions fixé. « La France en politique » continue. Notre projet n'a pas changé : porter une sorte de diagnostic, délibérément non exhaustif, sur l'état de la France, de la vie politique et du débat public dans ce pays.

L'année 1988 a été marquée par un paradoxe : nous avons beaucoup voté, de l'élection présidentielle au référendum sur la Nouvelle-Calédonie en passant par les législatives ; nous avons donc pris beaucoup de décisions sur notre vie collective, et pourtant, une fois ces choix faits, une fois l'agitation du moment dissipée, il paraît bien difficile de dire ce qu'au fond nous avons choisi. Un président réélu sur une image de Père de la Patrie, un parlement sans majorité absolue, un référendum où les abstentions sont très largement majoritaires. Ce sont là, certes, des décisions politiques, mais quel est leur contenu, en faveur de quoi et contre quoi avons-nous décidé ? Nous ne le savons plus très bien. Les Français peuvent-ils encore trancher des débats politiques significatifs et substantiels, ou se bornent-ils à élire des dirigeants en se déchargeant entièrement sur eux du soin d'interpréter les choix faits ? La politique française s'est relativement pacifiée durant ces dernières années, chacun s'accorde à le reconnaître. Mais cette pacification signifie-t-elle une disparition des problèmes et des alternatives ? Le consensus dont il a été si souvent question en 1988 est-il devenu le principe suprême de la politique française ?

« La France en politique 1989 » s'interroge donc d'abord sur les clivages réels ou potentiels que marque l'apparent consensus : qu'il s'agisse de la Sécurité sociale, du rôle de l'État dans le capitalisme français, de la politique fiscale ou de la politique face à la drogue, les problèmes ne manquent pas sur lesquels des alternatives pourraient se dessiner.

La France communique dans un certain nombre de mythes et de rites. Mais, là aussi, sous l'apparente unanimité, des clivages et des problèmes réels persistent. Les mentalités politiques ne sont certes plus dominées par l'opposition de la culture catholique et de la culture de gauche. Pourtant l'Église de France vit manifestement un tournant par rapport à sa période post-conciliaire. Ce changement annonce-t-il de nouvelles fractures ? Les Français semblent se réconcilier dans un certain nombre d'images et de valeurs (la fraternité du sport et son incarnation suprême, l'olympisme, par exemple). La sacralisation de la culture, et tout particulièrement de la musique, fait surgir des projets comme l'Opéra-Bastille, à la fois réalisation de prestige et opéra populaire. Mais ne sont-ce pas là des mythes sous lesquels se cachent des réalités assez différentes ?

La France s'est longtemps perçue comme une puissance à qui sa petite taille n'empêchait pas de jouer un rôle sur la scène mondiale. Mais y a-t-il encore aujourd'hui une politique étrangère française ? La France a-t-elle même les instruments d'un tel rôle mondial ? N'est-elle pas en outre relativement désemparée face aux changements en cours à l'Est ?

Ainsi, en 1988, la France a beaucoup voté, quoi qu'elle n'ait peut-être rien tranché. On constate néanmoins un amoncellement de positions qui souvent déplacent les formes traditionnelles de l'affrontement politique. Ces nouveaux terrains exigent d'être pris en compte dans le débat public. Sortir du consensus ne veut pas dire retomber dans la guerre civile imaginaire, mais construire de nouvelles alternatives.

Esprit

« La France en politique 1989 » a été dirigée par Bernard Manin, avec la collaboration de Jean-Luc Pouthier.

Pas de politique sans alternatives

Discussion entre Jean-Philippe Domecq et Bernard Manin[1]

B*ernard Manin :* Il y a aujourd'hui, me semble-t-il, une sorte d'hésitation dans le débat public français. Chacun perçoit que la politique s'est à la fois pacifiée et relativement banalisée par rapport à ce qui se passe dans d'autres pays occidentaux. La politique française a perdu ce caractère d'affrontement massif et total qui a été son lot pendant longtemps. Certains voient cette fin de l'exception française avec faveur. Parallèlement, nombre de commentateurs dénoncent la faiblesse du discours politique. Une partie de la classe politique elle-même déplore l'absence de « grand dessein ». Le style de gouvernement adopté par Michel Rocard fait, à cet égard, figure d'accusé. Une partie des observateurs et des élites médiatiques paraît relativement déçue par le mélange de gestion soigneuse et d'économie de paroles qui caractérise la méthode Rocard. Il faudrait du reste se demander si cette déception est réellement partagée par l'opinion au sens large ou si elle n'affecte pas avant tout le monde des commentateurs et des essayistes. La réponse à cette question n'est en fait nullement évidente. Quoi qu'il en soit, l'idée se répand aujourd'hui, parmi les commentateurs du moins, que la politique française serait essoufflée et léthargique.

Pour sortir de ce qu'ils considèrent comme une désolante apathie, certains, tel Régis Debray, proposent un nouvel éloge du militant passionnément dévoué à une cause et tentent de ressusciter les affrontements absolus. Comment vous situez-vous par rapport à des tentatives

---

1. Jean-Philippe Domecq, auteur de *Robespierre, derniers temps*, Seuil, 1984 ; *Sirènes, sirènes*, Seuil, 1985 : *Une affaire de présence*, Castor astral, 1984. Bernard Manin, chercheur en science politique, coordinateur du numéro spécial « La France en politique, 1988 », *Esprit*, mars-avril 1988.

de ce type ? Lorsque vous défendez la passion du politique [1], entendez-vous aussi réhabiliter la politique passionnelle ?

Éviter les faux dilemmes

Jean-Philippe Domecq : Il faudrait beaucoup de hâte médiatique pour voir quoi que ce soit de commun entre mon propos, dans le livre auquel vous faites allusion, et les leçons de morale politique façon Régis Debray ou autres vœux pieux sur le « retour du politique ». Leur ton est purement réactif, invocatoire : il vise à réactiver des attitudes et rhétoriques passéistes, sans dire un mot précis de ce qu'elles pourraient véhiculer pour la situation présente et future.

Reste cet intitulé : « la passion du politique ». Comme un rappel. Parce que ces mots véhiculent quelque chose de l'ancienne et inévitable interrogation sur le sens, les sens de l'Histoire ; et donc sur cette gestion de l'Histoire qu'on appelle la politique. Rappeler que cette interrogation est inévitable ne va évidemment pas sans quelques difficultés à se faire comprendre, aujourd'hui que le discours dominant est à la joyeuse « fin du politique ». On a l'air de poser une question déplacée, de prendre au sérieux une question d'un autre âge. Tant pis, tant pis si les faux débats du jour se complaisent dans le confortable dilemme du courant et contre-courant, entre « fin » et « retour du politique ».

Le courant dominant, Michel Rocard l'a réactualisé en pratiquant la politique comme si elle ne pouvait désormais agir sur la société qu'*à la marge*. N'est-ce pas plutôt une certaine conception de la politique – telle d'ailleurs que l'entendent les nostalgiques du « retour à la politique » – qui est condamnée à la marge ? Les problèmes politiques qui vraiment se posent ne le sont ni par les hommes politiques, ni par les journalistes, ni évidemment par les « intellectuels ». Les uns et les autres en ressentent d'ailleurs quelques frustrations. D'où, par exemple, le repli des commentateurs journalistiques de gauche qui, avec cette allégresse qui caractérise les assauts de la frustration, oublièrent toute mise en perspective des discours et des actes, sous prétexte qu'il n'y avait plus de projet politique à en attendre, et ne virent bientôt plus que de la stratégie partout. Il faut dire que, pendant ces années, avec un homme politique comme François Mitterrand, on était servi en fait de stratégie – et de tactique plus encore. Il est vrai également que, du côté de la réflexion sur les stratégies et de la prise de conscience que gouverner est un art, les gens de gauche étaient en manque et naïveté. C'était pour eux un nouveau terrain, tant la pensée dite de gauche avait laissé en jachère le terrain des stra-

1. Cf. Jean-Philippe Domecq, *La passion du politique*, Seuil, coll. « Fiction & Cie », 1989.

tégies de gouvernement des hommes. Pour avoir privilégié l'administration des biens, sans doute. Mais aussi en raison d'une sorte de pudibonderie morale à l'endroit du pouvoir – mot longtemps « diabolique », diabolisé en tout cas comme jamais dans le discours avant-gardiste des années 60. Le pouvoir ! Ils en avaient les mains sales avant d'y avoir touché...

Prenons un autre exemple de fausse rhétorique à la mode, un exemple de question politique mal posée : y a-t-il, doit-il y avoir un « grand dessein » ? Comme si le mot devait précéder la chose, comme si la formule devait engendrer le projet. On est en pleine invocation là encore. En pleine impuissance et magie – magie médiatique au temps des *petites phrases*, s'entend. Observons que celui qui reproche à Rocard de n'avoir pas de « grand dessein » n'en a évidemment pas plus. Et on l'a vu à l'œuvre quand il était lui-même Premier ministre. On voit aussi que la différence entre les deux, Fabius et Rocard, une fois au pouvoir, est minime, et moins que minime : infinitésimale. L'un faisait plus confiance à la télé que l'autre, quoi ! Enfin, souvenons-nous que *Le grand dessein* c'est le titre d'un roman de John Dos Passos qui décrivait la fièvre des conseillers présidentiels autour de Roosevelt au moment où celui-ci envisagea sa seconde candidature à la Maison blanche. Depuis, les perspectives politiques ont quelque peu changé... et avec elles les pratiques et rhétoriques. Alors, parler aujourd'hui de « grand dessein », pourquoi pas un *New deal*...

Et du côté de l'opinion, y a-t-il « fin » ou « retour » ou « passion » du politique ? Les commentateurs sont apparemment fondés à parler de « fin du politique », au vu de l'abstentionnisme électoral qui commence à apparaître en France et qui a depuis longtemps gagné la démocratie américaine. Diagnostic de nos commentateurs : les Français se désintéressent de la politique. Pendant ce temps, il suffit d'un peu d'attention, aussi bien dans les transports publics que dans les réunions privées, pour constater que la politique vient vite à la bouche, que les jugements politiques sont dans tous les regards.

En réalité, ce n'est pas les Français qui se désintéressent de la politique, ce sont les hommes politiques : ils ne posent pas les problèmes politiques là où tout un chacun sait qu'ils se posent quotidiennement : dans la vie économique.

B. Manin : L'idée que l'action politique ne puisse se situer qu'à la marge relève, selon vous, d'une fausse conception de la politique. Entendez-vous que, dans une conception vraie, l'action politique puisse faire beaucoup plus qu'infléchir marginalement le cours des choses ? Je vois, pour ma part, dans cette idée d'une action marginale un rejet justifié de la politique conçue comme action sur une table rase. Comme vous critiquez également la politique de la table rase, que reste-t-il ?

J.-Ph. Domecq : Justement, l'idée d'une action politique réduite à la marge est le répondant de l'ancienne croyance selon laquelle la politique pouvait agir au cœur de la vie sociale. Alors que l'action a changé de mode : elle passe par une mise en circulation de représentations, plus que par décrets et programme. Et elle a changé d'intervention : elle doit trouver les points névralgiques de la société, et agir sur ces multiples points à la manière d'une acupuncture. Est-ce là une marge ?

B. Manin : La formule d'action à la marge ne véhicule-t-elle pas avant tout l'idée qu'il n'est pas possible de tout changer ? En dépit de son caractère un peu simpliste, elle présente peut-être quelque utilité.

J.-Ph. Domecq : Si c'est une formule rhétorique destinée à nous débarrasser d'une croyance, elle est utile. Mais elle s'accompagne de propos pour le moins troublants, qui semblent bien dire que nous serions dans des sociétés désormais apolitiques. Le même qui parle de politique réduite à la marge, a déclaré, avant des élections législatives, que deux sujets avaient fondé le clivage droite/gauche : l'Église et l'argent. Que l'Église ne faisait plus clivage. Bien. Et que pour l'argent aussi, la question était réglée. Alors là, où sommes-nous, et pourquoi donc irions-nous voter ? Quelle inconscience de la part d'un homme politique ! Peut-on mieux dire aux gens qu'on ne voit pas, mais absolument pas, où se posent réellement les questions politiques d'aujourd'hui et de demain ? Si, disant cela, Rocard a voulu dire que la gauche avait assimilé l'impératif du profit, d'accord. Et encore... Qui a jamais nié, depuis la Révolution industrielle, et chaque jour quant à soi, qui a jamais nié, à gauche comme à droite, que le profit par rapport à la production était la structure de base ? Et que, parlant de profit en général, on n'a toujours rien dit de précis sur les profits, leurs modes, répartitions, motivations, contraintes et transformations. C'est là qu'il y a des choix à penser, à opérer, là qu'il y a alternatives.

B. Manin : Il me semble que ces propos dressaient d'abord un constat : la gauche s'est réconciliée avec l'idée qu'il est absolument essentiel de produire de la richesse ; les questions de justice sociale ne peuvent dès lors être posées que sur le fond de cet impératif premier, même si cette dualité dans les objectifs crée des tensions. Quand vous dites que le rapport des individus et des collectivités à l'argent constitue un point de clivage politique, quelle est, selon vous, la position de gauche ?

J.-Ph. Domecq : Voyons d'abord en amont : l'intérêt pour la production, le capital travail, l'entreprise comme donnée commune, font tout de même partie de l'héritage socialiste et marxiste. Que les solutions globales des marxistes aient échoué précisément parce qu'elles étaient globales, l'affaire est entendue. Mais de là à repartir sur une distinction entre l'économique et le politique, c'est exactement s'interdire de poser les questions politiques là où elles se posent. L'entreprise : quelles entreprises ? Autre singulier qui brouille la vue : le profit. Quels profits ?

Pas de débat sans choix

B. Manin : Je voudrais circonscrire plus précisément notre débat. La passion du politique dont vous défendez la nécessité peut-elle se passer *d'alternatives ?*

J.-Ph. Domecq : Il n'y a pas de politique sans alternatives, il n'y a pas de débat sans choix. Pour autant, certains clivages hérités de l'histoire droite/gauche ne proposent pas d'autre alternative que rhétorique. Par exemple, celui qui réserve la motivation économique à la droite, et la protection sociale à la gauche. La motivation de l'esprit d'entreprise, le dynamisme économique, les logiques du profit sont au cœur du débat politique d'aujourd'hui, il ne sont pas plus réservés au champ clos de l'économie qu'au camp politique de la droite. La motivation à l'intérieur de l'entreprise ? S'il est entendu que l'entreprise doit dégager le maximum de profit, l'un des sûrs moyens d'y parvenir peut être de diffuser la motivation à *tous* les échelons de l'entreprise.

B. Manin : On peut sans doute être plus précis encore sur la notion d'alternative. Dire qu'il n'y a pas de politique démocratique sans débat fait aujourd'hui l'accord universel. Un moderne *Dictionnaire des idées reçues* comporterait sans doute un article ainsi libellé : « débat démocratique : être pour ». Les questions essentielles se posent, me semble-t-il, au-delà ; elles portent sur la manière de concevoir et de mener le débat démocratique. Il n'est pas rare, par exemple, de voir opposer l'exigence du débat démocratique et le tour spectaculaire que prend aujourd'hui l'affrontement politique. On oppose ainsi le règne de la « politique-spectacle », la prééminence de la « forme » sur le « fond », le jeu sur les « petites phrases » et les gestes symboliques au « véritable » débat démocratique dans lequel des protagonistes développeraient à loisir des arguments substantiels et détaillés, devant un auditoire de citoyens vertueux et bien informés, uniquement préoccupés de découvrir le bien public. Le problème ainsi posé, on déplore en général la dégénérescence du débat en spectacle. Une telle vision et les critiques qui en découlent me paraissent relever d'une conception erronée et fallacieuse du débat politique.

Le débat politique n'est ni un débat scientifique ni un débat d'experts. Il ne se déroule pas devant un auditoire déjà informé, spontanément préoccupé par la découverte du bien public. L'information politique est coûteuse (en temps tout particulièrement), les individus ne la recherchent pas spontanément car ils ont d'autres préoccupations plus pressantes que la participation à la vie de la cité. Cela entraîne deux conséquences. D'une part, l'attention des individus aux problèmes collectifs ne peut pas être tenue pour acquise, elle doit être *conquise*. A cet égard, la dimension spectaculaire a un effet bénéfique : elle attire l'attention et dirige le regard des individus vers la scène publique. D'autre part, les décisions collectives sont soumises à une contrainte de simplification et de schématisation. L'essentiel est que les citoyens soient confrontés à un choix, qu'ils aient à trancher en faveur d'un terme plutôt que d'un autre. Mais il n'y a de choix collectif que simplifié, global et relativement grossier. Je ne vois pas ce que l'on gagnerait à refuser cette contrainte de simplification. C'est pourquoi la notion d'alternative me paraît capitale. Et j'entends l'alternative en son sens le plus simple et le plus brutal : le choix entre A et B. La politique démocratique n'exige-t-elle pas que les décisions soient ramenées à des oppositions relativement nettes et tranchées pour que les citoyens puissent choisir en comprenant tout ce qu'il leur est possible de comprendre ?

J.-Ph. Domecq : Vous dites bel et bien que les citoyens doivent pouvoir voter dans la clarté. Le débat démocratique doit proposer le maximum de données pour que le choix électoral soit toujours plus clair. Ou, pour reprendre le vocabulaire fondateur des Lumières : il s'agit que le citoyen choisisse de manière toujours plus éclairée.

Croyez-vous que ce soit le cas avec les simplifications frontales qui font encore la rhétorique d'opposition entre droite et gauche telle qu'elle s'exprime trop souvent ? A l'une l'économie et à l'autre la politique, par exemple. Et est-ce le cas quand, pour en finir avec les simplifications abusives, on masque notre réalité politique et économique de chaque jour, en disant que « la question de l'argent est réglée » entre droite et gauche ? On s'expose alors à ne rien comprendre à ce qui concerne les gens et qui, à l'occasion, les agite. Exemple, l'automne social de 1988. Les commentateurs en ont gardé l'enchaînement de grèves : infirmières, postiers, employés des transports urbains. On a oublié la première grève : celle des journalistes de télévision, et parmi eux les premiers furent ceux de la chaîne de télévision qui venait d'embaucher une certaine présentatrice à un salaire qui fut su. Que Mitterrand ait vu dans ce salaire une « juste rémunération du talent », qu'il ait dit pareille chose... Grave erreur, à l'heure où la politique intervient essentiellement par les représentations qu'elle fait circuler. Le Président pouvait-il trouver plus démotivante représentation de notre travail ?

S'il m'est signifié que tu gagnes quatre, six, dix fois plus que moi, pour que tu sois proportionnellement motivé, il m'est signifié du même coup que mon travail compte quatre, six, dix fois moins que le tien, ce qui d'autant me démotive. Chacun vit chaque jour cette question de la motivation salariale. Elle est la traduction actuelle de la grande passion qui fait tourner nos sociétés : l'estimation réciproque des hommes. Le nerf en est désormais la motivation, qui a le mérite de montrer l'identité des investissements économiques et moraux. Voilà un sujet politique par excellence. Sur ce sujet capital, l'alternative gauche/droite ne peut être exclusive, sauf à laisser la réflexion sur la motivation économique à un seul camp : celui de la droite qui, par définition, mise sur les classes d'intérêts déjà dominantes et bloque les brassages sociaux susceptibles de faire circuler intérêts et motivations. Le clivage droite/gauche ne dit plus rien de pertinent s'il perpétue des clivages traditionnels de type : motivation économique/protection sociale.

Qu'est-ce qu'une alternative ?

B. Manin : Que voulez-vous dire lorsque vous affirmez que, dans le domaine de la politique économique, la modalité de l'alternative dans laquelle il faut choisir un terme plutôt qu'un autre n'a plus cours ? Par alternative, j'entends une situation où les individus se voient présenter au moins deux solutions entre lesquelles ils doivent choisir. Il me paraît inclus dans l'idée d'alternative que si l'on choisit un terme, on ne choisit pas l'autre. Si vous entendez autre chose par alternative, qu'entendez-vous exactement ?

J.-Ph. Domecq : Je veux seulement dire qu'une forme de confrontation est périmée, au sens d'une rhétorique d'alternative qui répartissait exclusivement les thèmes véhiculés par l'un et l'autre camps. Exemple : justice pour la gauche, profit pour la droite. Ou protection sociale pour la social-démocratie, motivation entrepreneuriale pour la droite libérale. Il n'est pas vrai que la droite en France n'ait rien fait en matière de justice et de protection sociales. Et il n'ait pas vrai que le socialisme ait négligé la dimension économique sous-jacente à la vie politique. Mais il est vrai qu'à colporter le profit dans une rhétorique d'opposition exclusive, la gauche a fait la triste économie d'une réflexion sur les profits, individuel et collectif, sur les ressorts du profit, sur ses motivations avant d'en envisager la répartition.

Exemple d'alternative qui n'est pas exclusive et qui n'en est pas moins nette : une politique de droite peut considérer qu'à trop vouloir diffuser la motivation, on finit par démotiver les plus entreprenants. Une politique de gauche peut faire valoir qu'à trop concentrer la motivation sur certaines classes d'intérêts, on démotive les énergies potentielles qui sont diffuses à tous les échelons de la vie économique, elle peut faire valoir la vertu dynamique d'un brassage social des motivations. D'autant qu'il n'est pas dit – on pourrait démontrer le contraire historiquement – que les traditionnelles classes d'intérêts soient ou restent les plus dynamiques.

B. Manin : Je suis d'accord avec vous sur un point : les valeurs qui ont fait pendant longtemps le patrimoine de la droite ne lui appartiennent pas pour l'éternité, et de même pour les valeurs de la gauche. Néanmoins, si l'on doit aboutir à des alternatives, il faut bien qu'il reste encore, sur quelque thème qu'ils se fassent, des choix relativement cristallisés.

J.-Ph. Domecq : Et qui seront d'autant plus clairs qu'ils se feront sur les mêmes thèmes débattus.

A force d'avoir réparti les pôles rhétoriques de l'opposition politique, à force d'opposer l'économique et le politique, droite et gauche ne peuvent assumer ni l'un ni l'autre. D'où le faux diagnostic sur la « fin du politique ». La gauche ayant privilégié le politique sur l'économique, elle a mesuré son impuissance politique, et donc elle conclut que le politique ne peut intervenir qu'« à la marge ». « A la marge » ou au « cœur étatique », c'est le même axe, en symétrie inverse, c'est la même erreur d'optique, et c'est le dernier avatar de l'alternative exclusive.

La fin d'un cycle

B. Manin : Ne croyez-vous pas que la droite porte autant de responsabilité que la gauche dans cet état de fait ? Lorsqu'on déplore aujourd'hui l'absence d'alternative politique tranchée, l'usage est d'en imputer la responsabilité à la gauche. Renonçant à « rompre avec le capitalisme », découvrant les vertus du marché et réhabilitant l'entreprise, la gauche aurait, dit-on, détruit la possibilité même d'un choix entre des termes significativement différents. On pourrait faire valoir que la droite, en ne défendant pas les vertus du marché et de l'enrichissement avec autant de vigueur que Mme Thatcher, par exemple, contribue tout autant que la gauche à l'absence d'alternative. Cette remarque ne vise pas à répartir équitablement les responsabilités, mais seulement à suggérer que la situation présente a des causes plus profondes que la seule évolution de la gauche.

La culture française semble ne connaître que deux modalités du rapport politique : l'affrontement absolu, dans le discours du moins, ou le consensus. Dans le conflit absolu, les adversaires sont en désaccord sur tout, sur la substance de la politique à mener, sur la procédure et les formes permettant d'arriver à une décision, sur la façon de concevoir le monde environnant dans lequel l'action devra s'inscrire. Le conflit revêt alors des allures grandioses et tragiques. Une rhétorique enflammée se déploie de part et d'autre. Dans ce conflit aux accents religieux, chacun des camps considère la victoire de la politique adverse comme le triomphe du Mal lui-même. Lorsqu'en revanche les adversaires ne sont pas en désaccord sur tout, l'usage est de conclure qu'ils ne sont en désaccord sur rien. On considère les différences subsistant entre eux comme de pures nuances techniques. Et les divergences techniques sont à leur tour tenues pour négligeables, indignes de la « grande politique », incapables en tout cas de mobiliser les énergies. On appelle un tel état le consensus.

Manifestement, nous ne sommes plus aujourd'hui dans une période d'affrontement absolu. Les protagonistes sont d'accord sur les institutions, c'est-à-dire sur les procédures permettant de trancher les désaccords. Un tel accord sur les procédures clôt en vérité un cycle vieux de deux siècles. Les adversaires sont aussi d'accord sur la vision du monde environnant : la France est insérée dans le marché mondial et personne ne propose de rompre avec les contraintes qu'il implique. Nous n'avons, dans notre tradition politique, qu'un seul mot et un seul concept pour penser une telle situation : le consensus. Nous concluons donc que la situation présente est un état de consensus. Certains s'en réjouissent, ils y voient la preuve que la France rejoint enfin la voie commune. D'autres le déplorent, et tentent de ranimer, vaille que vaille, les grands conflits d'antan. Le débat public oscille ainsi une fois de plus entre le consensus et la rhétorique de la guerre civile.

En réalité, nous avons la plus grande difficulté à imaginer que puisse exister un état qui ne soit ni le désaccord absolu, ni l'absence de toute alternative. Cette difficulté a, me semble-t-il, deux causes essentielles, dans le domaine des croyances et des représentations du moins. Elle découle tout d'abord de ce que l'on pourrait appeler le rationalisme déductif français, c'est-à-dire de la croyance qu'à partir de contraintes données *se déduit une, et une seule solution*. Nous avons tendance à penser qu'à partir du moment où les protagonistes acceptent de raisonner sur la base des mêmes contraintes, ils doivent en fait s'accorder sur *la* solution, parce que celle-ci se déduit nécessairement du point de départ. Mais nous avons aussi tendance à croire que la seule cause qui vaille que l'on s'engage pour elle est celle du Bien affronté au Mal. Si l'on ne se mobilise que pour lutter contre le Mal absolu, on ne saurait s'engager dans un combat en acceptant à l'avance une procédure de règlement qui permet la victoire de l'autre cause. Et si, réciproquement, on accepte à l'avance une telle procédure, la mobilisation des énergies n'est plus vraiment possible parce qu'il ne s'agit pas d'un conflit du Bien contre le Mal. Le caractère propre de la culture politique française n'est pas tant dans la prédominance du conflit absolu que dans l'oscillation entre le déchirement et l'unanimité. Pour échapper à cette oscillation, nous devrions d'abord nous défaire de la double croyance à la solution unique et au conflit du Bien contre le Mal.

La divergence des politiques économiques

Un regard rétrospectif sur le passé récent montre combien cette double croyance est en fait peu fondée. On voit en effet maintenant, avec le bénéfice du recul, que les différents pays occidentaux ont réagi de manière divergente aux chocs et aux dérèglements des années 70. L'écart entre les politiques suivies et les résultats obtenus (en particulier concernant l'inflation et le chômage) s'est accru par rapport à ce qu'il était dans les années 60. La thèse d'une convergence des politiques économiques pouvait paraître plausible pendant les années de la croissance, la crise l'a infirmée [1]. Certains pays sont parvenus à limiter à la fois le chômage et l'inflation, alors que d'autres ont d'abord connu et l'inflation et le chômage avant de finir par maîtriser l'inflation au prix d'un accroissement supplémentaire du chômage.

Les pays de la première catégorie se trouvent être ceux dans lesquels la hausse des salaires a été la plus modérée, une baisse des salaires réels intervenant même chez certains. La conjonction des deux données amène à conclure que s'est opérée dans ces pays une sorte d'échange implicite, les salariés consentant une modération de leurs revenus en échange d'une politique réussie de plein emploi. Parmi les nations ayant suivi une telle politique, on note la présence, à côté du Japon et de la Suisse, de pays gouvernés par des partis sociaux-démocrates, en particulier l'Autriche et la Suède. Cela donne à penser que, contrairement à ce qui avait été trop rapidement affirmé ici ou là, le principe social-démocrate du compromis n'a pas été périmé par la fin de la croissance. Le lien des partis sociaux-démocrates avec des mouvements syndicaux unifiés, fortement structurés et puissants leur a permis de mettre en œuvre une forme de compromis adaptée à la crise : la modération salariale en échange du plein emploi, la politique de l'emploi étant par ailleurs financée grâce à une lourde fiscalité.

D'autres pays au contraire, au premier rang desquels figure l'Angleterre thatchérienne (l'Italie se trouvant aussi dans le même cas), ont préféré laisser croître les salaires, l'ajustement se réalisant alors directement sur le marché du travail, avec comme corollaire une très sensible augmentation du chômage. La victoire des conservateurs anglais,

---

1. La divergence accrue des politiques économiques et sociales suivies dans les différents pays occidentaux après 1973 est remarquablement mise en lumière dans l'ouvrage collectif *Order and Conflict in Contemporary Capitalism*, J. Goldthorpe (éd.), Clarendon Press, Oxford, 1984.

en 1979, sanctionnait du reste l'échec du compromis social-démocrate tenté par les travaillistes de 1974 à 1978. Il faut cependant noter que la politique thatchérienne a abouti, elle aussi, après une assez longue période d'ajustement, à une baisse du chômage. On peut donc dire, si l'on veut, qu'*à terme* les résultats ont de nouveau convergé. Il n'en reste pas moins que pendant plusieurs années, ils ont été significativement différents. Nul ne peut considérer la persistance d'un chômage très élevé pendant six ou sept ans comme un élément négligeable.

Il ne s'agit ici ni de vanter les mérites de la social-démocratie, ni d'en déplorer l'absence en France. Le parti socialiste a renoncé à la rupture avec le capitalisme, il a accepté toutes les implications de la démocratie libérale. Il n'est pas, pour autant, devenu social-démocrate et ne le deviendra probablement pas plus dans l'avenir. Il lui manque pour cela un lien avec un mouvement syndical puissant et structuré. Rien ne permet de penser qu'à l'horizon du prévisible cette donnée puisse se modifier. La France n'a pas connu de social-démocratie, elle n'en connaîtra sans doute jamais. Cela est entendu une fois pour toutes. En revanche, ce que montrent ces exemples, c'est que ni la crise, ni, plus généralement, l'insertion dans le marché mondial, n'ont impliqué une convergence des politiques économiques. La Suède et l'Autriche étaient soumises aux contraintes de l'économie internationale au même titre que l'Angleterre. Ces trois pays ont pourtant suivi des voies significativement différentes. Sous des contraintes données et acceptées, il y a en fait, la plupart du temps, plusieurs solutions possibles.

En outre, personne ne peut raisonnablement nier qu'au début des années 80, l'Angleterre d'un côté, la Suède ou l'Autriche de l'autre n'aient incarné deux types de choix collectif concernant la forme de l'existence commune. Il suffit d'évoquer les régions de la vieille Angleterre industrielle bouleversées par le chômage et la fermeture des usines pour comprendre qu'il ne s'agit pas là d'une différence seulement sensible aux analystes et aux technocrates minutieux. Un tel choix met en jeu le rapport des individus avec la solidarité, avec le travail, avec l'argent, c'est-à-dire en définitive tout ce qui fait la substance de la vie sociale. Pour autant, la vie dans l'Angleterre thatchérienne des années 80 ne constituerait pas un enfer pour un bon social-démocrate (elle serait peut-être, il est vrai, perçue comme un purgatoire). Un conservateur anglais ne verrait pas, non plus, dans la fiscalité suédoise le mal absolu.

L'acceptation de contraintes données n'implique pas la disparition de toute alternative. Il existe des alternatives chargées de sens et de contenu qui ne se ramènent pas à l'opposition du Bien et du Mal. Des divergences significatives peuvent donc subsister entre des protagonistes qui raisonnent à partir des mêmes contraintes et reconnaissent à l'avance la légitimité de l'autre solution au cas où celle-ci l'emporterait. Ce sont là des propositions dont nous gagnerions à nous persuader, si nous voulons dépasser l'oscillation stérile entre l'exaltation du consensus et la rhétorique de guerre civile. Ces propositions constituent le fondement d'une culture politique pluraliste : il y a *plusieurs* solutions sous des contraintes données, et il y a *plusieurs* formes de l'acceptable. La culture politique française a sans doute beaucoup progressé ces dernières années, et la République est maintenant affermie, mais on serait tenté de dire, en modifiant l'apostrophe de Sade : Français, encore un effort pour être vraiment pluralistes.

Mais peut-être faut-il dire que le niveau où peuvent se présenter des alternatives n'est plus l'État-nation. Peut-être l'Europe est-elle aujourd'hui le lieu essentiel où peuvent apparaître des alternatives.

J.-Ph. Domecq : En effet, cela pourrait bien être un des paradoxes de l'ouverture du grand marché européen : on pense aux contraintes que cette ouverture européenne va multiplier, en même temps qu'elle va peut-être dégager des alternatives. Contraintes pour les nations, et alternatives pour les entreprises, peut-être. Par exemple : imaginons qu'une nation veuille mener une politique d'incitation fiscale en faveur d'entreprises qui observeraient une politique contractuelle basée sur une échelle salariale définie, un taux défini de participation du personnel dans la capitalisation, et une concertation approfondie autour d'objectifs d'entreprise dans le cadre des concertations trisannuelles prévues par les lois Auroux.

Pareille politique n'est envisagée aujourd'hui par aucune nation européenne, mais qu'en serait-il en 1993 dans le cadre du grand marché ? On pense *a priori* que ce serait encore moins envisageable. Les aides fiscales aux entreprises se paient par un alourdissement de la fiscalité des particuliers, pense-t-on : finie donc l'harmonisation fiscale qui semble impérative en vue de l'Europe ouverte ? Ce n'est pas sûr. La consommation pourrait bien compenser la contribution. D'abord parce que les entreprises en question pourraient offrir des prix plus bas à l'exportation ; donc meilleure pénétration des marchés, et en retour, gains pour le pays qui mène cette politique fiscale d'entreprise. Et n'oublions pas que l'exonération fiscale dont bénéficieraient ces entreprises à contrat-type ne peut être isolée de la politique de TVA, autre volet de la fameuse harmonisation. Il n'est pas dit que celle-ci soit si impérative ; au contraire, les possibilités d'action fiscale pourraient bien s'ouvrir avec le grand marché.

1. Sortir du consensus

La politique de santé en panne

Antoine Figari [1]

En France, il n'y a pas eu jusqu'à ce jour de véritables débats sur la politique de santé. Quand ils ont eu lieu, ils ont porté soit sur des thèmes situés en amont comme le financement de la Sécurité sociale, soit sur des sujets symboliquement importants comme la drogue ou l'organisation hospitalière.

Il y aurait donc un consensus apparent même si ce consensus n'existait que par défaut, les idées préconçues tenant lieu d'analyse politique. La première idée reçue concerne la fameuse « qualité de notre système de santé et de Sécurité sociale que le monde nous envie ». J'ai beaucoup voyagé, écouté beaucoup d'étrangers sur ce sujet et je ne les ai jamais entendus nous envier quoi que ce soit, et pour cause !... Notre pays a d'assez médiocres indicateurs de santé ; par exemple, la mortalité périnatale qui avait fortement baissé s'est stabilisée au septième rang des pays occidentaux. Nous sommes le premier pays européen pour l'épidémie du sida. Pour l'alcoolisme et les accidents de la route, nous sommes en tête, et si les Françaises sont classées dans les cinq premières pour l'espérance de vie à la naissance, les Français sont plutôt au dixième rang. *A contrario,* nous sommes au deuxième ou au troisième rang [2] en ce qui concerne le niveau des dépenses et, à part les États-Unis, nous avons le plus mauvais taux de remboursement des dépenses de santé par la Sécurité sociale : 72 %, alors que la moyenne des pays de l'OCDE est proche de 85 %. Nous cumulons donc à la fois une efficacité médiocre et un mauvais taux de couverture.

1. Pseudonyme d'un haut responsable du secteur sanitaire et social.
2. Cette incertitude vient des difficultés de toute comparaison internationale. La Suède, qui nous précédait, a réussi ces dernières années à contrôler la croissance des dépenses de santé, ce que nous n'avons pas su faire. Nos niveaux sont aujourd'hui très proches.

Comment se fait-il donc que ce consensus mythique survive encore ? L'ignorance des statistiques internationales vient à la fois du profond désintérêt de la presse économique pour les questions sociales en général et les questions de santé en particulier, et de notre prétention légendaire, bien relevée par les étrangers, qui nous prive de toute curiosité pour les autres et nous rend sourds aux analyses critiques qui pourraient se faire entendre. Mais cette explication par un trait de caractère national est insuffisante ; elle est en partie tautologique, et elle évite de se demander à qui cette ignorance profite. Ce lieu commun joue le rôle des analgésiques dans une maladie terminale : ça calme mais ça ne soigne pas...
Il est clair que les bénéficiaires de cette analgésie paralysante sont le corps médical, certains des partenaires sociaux, et les partis politiques qui ont une chance de diriger notre pays.

La médecine libérale abandonnée aux médecins

Il n'y a pas loin d'une analyse globale de l'inefficacité du système à une analyse plus précise de l'imparfaite efficacité de nos institutions ou de nos prescripteurs. Hôpital, silence ! De plus, si la part des dépenses non remboursées s'accroît, c'est certes à cause de certaines mesures politiques sur lesquelles nous reviendrons, mais aussi et surtout grâce au développement du « secteur II » (secteur à honoraires libres pour les médecins libéraux), solution à court terme aux contradictions qui apparurent à la fin des années 1970.

Cette bombe à retardement a permis de ne pas se poser le problème du bien-fondé des prescriptions en donnant satisfaction aux médecins sur le niveau de revenu, menacé par la démographie médicale d'une part et la faible croissance des cotisations sociales d'autre part. C'est à l'évidence le problème politique majeur de la fin des années 1980. Instauré par le gouvernement de Raymond Barre, le « secteur II » ne fut pas remis en question par Georgina Dufoix et sa « dépénalisation fiscale » instaurée par Michèle Barzach ne fit qu'accroître le problème en rendant ce secteur encore plus attractif. Si, pour l'instant, la gauche n'a rien fait pour y porter remède, il est clair que cette politique peut être qualifiée « de droite », car elle satisfait d'abord ses clientèles : les professions médicales qui peuvent gérer leurs prix et les entreprises qui n'ont pas à subir à court terme d'augmentation proportionnelle des cotisations sociales.

L'évolution pour les usagers est encore peu visible même si l'argent redevient dans certaines villes, pour certaines spécialités, un facteur discriminant. Le seul défenseur de l'orthodoxie fut pendant toutes ces années la Mutualité française et son président, René Teulade. La Mutualité a agi, semble-t-il, plus par conviction que par intérêt car elle pouvait, en négociant le remboursement des dépassements d'honoraires, devenir l'élément déterminant dans les négociations avec la profession médicale et accroître ainsi son pouvoir et son marché. Elle ne le fit pas, persistant à considérer que la discrimination par l'argent condamne l'accès de tous aux soins. Quant à Force ouvrière et à son représentant à la tête de la CNAMTS, le président Derlin, ses récentes déclarations sur ses inquiétudes devant la croissance du « secteur II » avant le congrès de son syndicat ne laissent pas dupe. Il fut non seulement le complice mais le défenseur de cette politique à court terme. Ses relations avec la Mutualité se sont d'ailleurs détériorées, allant même jusqu'à laisser proposer par sa direction la possibilité pour l'assurance maladie d'offrir une assurance complémentaire et de menacer ainsi dans ses fondements son partenaire, avec lequel l'alliance – due à des raisons historiques et idéologiques – durait depuis plus de quarante ans.

Reste le problème. Il est vrai que malgré le « secteur II », le revenu des médecins continue à baisser en termes relatifs, qu'il n'est pas possible de faire une marche arrière brutale même s'il est urgent d'arrêter l'hémorragie, et qu'enfin les médecins doivent être justement rémunérés. Faut-il alors limiter les dépassements au-dessus du tarif conventionné en créant un secteur intermédiaire ? Faut-il donner des avantages tangibles aux médecins qui respectent les tarifs de la Sécurité sociale en demeurant en « secteur I » ? Faut-il intéresser financièrement les médecins au contrôle global des prescriptions de médicaments et d'examens complémentaires qu'ils induisent ? Faut-il leur demander d'afficher leur tarif ? Faut-il revoir la nomenclature ? Il y a des solutions qui ne sont pas mutuellement exclusives. Il apparaît nécessaire, à l'occasion de la discussion de la nouvelle convention, d'engager le débat sur ce sujet, car la solvabilité de la demande par le remboursement des caisses et des assurances complémentaires intéresse aussi le corps médical dans son ensemble, même si une minorité peut se satisfaire de la solvabilité d'une clientèle aisée.

La majorité des médecins se rendra cependant compte que la demande des patients peut aussi être fonction des prix. Ils pousseront donc des assurances privées à prendre en charge la différence afin de rendre un maximum de patients solvables face aux nouveaux tarifs. Les assurés se retourneront ensuite vers leurs employeurs pour qu'ils payent ces primes d'assurance. La coexistence de deux tarifs n'étant pas très longtemps envisageable, il y aura une forte pression pour augmenter ceux de la Sécurité sociale et donc les dépenses à la charge des ménages et des entreprises. Tout le monde y perdra à terme, sauf le corps médical.

Ce scénario n'est pas imaginaire. Il décrit des mécanismes économiques qui fonctionnent aux États-Unis pour la plus grande satisfaction du corps médical et les plus vives réserves des patients et des entreprises. Il faut en arrêter l'évolution en France s'il est encore temps. Le patronat doit comprendre que la meilleure protection contre une inflation des dépenses de santé est un tarif opposable même si les prix actuels doivent être revus en hausse, ce qui semble financièrement possible si les médecins s'engagent à limiter leur prescription. La bonne alliance est donc celle des syndicats et du patronat et non pas celle du patronat et du corps médical, car seul ce dernier serait gagnant à terme, mais à quel prix !

L'hôpital sous pression

L'apparition puis le développement du « secteur II », associé à la non-révision de la nomenclature des actes professionnels qui, dans certaines spécialités, donne aux praticiens des rentes de situation et donc des revenus très supérieurs à ceux des salariés du public, est politiquement explosive ; c'est la cause première des grèves hospitalières. Comment expliquer à un médecin du secteur public, contraint par des règles administratives dans son organisation, dans sa capacité d'investissement, qu'il doit non seulement accepter ces contraintes mais aussi travailler autant et gagner deux, trois, jusqu'à dix fois moins que dans le privé ? Ce n'est évidemment pas possible. Le problème de la rémunération des médecins hospitaliers se discute en principe dans le cadre de la fonction publique mais en réalité en tenant compte du marché de l'emploi médical, c'est-à-dire aussi de la médecine de ville ou, pourquoi pas, de la médecine salariée des caisses de Sécurité sociale !...

Les médecins quittent souvent l'hôpital à regret, plus attirés par la souplesse de gestion du privé que par le désir légitime de mieux gagner leur vie ; le voyage étant administrativement sans retour, sauf après une brève disponibilité, ils sont définitivement perdus pour le secteur public. Si l'on y ajoute des autorisations généreuses en équipements lourds (lithotripteurs, scanners, RMN), ou en lits et en appareils de dialyse, on voit que Jacques Chirac et Michèle Barzach ont fortement contribué à favoriser le secteur privé à but lucratif. Ce n'est pas gênant en soi, mais cela le devient si rien n'est fait symétriquement pour harmoniser la politique de l'ensemble du secteur et offrir un avenir à l'hôpital public. Car pendant les années 1986-88, c'est une politique on ne peut plus conservatrice qui fut menée.

Malgré les volontés déclarées du RPR de négocier avec les hôpitaux un budget « ascendant », c'est le conservatisme le plus total de l'enveloppe départementale qui a été mis en œuvre même si la marge de manœuvre fut en 1987 supérieure à ce qu'elle était en 1986. Poursuite donc d'une interprétation très restrictive du décret mettant en place la dotation globale où, faute de vouloir instaurer rapidement les méthodes modernes de gestion hospitalière comme celle du PMSI [1], on continue à justifier les situations acquises même si elles sont non justifiées voire injustifiables. Cette politique continue aujourd'hui, même si Claude Évin a annoncé une généralisation du PMSI dans les deux ans, donnant ainsi une limite à cette politique absurde de blocage des situations acquises et donc un espoir aux plus dynamiques et aux plus pénalisés par l'histoire.

1. Programme de médicalisation des systèmes d'information permettant de définir l'activité de chaque hôpital et de comparer les coûts entre établissements.

Faute de pouvoir ou vouloir repenser l'ensemble du système de rémunération des médecins du public et du privé, le rétablissement du secteur privé à l'hôpital public permet de limiter le départ de certains praticiens des hôpitaux publics mais ne résoud aucunement les questions de fond, tant du point de vue de l'équilibre général du système que de l'organisation hospitalière. Le temps consacré au secteur privé est, par définition, du temps qui n'est pas disponible pour la vie de l'hôpital, la formation, le contrôle de la qualité des soins ; c'est en cela surtout qu'il est condamnable.

La gauche avait entrepris une réforme importante de l'organisation des hôpitaux publics. Elle voulait laisser chaque hôpital libre de sa structure jusque-là arrêtée service par service, hôpital par hôpital par le ministre... et inciter les établissements à résoudre le paradoxe posé par la spécialisation de la médecine dans la prise en charge du malade : un malade reste une personne même si seulement une partie de son anatomie est atteinte par la maladie.

Malgré la détermination d'Edmond Hervé, ces bonnes idées s'enlisèrent dans les discussions interministérielles, les changements de gouvernements, les maladresses entretenues et amplifiées par une partie active et néanmoins conservatrice du corps médical. La plus grande maladresse fut de vouloir supprimer le titre de chef de service. Il aurait été si simple d'en modifier le contenu et les règles de nomination. Ce ne fut pas fait. Georgina Dufoix crut qu'elle réussirait là où ses prédécesseurs n'avaient pas pu aboutir même s'ils étaient déterminés à mettre en œuvre cette politique. Reprenant les discussions à zéro, elle perdit neuf mois dans un marché de dupes, publia le décret trop tard, n'aida pas les médecins et directeurs déterminés. Michèle Barzach eut beau jeu de constater que cette réforme n'avait pas abouti. On avait beaucoup parlé, peu fait, peu expérimenté. Il était temps, en 1986, de remercier les acteurs qui avaient aidé à ce que les projets « du gouvernement socialo-communiste » n'aboutissent pas.

Les services furent donc rétablis, mais paradoxalement, au moment où la loi fut présentée au Parlement, Michèle Barzach parla surtout de « département », car malgré l'évaluation théorique de chaque chef de service tous les cinq ans, elle se rendait bien compte que son projet n'était ni souple ni adapté à l'évolution de la médecine hospitalière. En effet, comment le bureau spécialisé du ministère pourra-t-il examiner tous les cinq ans plusieurs milliers de dossiers ? Quels seront les critères d'évaluation ? Il est clair qu'aucune réponse à ces questions n'a été avancée, tout simplement parce qu'il n'est pas possible de régler de manière juste et adaptée, les questions de personnes et de structure à Paris, entre des fonctionnaires qui ne sont pas médecins. La seule solution reste la décentralisation totale des problèmes de structure. Quelle importance cela a-t-il que le responsable s'appelle chef de service ou chef de département du moment que la structure est adaptée aux besoins de la population qu'elle sert, et qu'elle fonctionne ?

D'ailleurs, la solution à ce problème n'était pas tant la réforme des structures et la législation renouvelée du secteur privé. Il fallait, il faut ouvrir un nouvel espace de liberté en donnant aux hôpitaux la possibilité de signer avec les médecins qui le souhaitent des contrats de droit privé. Ceci suppose que les mécanismes de contrôle soient modernisés, que l'État se réforme et passe du formalisme symbolique (les procédures actuelles ne contrôlent rien) au partenariat défini par contrat. Claude Évin l'a annoncé. Souhaitons lui force, détermination et soutien dans les arbitrages interministériels.

Valse-hésitation politique

Mais revenons aux années passées. Nous avons vu que la droite avait résolu ses contradictions en ne touchant qu'à la part des dépenses de santé remboursée par la Sécurité sociale. Ce fut le cas du « secteur II », mais aussi plus tard du plan Séguin, qui visait à limiter le taux de remboursement des médicaments et s'empêtrait dans les interactions entre politique économique, politique industrielle et politique sociale. La brutalité de ce plan (plus apparente que celle du développement du « secteur II ») est sûrement l'une des causes de l'échec de son parti aux élections de 1988. Les Français tiennent à leur « Sécu », même s'il est nécessaire de se poser la question de l'efficacité de certains médicaments et s'il faut contrôler les décisions permettant de tout rembourser à 100 %.

Quant à la gauche, elle aborda le pouvoir, en 1981, avec un plan d'action bien limité, surtout si on le regarde avec la facilité cruelle que donne l'histoire. Nous avons vu ce qu'il est advenu de la suppression du secteur privé à l'hôpital public ; quant à celle du Conseil de l'ordre, bien qu'annoncée, elle fut courageusement évitée même si cet organisme a toujours besoin d'un sérieux *lifting*. Enfin, le développement des centres de santé intégrés eut le sort que l'on connaît. La courageuse expérience de Saint-Nazaire ne fut pas évaluée, ni défendue, mais abandonnée sous la pression du corps médical, là encore soutenu par le président de la CNAMTS. Au nom de quel libéralisme peut-on empêcher des médecins d'accepter un contrat de droit privé avec un organisme qui décide de pratiquer un nouveau type de médecine ? Le ministre de l'époque sacrifia cette expérience au nom des futures négociations tarifaires avec les médecins et la dernière mesure des 110 propositions du candidat François Mitterrand, version 1981, fut malheureusement sans lendemain. L'idée reviendra, car une réforme de la médecine de ville s'impose. Même si le mode dominant d'exercice reste probablement le mode actuel, il est urgent d'en tester d'autres, qu'ils s'appellent « réseaux de soins coordonnés », centres de santé ou capitation...

La gauche au pouvoir, soucieuse de maintenir la protection sociale alors que la croissance économique baissait fortement et que le chômage augmentait, s'ingénia à maintenir les droits et les avantages sociaux. On peut dire qu'elle y a réussi, et ce n'est pas une mince victoire, même si l'opinion publique ne perçoit pas les efforts qui furent nécessaires pour y arriver et si la non-dégradation n'est pas vraiment par définition un progrès. La gauche en profita pour lancer une modernisation de la gestion des établissements hospitaliers, pour former des directeurs d'hôpitaux dans des écoles de commerce, pour mettre en place des systèmes d'évaluation de la qualité des soins. Elle intervint là où on ne l'attendait pas, au nom d'un certain modernisme peut-être, mais aussi, et surtout, parce qu'elle savait que ces méthodes sont les conditions nécessaires au maintien de la protection sociale. Jean de Kervasdoué, directeur des hôpitaux de 1981 à 1986 et porteur de certaines de ces réformes, a dit à plusieurs reprises que la charité n'empêchait pas que l'on fût rigoureux et exigeant. Les acteurs du système de santé doivent des comptes à ceux qui les financent, c'est-à-dire à l'ensemble des salariés de notre pays. Il est bon de le rappeler.

Ces dix dernières années de politique de santé montrent bien que si la droite et la gauche partagent dans ce secteur une forme de social-démocratie, leurs alliances, leurs choix ne sont pas les mêmes. Le gouvernement de Michel Rocard hérite aujourd'hui d'une situation difficile, car les réformes entreprises sont inachevées et les mécanismes d'équilibre du secteur sont à repenser. C'est possible car le système est riche et les bonnes volontés nombreuses. C'est difficile, car pour réussir il faut simultanément jouer sur plusieurs touches : réforme des mécanismes de contrôle, du statut du personnel, de la nomenclature, de la convention. Il faut agir à l'hôpital comme en ville, dans le public comme dans le privé, dans le sanitaire comme dans le social et, en chemin, il ne faut pas perdre son âme, c'est-à-dire le principe de solidarité.

Il ne faudrait pas terminer cet article sans parler brièvement de Jack Ralite. Membre du parti communiste français, c'est en marxiste qu'il analysa la politique de santé, mit l'accent sur le dépistage, la médecine scolaire, la prévention, la participation du personnel à la gestion hospitalière... C'est parce qu'il était marxiste qu'il échoua, car ses clés d'analyse étaient tellement différentes de celles du corps médical qu'après la surprise ce fut le rejet, faute de langage commun ! Beaucoup de ce qu'il a dit devrait toutefois être repris même si, heureusement, il ne put mettre en œuvre un certain nombre de conceptions aussi laxistes que dangereuses sur le droit et la durée du travail dans les hôpitaux. CGT oblige !

Antoine Figari

Drogue
De nouvelles réponses ?

Entretien avec Anne Coppel et João Fatela [1]

Anne Coppel : La question de la dépénalisation de la drogue ne se pose pas en Europe. Aux États-Unis, les économistes ont relancé le débat, qui a d'ailleurs fait la une de *The Economist* (Londres), au printemps dernier. On connaît le ressort de leur argumentation : l'interdit crée le trafic et donc la délinquance. Ce sont les mêmes arguments qui ont été utilisés contre la prohibition de l'alcool dans les années 30. Aujourd'hui, on assiste à un dialogue de sourds : les experts, économistes ou juristes, constatent l'échec des politiques de prohibition et prétendent réduire les effets pervers des modalités de contrôle ; à défaut de maîtriser le problème lui-même. Une grande part de l'opinion publique croit à l'éradication du mal. Cette part est majoritaire : le premier colloque européen sur la dépénalisation, qui a eu lieu à Bruxelles en septembre 1988, n'a reçu aucun écho. Il y avait là pourtant les meilleurs experts internationaux [2].

En Europe, les pays les plus libéraux subissent la pression générale. En Italie, il y a un petit débat public – mais un renforcement de la loi

1. Anne Coppel, chargée d'étude (Université de Paris 13e, FIRST, CREAI de l'Ile-de-France) dans le domaine des politiques sociales ; spécialiste des politiques locales en matière de toxicomanie ; publiera en mai 1989, avec Ch. Bachmann, *Le dragon domestique, La drogue en Occident : un siècle de lutte*, chez Albin Michel. João Fatela, anthropologue et psychologue ; directeur du centre Parcours (Paris) pour toxicomanes, qui succède à l'atelier d'insertion de l'ex-association L'Abbaye ; a coordonné le numéro spécial d'*Esprit* « Drogue et société » (2e édition 1985) et publié un article sur le même thème, « Liberté et contrainte », *Esprit*, novembre 1986.

2. Tels que P. Reuter, économiste (États-Unis), R. Lewis, spécialiste du marché de la drogue (Grande-Bretagne), R. Salerno, services répressifs (États-Unis), Grinspoon, psychiatre (États-Unis), P. Cohen, sociologue (Pays-Bas), A. Trebach, juriste (États-Unis), F. Savater, journaliste (Espagne), G. Arnao, médecin (Italie), R. Stevenson, économiste (Grande-Bretagne), J.L. Diez Ripolles, droit (Espagne), H. Roelandt, médecin (Belgique), E.U. Savona, criminologue (Italie).

vient d'être voté. Les Hollandais ont pris une position de retrait. L'Espagne résiste encore.

L'usage est-il un délit ?

João Fatela : Il faut bien faire la différence entre le système français et les systèmes hollandais, espagnol, ou italien : dans ces derniers, l'usage n'est pas un délit, à la différence de la France, où la consommation est considérée comme un délit. C'est le point central de la discussion : au nom de quoi peut-on pénaliser l'usage ? On met en avant généralement l'atteinte à la santé et les conséquences, qui sont d'ordre public, d'un usage effectivement privé. Mais ce n'est pas, selon moi, l'essentiel : c'est parce que les pratiques des toxicomanes sont exclusives et rejettent l'autre qu'une société est mise en péril. Mais faut-il pour autant pénaliser l'usage ? Je ne le pense pas. Cela dit, le système français a progressivement concilié la pénalisation sur le plan des principes avec une dépénalisation de fait.

En Espagne, depuis 1983, le code pénal a été revu dans le sens d'une dépénalisation de l'usage, à condition par exemple que l'usager ne propose pas à autrui de la drogue, car ce geste est considéré comme un délit. Mais les Espagnols ont été rapidement débordés, et le climat est désormais à l'affolement, car la drogue a développé un climat d'insécurité dans la péninsule : le nombre des morts par overdose est important, mais tout autant les victimes de règlements de compte entre trafiquants et bandes. Là-dessus est venu se greffer un débat politique : certains leaders politiques accusent la démocratie d'avoir introduit le cancer moderne de la drogue, tandis que les démocrates se contentent de rétorquer que la punition de l'usage ne serait guère démocratique. Mais il est trop simpliste de rapporter l'aggravation du problème de la drogue en Espagne au seul facteur juridique. La situation géographique qui fait de l'Espagne une plaque tournante sur le plan du trafic, tant vis-à-vis du Maroc que des pays latino-américains, doit également être prise en compte.

En tout cas, dans aucun pays d'Europe, on ne peut parler au sens strict d'une libéralisation, on peut seulement observer un mouvement de dépénalisation de fait ou de droit quasiment général en ce qui concerne le simple usage.

L'exemple hollandais

Anne Coppel : Peut-être accorde-t-on une importance trop grande au statut juridique. La loi ne joue qu'un faible rôle dans la gestion du problème de la drogue. Il est aberrant de penser que la libéralisation est à l'origine de la consommation en Espagne. La dépénalisation de la consommation en Espagne et en Hollande n'a pas donné les mêmes résultats. En Hollande, l'ensemble du dispositif contrôle/soins a montré son efficacité : contrairement à l'idée admise, les Hollandais ont moins de drogués – leur nombre s'est stabilisé depuis le début des années 80 – et des drogués en meilleure santé. La comparaison des chiffres est difficile dans la mesure où les Hollandais connaissent très précisément le nombre de leurs toxicomanes, alors qu'en France les données chiffrées sont rares et partielles. Je prendrai l'exemple du haschisch, qui est en vente libre à Amsterdam : 4 % seulement des jeunes en fument. En Ile-de-France, un rapport de l'INRP de 1985 donnait 24 % d'usagers de drogues parmi les lycéens.

Comment expliquer ces résultats ? La réponse réside dans les contrôles informels qui tissent les relations sociales : un enfant va mal à l'école, les enseignants alertent immédiatement les parents, ou encore les associations de parents interviennent directement dans les familles... En France, nous dénonçons violemment les contrôles sociaux où nous voyons l'ingérence d'un État normalisateur. Nous fermons les yeux pudiquement – pour laisser de fait tout pouvoir aux services de Police et de Justice. Foucault, par un paradoxe étrange, sert de cache-sexe aux professionnels du social.

Mais les Hollandais disposent surtout d'un atout très important qui est celui de l'expérience : ils ont commencé bien avant nous à s'inquiéter de la drogue, ils ont laissé faire, ils ont regardé, ils ont appris, multiplié les débats, formé des professionnels qui ne sont pas tous pour autant des spécialistes. Par ailleurs ils savent bien distinguer la responsabilité du politique de celle du citoyen : la responsabilité du politique est d'assurer l'ordre et la sécurité des citoyens, la responsabilité du citoyen est de faire des choix concernant son mode de vie, ce qui a conduit les parents à se manifester sans toujours tout attendre de l'État. A la différence de la France où l'État répond mal et suscite par défaut les solutions du type des communautés thérapeutiques et du Patriarche [1], en Hollande il y a eu un véritable débat public qui a créé un tissu social composé d'associations et de lieux de discussion.

João Fatela : Mais si l'on considère la situation en Italie, et surtout sa dégradation en Espagne et au Portugal, il y a un glissement du problème de la drogue des pays du Nord vers les pays du Sud. Dans les années 70 les pays du Nord ont été confrontés violemment à la drogue,

1. Le Patriarche est une association 1901 qui gère de nombreuses communautés pour toxicomanes, non seulement en France, mais dans plusieurs pays d'Europe. Très controversée en raison de son expansionnisme et de certaines pratiques qui la rapprochent d'une secte, cette association fait l'objet actuellement d'une nouvelle enquête administrative ordonnée par Claude Evin sur les conditions dans lesquelles la prise en charge des toxicomanes est assurée par des communautés.

et toute une expérience s'est accumulée, c'est un fait. Dans le cas du Sud où la drogue avait préexisté à la démocratie, la mutation d'une société fortement solidaire et communautaire vers une démocratie peu capable de créer de nouvelles médiations a précipité la diffusion de la drogue. Et vous avez raison de dire que, de ce point de vue, la loi est une question mineure.

Anne Coppel : J'ai toujours pensé que les consommations de drogue interviennent dans les périodes de grand changement social, on voit bien le rapport de l'alcool avec l'industrialisation ; ou encore l'épidémie de morphine chez les femmes à la fin du XIXe siècle alors que leur rôle commence à changer. Quels atouts a-t-on pour contrôler ces produits qui sont dangereux ?

La question du contrôle est à articuler très étroitement, me semble-t-il, avec la gestion du changement social. La force des pays nordiques, libéraux ou non, est d'avoir compris qu'il fallait trouver les réponses dans le tissu social, ou encore par un maillage des contrôles institutionnels et informels. Le contrôle social ainsi entendu s'avère autrement efficace. Si l'on regarde de près comment ont disparu les épidémies de drogue qu'on a connues précédemment – je pense par exemple à la vague de cocaïne des années 20, évanouie dix ans plus tard –, on s'aperçoit que ce qui est déterminant, ce sont les comportements des gens. La loi peut y aider dans le cas de l'absinthe par exemple. Elle n'est pas suffisante. Que l'on pense à la prohibition de l'alcool : les gens ont voulu consommer, ils ont continué à le faire malgré la loi.

Le succès des communautés thérapeutiques en Europe

Olivier Mongin : Mais revenons à la France : pourquoi ne parvient-on pas à engager un débat public, pourquoi ne disposons-nous même pas de chiffres convaincants, comme vous semblez le dire ? Pourquoi le débat sur la loi revient-il régulièrement à la surface alors que c'est la société elle-même qui est d'abord concernée ? C'est le vieux syndrome français : on attend tout de l'État et de sa législation, mais on ne supporte pas ses interventions dans la sphère privée. Tout ne peut pas se jouer cependant entre l'individu et l'État, entre la loi et le citoyen.

Anne Coppel : Je pense qu'on est sous-équipé, en France, sur le plan de la recherche et de l'enquête de terrain ; la faute est partagée : ni les juristes, ni les économistes, ni les sociologues ne s'y intéressent ; par ailleurs, les cliniciens sont les seuls à s'être préoccupés du problème, ce qui a accentué le rôle de l'approche clinique. Il faut être clair : il n'y a quasiment rien eu depuis le Rapport Pelletier de 1976, et les missions successives[1] sont restées silencieuses. Cette situation favorise une forte médiatisation du problème, qui se traduit elle-même par la polarisation du débat : qui va l'emporter, d'Olievenstein ou du Patriarche ? C'est le seul angle selon lequel la question est perçue. Si ce débat ne vous intéresse pas, vous fermez votre poste de télévision, voilà tout. Pour moi, la France ne veut pas se confronter à ce problème.

Deux débats se superposent ici : un débat politique sur le droit de l'usager, et un débat technique sur les formes d'intervention. Car, qu'on le veuille ou non, le succès du Patriarche est incontestable. Au reste, les communautés thérapeutiques sont de fait prédominantes en Europe, du moins par le nombre d'usagers.

João Fatela : Je noircirais moins le tableau français sur ce point : si je compare le succès actuel du Patriarche en Espagne et au Portugal, où la culture de l'aumône et un cléricalisme discret rencontrent le vieux fonds catholique de ces pays, je m'aperçois que les gens ne disposent pas d'arguments pour juger et choisir, à la différence de la France où la médiatisation excessive a quand même permis à certains d'effectuer un choix, de se décider entre plusieurs formes de prises en charge.

Je déplacerais sensiblement le problème : l'écho du Patriarche en France est lié d'une part aux carences du dispositif institutionnel français – j'y reviendrai – et d'autre part à la façon perverse dont il tire parti de la fragilité du corps social, qui ne sait plus quoi faire de ses toxicomanes. A l'inverse de la tendance qui s'efforce de tenir compte de l'environnement et d'impliquer les proches, à l'image de la majorité des institutions, la proposition du Patriarche consiste à dire : « Confiez-nous le toxicomane, nous nous en chargeons. »

Anne Coppel : Avant de continuer à débattre du rôle du Patriarche, je voudrais revenir sur l'histoire italienne. La loi de 1975 a créé un service public dont la mission était transversale. D'où la constitution de petites cellules destinées à recueillir l'information et à répondre à la demande sans prendre en charge le drogué, mais en le renvoyant à l'ensemble des acteurs sociaux : une association sportive, l'hôpital général, des réseaux de parents... Mais ça n'a pas fonctionné ; très rapidement ces services publics se sont trouvés confrontés à la clientèle car ils n'arrivaient pas à s'imposer comme relai. Au point qu'ils ont répondu par la méthadone et la morphine, ce qui a donné lieu à un débat très violent. Et depuis ces quatre/cinq dernières années les communautés thérapeutiques se sont multipliées. Ce sont elles qui

1. Missions interministérielles de lutte contre la toxicomanie (MILT). Comme le nom l'indique, la MILT, qui maintenant est passée à nouveau sous la tutelle du Premier ministre, a pour but de coordonner la politique dans ce domaine.

assurent la grande partie du soin en Italie. Il faut bien analyser cet échec.

En France, si l'on veut y voir clair, il faut constater que les communautés thérapeutiques, essentiellement liées au mouvement du Patriarche, hébergent plus de 5 000 clients, tandis que le système d'accueil public ou subventionné dispose d'environ 400 lits. On peut poser le problème de l'accès aux soins : les services publics sont étonnamment sélectifs. Il faut aussi envisager l'évolution des structures spécialisées. On en est resté au profil du toxicomane des années 70, celui qui correspond au discours d'Olievenstein, il faut être un toxicomane avéré pour être admis dans les unités de soins. J'ai eu l'occasion de faire une étude sur le Forum des Halles où l'expérience majeure est celle que décrit François Dubet dans *La galère*[1]. On ne rencontre pas le toxicomane dont le profil correspond aux institutions, mais des jeunes qui n'en consomment pas moins de la drogue.

Le nouveau profil du toxicomane

João Fatela : Je pense que l'on commence à être sensible, et même les pouvoirs publics, à ce constat que la demande du drogué n'est pas nécessairement induite par la seule dépendance envers un toxique, si l'on peut dire, mais par des raisons sociales ou culturelles qu'il faut savoir accueillir comme telles même si elles ne sont pas tout à fait étrangères à la prise de toxiques. Actuellement, on a de plus en plus affaire à des toxicomanes dont le problème de l'insertion sociale et professionnelle est au moins aussi grave que la consommation de drogue. D'où l'importance d'un travail sur les environnements et l'ouverture des institutions spécialisées aux autres dispositifs qui interviennent ou doivent intervenir sur le parcours du toxicomane.

D'un autre côté, le système français, avec sa succession quelque peu cloisonnée de centres d'accueil, de cure et de postcure, semble peu adapté à un moment de fragmentation du tissu social et de précarité croissante, car il suppose que le parcours du drogué, et notamment celui de l'héroïnomane, est linéaire. Or tout prouve que celui-ci a une trajectoire en dents de scie, un mode d'être ponctué par des intermittences, des secousses, que le système actuel, avec ses rigidités, ne sait pas accueillir de façon satisfaisante. Par ailleurs, l'influence profonde de la psychanalyse en France conduit souvent à exiger du drogué qu'il formule une demande formelle de soins par lui-même, alors que celle-ci est beaucoup plus ambiguë, diffuse, etc.

Bref, nous manquons de structures qui puissent répondre aux épisodes de crise, aux situations d'urgence que les toxicomanes

1. Fayard, 1987. Cf. Patrick Mignon, « Les jeunes et la galère », *Esprit*, mai 1987, p. 92-96.

connaissent de plus en plus fréquemment, et notamment en raison de la diffusion galopante du sida. Je me demande si l'une des raisons du succès du Patriarche ne réside pas dans l'incapacité des spécialistes français à penser l'urgence au nom du souci, tout à fait défendable au demeurant, de ne pas tomber dans le colmatage. Mais j'ouvre une parenthèse : les psychiatres ayant le monopole du discours public sur la drogue, il ne faut pas oublier le travail obscur des éducateurs de rue, des comités de quartier, etc., qui aident les toxicomanes à ne pas sombrer dans le désarroi.

Le Patriarche et Olievenstein

Olivier Mongin : A vous écouter, on comprend mieux le silence et le désarroi de la mission et des pouvoirs publics. Il y a quelques années les politiques (Monique Pelletier, Simone Veil) mettaient en cause le modèle des communautés thérapeutiques et dénonçaient les actions du Patriarche. Or celui-ci répond à une demande, et l'on n'a pas su proposer parallèlement des formes d'intervention mieux adaptées aux comportements actuels des toxicomanes. Même Simone Veil a dû reconnaître récemment dans un débat que le Patriarche savait faire son boulot.

Anne Coppel : Mais il ne faut pas se méprendre : le Patriarche n'est guère armé pour répondre au problème soulevé par ces jeunes en galère qui sont consommateurs de drogue à l'occasion. Le Patriarche traite surtout ceux qui se reconnaissent comme toxicomanes. Pour ceux-là du moins, il offre deux types de service : il accepte sans rechigner les cas les plus lourds, et il les accepte dans l'urgence.

On est trop focalisé en France sur les problèmes idéologiques, ce qui nous conduit à ne pas discuter des modes de prise en charge : on est pour ou contre le Patriarche ou Olievenstein au nom du respect des droits de l'individu, et l'on ne se demande pas si l'approche psychiatrique ou psychologique est la plus adéquate pour répondre à la demande actuelle.

C'est là que les Hollandais ont pris des longueurs d'avance : ils n'en sont plus à croire qu'il y a un seul profil du toxicomane et une seule réponse. Il y a plusieurs types de profils auxquels doivent s'accorder diverses réponses.

João Fatela : Mais il ne faut pas oublier que nous n'avons pas mis en place en France, à la différence de la Hollande, de l'Angleterre ou de l'Espagne, des grands programmes de produits de substitution, à commencer par la méthadone. Il faut s'interroger quand même sur ce que deviennent ces gens qui passent une vie entière avec des produits de substitution, même s'il faut peut-être reconnaître que grâce à eux les toxicomanes hollandais sont en meilleure santé que les français. Je ne conteste pas la méthadone elle-même, je ne suis pas un adepte de l'abstinence à tout prix, je conteste l'aspect massif qui caractérise de tels programmes. Que devient le rapport des toxicomanes au monde dans de telles conditions ? C'est une vraie question. Une étude de Mitcheson et Hartnoll[1] consacrée à l'Angleterre montre que si le traitement de maintenance à l'héroïne diminue sensiblement l'usage d'opiacés illicites et la criminalité, il ne favorise guère une amélioration des relations sociales.

Les programmes de maintenance

Anne Coppel : Effectivement tout le monde est contre ces programmes de maintenance en France : l'argument est d'abord psychologique, c'est-à-dire que l'objectif que se fixent la plupart des spécialistes qui s'occupent des toxicomanes est de lutter contre la dépendance : on peut difficilement traiter la dépendance en la remplaçant par une autre, en remplaçant un produit par un autre...

João Fatela : Selon moi, cet argument tient. Il faut se méfier d'une politique qui prétend soigner des drogues illicites avec des drogues licites. Et peut-être en France plus qu'ailleurs, si l'on veut bien se rappeler qu'elle est la plus grande consommatrice de tranquillisants en Europe, et que les études épidémiologiques qui font le rapport entre les consommateurs de drogue et des parents consommateurs de médicaments peuvent nous éclairer, même si elles n'ont pas toujours la rigueur scientifique requise. Cela est d'autant plus important à préciser que la polytoxicomanie, avec ses composantes médicamenteuses, est en train de devenir un problème majeur en France.

Anne Coppel : Vous avez raison, c'est un problème majeur. Mais je ne sais pas s'il peut être résolu par une intervention étatique. Beaucoup de pays européens – la Grande-Bretagne, l'Italie, la Hollande – traitent la méthadone comme ils traitent les médicaments psychotropes – tranquillisants et somnifères – avec le raisonnement suivant : les citoyens sont libres de leurs choix et peuvent avoir recours à des produits s'ils en éprouvent le besoin. C'est peut-être un moindre mal ; du moins leurs problèmes ne rejaillissent pas sur les autres. Pourrait-on envisager que la méthadone relève d'un contrôle médical au même titre que les neuroleptiques ? Ce qu'il y a de sûr, c'est qu'il est

1. H. Hartnoll et M. Mitcheson, « Evaluation of Heroin Maintenance in Controlled Trial », *Archives of General Psychiatry*, vol. 37, 1980.

illusoire de penser que la gestion du problème de la drogue puisse relever uniquement du médical.

Le contrôle médical a fait faillite : en France, ce sont les médecins qui en 1916 ont fait appel à la loi. En Angleterre, l'abandon du système médical est plus récent. On peut le fixer à 1968, date de la création des cliniques spécialisées. Mais cela ne signifie nullement que les médecins ne puissent contribuer, pour ce qui les concerne, à la gestion des psychotropes. La question est celle de l'agencement des divers contrôles, sociaux, médicaux, juridiques... qui peuvent prendre la forme d'une réglementation plutôt que d'une dépénalisation. Il ne faut pas se dire : « Tout l'un ou tout l'autre » : le contrôle médical seul ne marche pas ; le contrôle juridique seul est voué à l'échec, ça ne marche pas puisque, comme le disent les économistes américains, il y a de plus en plus de drogués. Le contrôle médical marche pour certains types de produits et formes de consommation mais pas pour d'autres. D'ailleurs, ça ne me gênerait pas que les médecins contrôlent la méthadone comme le font les médecins de quartier en Hollande, mais l'idée même les ferait hurler.

João Fatela : Effectivement, la législation sur la prise de drogues fait ressortir l'ambiguïté fondamentale des rapports entre le pénal et le médical. Pourtant, on s'était engagé dans une bonne voie, en France, à partir de la circulaire de 1978 sur le haschisch, et plus tard de la circulaire de 1984 qui demandait au procureur de considérer ce qui primait, de la qualité d'usager ou de celle de trafiquant. Cela permettait une dépénalisation de fait puisqu'on invitait à ne plus poursuivre pénalement des gens pour simple usage, sauf dans des circonstances exceptionnelles. Mais il s'avère que cela a induit certains procureurs de province à pénaliser encore plus, à commencer par les consommateurs de haschisch. Ce qui m'apparaît comme une trahison de l'esprit de cette circulaire.

Après la parenthèse du « tout répressif » de la période Chalandon, et dans la mesure où un changement de la loi ne paraît guère concevable en raison même de la peur de l'opinion publique, je ne vois pas d'autre solution en ce qui concerne la dépénalisation de l'usage que celle ouverte par ces deux circulaires. Mais on ne saurait oublier que le versant pénal ne représente qu'un des aspects de la loi du 31 décembre 1970, qui n'avait justement pas cherché à imposer un modèle institutionnel sur le plan de l'accueil et des soins proposés aux usagers de toxiques. Il n'est pas interdit de repenser le dispositif institutionnel en fonction des nouvelles pratiques des consommateurs en lui imprimant une plus grande souplesse.

Anne Coppel : Personnellement, je n'interprète pas comme vous la circulaire de 1984 ; je l'analyse comme un renforcement du dispositif répressif, demandé par les services de police qui protestaient de leur impuissance : « On arrête des trafiquants qu'on relâche au bout de trois jours. » Pour moi, cette circulaire entre en contradiction complète avec la circulaire de 1978. Je suis plus pessimiste que vous, car on observe actuellement en Europe une sévérité accrue, à l'exception, pour le moment, de l'Espagne.

João Fatela : Mais certainement moins à Paris qu'en province. Et puis, il faut bien remarquer que la panique vient de la conjugaison de la délinquance et de la drogue.

Anne Coppel : Elle se conjugue avec la délinquance, elle se conjugue aussi avec le sida. Je travaille sur ce point dans des quartiers défavorisés. C'est compliqué car on connaît peu de choses sur les modes de vie de ces jeunes, que ce soit sur leur sexualité ou sur leur consommation de drogue. Je vais peut-être scandaliser : il existe des jeunes qui ne sont pas des toxicomanes avérés mais qui utilisent des seringues occasionnellement ; il y a donc énormément de porteurs dans les quartiers où j'enquête. Si on sous-évalue les consommateurs de drogue, cela va poser de graves problèmes. Le risque est d'accroître la réaction sociale ; je l'ai observé à Orly où j'avais travaillé en 1984 et où je suis retournée récemment, les jeunes usagers de drogue n'étaient pas nécessairement plus marginalisés que les autres. Aujourd'hui on peut craindre pour certains d'entre eux une exclusion plus forte.

João Fatela : La situation dramatique du sida chez les toxicomanes français ne doit pas nous conduire à des solutions de facilité qui risquent de les déresponsabiliser encore plus face aux autres citoyens. Ainsi, plutôt que de prôner tout de suite des programmes d'assistance « médicamenteuse » (distribution de la méthadone à large échelle par exemple), comme le font certains, en contradiction totale avec ce qu'ils ont défendu jusqu'ici, voyons, par exemple, si une application intelligente du RMI peut servir d'étayage à des héroïnomanes en proie à une séropositivité qui renforce leur désarroi.

Bibliographie

Conseil de l'Europe, *Symposium sur la prise en charge des toxicomanes lourds* (Strasbourg, 14-16 mars 1983), Strasbourg, 1984.

Conseil de l'Europe, *Étude multiville sur l'abus de drogues à Amsterdam, Dublin, Hambourg, Londres, Paris, Rome, Stockholm,* Strasbourg, 1987.

Organisation mondiale de la santé, *Les problèmes de la drogue dans leur contexte socio-culturel,* sous la direction de G. Edwards et A. Arif, Genève, 1982.

Le mérite introuvable

Évelyne Pisier et Pierre Bouretz [1]

Le 9 décembre 1988, à l'Assemblée nationale, Michel Rocard annonce un plan en trois étapes et sur trente mois, pour le renouveau du service public. Interrogée et sondée, l'opinion publique demeure sans doute sceptique, mais sans hostilité : alors que la crise de l'État-providence avait ouvert une période de brutale remise en cause d'un service public réputé à la fois inefficace et liberticide [2], provoquant ici ou là les mirages de la privatisation et de la déréglementation, un nouveau paysage se dessine.

Sous prétexte de crise, il ne saurait plus être question de table rase. L'idée même de service public n'est plus en cause, au contraire. Dans différents domaines, c'est même le besoin de service public qui s'exprime. Ici, le social rappelle ses droits et ses acquis en matière de protection. Là, phénomène plus original, la culture fait valoir les siens sans qu'un clivage partisan en rende compte : ainsi, à l'occasion du débat sur l'audiovisuel, on entend que le privé et la concurrence qui l'accompagne sont porteurs de médiocrité, bref qu'au service public revient la mission de nous sauver de la culture de masse... Un Hauriou n'en croirait pas ses oreilles, qui écrivait au contraire en 1916 que service public et culture étaient incompatibles, voire antinomiques [3]. Il

1. Évelyne Pisier et Pierre Bouretz enseignent la science politique à l'université de Paris I.
2. Cf. Évelyne Pisier, « Service public et libertés publiques », *Pouvoirs*, n° 36, 1986, qui discute la thèse développée par Pierre Delvolvé, *Revue française de droit administratif*, n° 1, 1985.
3. Note sous CE, *Astruc*, 7 avril 1916, où Hauriou déclare que « le théâtre représente l'inconvénient majeur d'exalter l'imagination, d'habituer les esprits à une vie factice et fictive au détriment d'une vie sérieuse ». Position rapidement abandonnée cependant par le Conseil d'État, qui admet bientôt que le théâtre est un service public, à condition « d'assurer un service permanent de représentations théâtrales de qualité [...] en faisant prédominer les intérêts artistiques sur les intérêts commerciaux de l'exploitation » (CE, *Léoni*, 21 janvier 1944).

semble donc que la crise de l'État-providence ne soit pas destinée à nous convertir au pur marché. Toutefois, crise il y a bien, qui n'autorise aucun *statu quo*. Le besoin de service public justifie au contraire des réformes telles que certains n'hésitent pas à en appeler, au nom du service public, à une *révolution culturelle*[1].

Un autre État

L'État ne peut plus tout faire et tout payer : tel serait l'axe du nouveau consensus. Ni plus d'État, ni moins d'État, mais un autre État : État animateur, partenaire, incitateur, éclaireur, pour de nouvelles solidarités ; État interactif pour de nouveaux rapports avec la société civile ; État libérateur des capacités entravées ; État pilotage dans la complexité ; État puce, performant, communiquant et synergique, à l'écoute des technologies nouvelles. État créditeur aussi, et non pas assureur automatique : à l'interface du discours économique de la rigueur et des leçons philosophiques de l'individualisme, l'usager comme le citoyen sont invités à remplacer l'assistance par l'initiative. En ce sens, la loi sur le revenu minimum d'insertion, comme le projet de crédit-formation, feraient signe vers ces attentes nouvelles. Hayek est délaissé, et Tocqueville corrigé par John Stuart Mill[2] : du citoyen assisté la démocratie se méfie, contre son apathie elle en appelle à sa *responsabilité*. Le terme devient le vecteur de tous les projets de renouveau et la mutation de l'État-providence est ainsi annoncée.

Responsabilité : la préoccupation n'est pas neuve, qui organise et réorganise le discours philosophique, politique et juridique des grandes mutations démocratiques. Dans le discours du *renouveau du service public*, la responsabilité invoquée est d'abord celle de ses agents. L'exigence n'est pas non plus nouvelle. L'article 15 de la Déclaration des droits de l'homme et du citoyen la formulait déjà en 1789 : « La société a le droit de demander compte à tout agent public de son administration. » Mais la formule a reçu au cours de l'histoire française des interprétations diverses qui interdisent de faire le simple procès des hommes et de croire naïvement que la responsabilité se décrète.

Dans le vocabulaire juridique hérité du code civil et des traditions morales, la responsabilité est étroitement associée à l'idée de réparation. Qu'il s'agisse d'une faute ou d'un dommage, l'esprit diffère évidemment, mais le principe reste le même, qui tient à l'obligation de réparer. Assiste-t-on aujourd'hui à un véritable débordement de ce sens négatif ? En appeler à la responsabilité des agents publics, ce n'est

1. Cf. Michel Crozier, *État modeste, État moderne*, Paris, Fayard, 1987.
2. Cf. Pierre Bouretz, Article « John Stuart Mill », *Dictionnaire des œuvres politiques*, sous la direction de F. Châtelet, O. Duhamel et E. Pisier, Paris, PUF, 1986.

plus seulement réclamer la sanction d'une faute, le dédommagement d'une victime, c'est rechercher l'acteur plutôt que le coupable, c'est solliciter positivement des initiatives assumées, des conduites réfléchies et des obligations de résultat. Le renouveau du service public impliquerait la promotion de cette signification élargie. Pourtant le projet reste grevé d'une double difficulté. La première tient à la recherche des critères de responsabilité, au-delà des obsessions moralisantes qui l'accompagnent. La seconde tient à la mise en œuvre de modalités de responsabilisation au-delà des obsessions individualisantes qui dénaturent aujourd'hui encore le lien de la responsabilité et de la solidarité.

La première de ces difficultés puise ses raisons d'être dans l'héritage régalien. Une même histoire promeut la responsabilité juridique de l'État pour le fonctionnement des services publics et concède l'irresponsabilité des agents. Face au repérage de l'effet pervers, le nouveau discours de la responsabilité peut-il éviter la tentation du redressement punitif ?

Quant à la seconde difficulté, elle prend sens à l'horizon même de la tradition démocratique. Une même histoire enseigne ici que la responsabilité ne peut se passer de l'autonomie sans que l'autonomie jamais ne la garantisse. Face aux leçons ambivalentes de l'individualisme, le nouveau discours de la responsabilité peut-il se contenter de sortir le fonctionnaire de l'anonymat de sa fonction sans lui restituer le sens de l'exercice collectif de sa mission ?

Surmonter ces deux difficultés implique effectivement de changer la signification traditionnelle de la responsabilité sans pour autant en perdre l'horizon de sens. La voie est étroite qui interdit d'une part de s'en tenir à la logique de l'indemnisation et oblige d'autre part à ne comprendre la responsabilité des personnes-fonctionnaires que dans le cadre d'un système de responsabilité des services publics. A quelles conditions le fonctionnaire peut-il se voir doté d'une véritable responsabilité professionnelle sans tomber dans les pièges d'une responsabilité purement étatique comme dans ceux d'une responsabilité purement personnelle ?

Responsabiliser les fonctionnaires

Énoncée sous forme de devoir quasi moral, la responsabilité est restée longtemps prisonnière d'une philosophie de la faute, de la récompense et de la punition. Comment pouvait-elle se couler au sein d'une organisation étatique entièrement portée par les notions de souveraineté et de puissance qui justifiait précisément l'irresponsabilité ? A la fin du XIXe siècle, Édouard Laferrière par exemple déclare encore que « le propre de la souveraineté est de s'imposer à tous sans qu'on puisse réclamer d'elle aucune compensation ». Contre de telles assertions, l'idée de service public a prétendu balayer les séquelles de l'État régalien : « Incontestablement, répond Duguit, c'est l'extension toujours plus grande donnée à la responsabilité de l'État qui révèle mieux que toute autre chose la transformation profonde de l'État moderne et la disparition constante et progressive de la notion de souveraineté. En même temps que s'amoindrit la notion de souveraineté, s'élargit au contraire la notion de responsabilité étatique[1]. » Quelle responsabilité ?

Les bonnes intentions des pères fondateurs ne sont pas exemptes d'ambiguïtés. Certes, le passage de l'État souverain à l'État de service public assure l'extension de la responsabilité pour risque : « Le système français est tellement fondé tout entier sur cette idée que la caisse publique doit supporter la charge que fait courir aux particuliers le fonctionnement des services publics qu'aujourd'hui le Conseil d'État n'exige même plus que les particuliers fassent la preuve d'une véritable faute imputable aux agents du service et qu'enfin la responsabilité atteint les administrations quel que soit le service public en jeu[2]. » Rare au début du siècle, la responsabilité sans faute est étendue par le juge administratif : devant l'accroissement des activités des administrations, on admet la réparation des dommages même lorsque la faute n'est pas constatée, au nom de l'équité à l'égard des victimes, par souci d'allégement des relations administratives. Pourtant Duguit lui-même entrevoit le risque d'une dépersonnalisation généralisée : « Admettre que l'État est directement responsable pour tout dommage causé par une faute quelconque du fonctionnaire, c'est réduire à néant la responsabilité personnelle des agents et cela est grave et dangereux pour la bonne gestion du service. *Là où sont l'action et le pouvoir doit nécessairement être la responsabilité*[3]. » Que faire alors de la faute ? Duguit ne veut pas s'en débarrasser tant qu'elle préside aux relations d'individu à individu. Quitte à attendre que les progrès de la « socialisation » apportent une solution : substitué à l'individu, le groupe n'étant pas sujet de droit ne peut commettre de fautes qui lui soient imputées et la responsabilité est alors fondée sur le risque. Dans ce jeu on ignore cependant ce que gagne le pouvoir étatique à assumer le coût d'une réparation « objective » perdant toute signification au regard du Droit ; ce pari n'a de sens que si les agents sont assimilés au sein de la hiérarchie administrative à de simples rouages impersonnels, ce que l'on voulait précisément éviter. Le malaise est alors très significatif au regard d'une évolution jurisprudentielle qui combine puissance publique et service public, faute et risque, et croit pouvoir

1. Léon Duguit, *Traité de droit constitutionnel*, Paris, 1930, tome 3, p. 459.
2. Léon Duguit, *Les transformations générales du droit privé depuis le code Napoléon*, Paris, 1912, p. 145.
3. Léon Duguit, *Traité de droit constitutionnel*, *op. cit.*, p. 527.

compenser les dysfonctionnements de la responsabilité juridique par les sophistications du droit disciplinaire.

Aujourd'hui le bilan est lourd. Les fonctionnaires se retrouvent prisonniers d'un carcan aux pièges contradictoires : justiciables différents, ils ne sont pas citoyens comme les autres, et leurs fautes professionnelles sont indemnisées par un État qui les rend « intouchables » tout en gardant le privilège arbitraire de se retourner contre le « bidasse »... Quant aux sanctions disciplinaires, elles participent d'une mentalité si négative qu'elles sont vidées de leur sens dans la complicité du juge et du syndicat. « L'impuissance à punir » se prolonge de la même impuissance à récompenser.

En outre, le fonctionnaire est toujours jugé par des juridictions « différentes », qui appliquent un droit « différent ». Peu importe ici l'histoire de cette dérogation, pourvu que l'on se souvienne que la volonté républicaine n'a pas réussi à abolir cette « garantie des fonctionnaires » que Tocqueville déjà jugeait si sévèrement [1]. De la même manière, la distinction de la faute de service et de la faute personnelle aboutit à un étrange système : les fautes personnelles ne le sont plus dès que l'on aperçoit le moindre lien, même lointain, avec le service, et les fautes de service sont, elles, indemnisées par l'État. L'usager à coup sûr y gagne, mais le fonctionnaire « fautif » devient à peu de chose près irresponsable vis-à-vis de sa victime. Sans doute depuis 1951 (Arrêt *Laruelle*) l'administration peut-elle se retourner contre son agent en exerçant une action récursoire, mais outre le fait qu'elle surcharge les contentieux, cette évolution ne fait que réintroduire l'arbitraire sans la responsabilité [2].

Quant au droit disciplinaire, dont le statut de 1983-84 confirme les solutions anciennes, il n'a évidemment pas tenu ses promesses. Pas plus d'ailleurs que le principe hiérarchique auquel il est adossé et dont l'école du service public n'a pas hésité à vanter les vertus : un Duguit par exemple défend très banalement l'organisation hiérarchique en dépit de sa critique de l'État-puissance, arguant du fait qu'elle aurait pour finalité de garantir à la fois les particuliers et les services contre les conséquences d'une illégalité. Aujourd'hui, certains n'hésitent pas à incriminer le principe hiérarchique : l'autoritarisme, à la fois bureaucratique, tatillon et presque militaire, caractériserait le système et, s'il rassure les agents, il engendrerait surtout le conformisme, empêcherait l'initiative, provoquerait frustrations et craintes, entravant toute créativité [3].

A l'heure où tous invoquent la modernisation, le couple hiérarchie-discipline paraît bien désuet. Peu importe qu'on dénonce ici les excès

1. Cf. Évelyne Pisier, Pierre Bouretz, *Le paradoxe du fonctionnaire*, Paris, Calmann-Lévy, 1988, p. 118 s.
2. *Ibid.*, p. 124 s.
3. Danièle Loschak, « Le sens hiérarchique », in *Psychologie et science administrative*, Paris, PUF, 1985, p. 150 s.

de l'autoritarisme, et là les pratiques syndicales destinées à reléguer la sanction disciplinaire au magasin des accessoires. Quelle que soit la valeur de l'un ou l'autre argument, la polémique sur ce point a prouvé sa stérilité. Le statut des fonctionnaires ne fournit plus aucune solution satisfaisante aux problèmes de l'évaluation des services rendus au public ou d'appréciation des capacités du fonctionnaire. La répression disciplinaire fait figure d'instrument inadéquat : elle ne responsabilise ni le chef de service ni son subordonné et parvient seulement à entretenir le goût de la sécurité en paralysant l'initiative.

De cette histoire on peut aujourd'hui tirer les leçons. Ceux qui, à juste titre, considèrent que l'irresponsabilité des fonctionnaires renforce l'inertie des services publics ne peuvent plus se contenter d'un retour à la faute et à la punition. C'est à de nouveaux modes de responsabilisation qu'il leur faut réfléchir.

Vers une culture incitative dans la fonction publique

Contrairement à une idée trop bien reçue, l'organisation du service public, voire la culture de service public, ne sont pas incompatibles par elles-mêmes avec cette recherche de nouveaux modes de responsabilité. Certes, c'est de l'entreprise privée que nous viennent les derniers perfectionnements d'une politique des personnels conviée à la plus moderne « gestion des ressources humaines » (GRH), destinée à valoriser des potentiels humains malgré la menace du chômage. Un spécialiste de ces techniques, Renaud Sainsaulieu, démontre finement que le service public a des atouts spécifiques face à cette nouvelle préoccupation. Que notamment la garantie de l'emploi fait partie de ces atouts en préservant les fonctionnaires de l'angoisse de la précarité. La recherche de responsabilisation s'inscrit bien dans un projet de mobilisation et de motivation des agents. L'administration sort de sa suffisance « systématique » et avoue ne rien pouvoir faire sans ses fonctionnaires. Mais une telle recherche implique aussitôt que l'on sorte la responsabilité d'une problématique juridique étroite, d'une vision paternaliste de l'obéissance, d'une logique de la faute ou de l'indemnisation. Autrement dit, la réflexion porte à la fois sur les critères de cette responsabilité et sur les modalités de son contrôle.

Élargissant le raisonnement de Duguit, on dira que *là où est la responsabilité est l'action*. Un agent responsable est un agent qui se sent associé à une tâche spécifique, personnelle, autonome. Longtemps la hiérarchie s'est confondue avec le normativisme juridique : la hiérarchie des textes semblait admirablement commander à la hiérarchie des fonctions. Cette conception a fait la preuve de ses limites comme de ses illusions. Il faudrait donc passer de cette simple « éthique de la conformité », qui confond obéissance et exécution, à une *éthique de l'initiative.* La mutation visée est évidemment d'ordre culturel. Mais elle implique aussi que soit redéfinie la notion de compétence personnelle.

Tout a déjà été dit des succès et des limites d'un système de recrutement qui aurait fait de la fonction publique française la meilleure du monde. Rien n'interdit de conserver le système du concours, voire de l'étendre et de le diversifier. A condition de savoir que le concours n'épuise pas la compétence. Cette compétence ne saurait plus aujourd'hui se confondre avec le sens juridique automatique et anonyme que lui ont prêté les meilleurs théoriciens de l'école wébérienne. Le concours ne suffit évidemment pas. L'agent dont on souhaite la capacité d'initiative doit être crédité d'une compétence réelle, ce qui suppose que l'effort principal porte sur la formation, faute de quoi le discours de la responsabilité, une fois de plus, n'en appellera qu'à l'élite des rangs A, laissant dans les tâches d'exécution les rangs inférieurs. Jusqu'à présent, l'objectif de formation n'a pas produit les résultats escomptés. Parce qu'il est insuffisant certes, mais surtout parce qu'il est mal pensé et donc mal vécu. Il est notamment évident que la formation des fonctionnaires, quels que soient leur spécilisation et leur rang, doit inclure des techniques nouvelles, de l'informatique à la gestion des ressources humaines. En matière d'enseignement par exemple, le projet qui vise à accorder des rémunérations supplémentaires aux professeurs qui acceptent de se consacrer à des tâches d'administration répond à un souci des plus louables. A-t-il toutefois un sens si ces enseignants ignorent tout des techniques les plus élémentaires de la gestion ? Faute d'une telle formation, la distinction confuse de l'intellocrate et du bureaucrate continuera de nourrir ses effets les plus pervers...

En outre, l'éthique de l'initiative a peu de chances de connaître un miraculeux essor dans le cadre des structures actuelles. Ici encore, l'effort est immense, la centralisation et la République semblant en France liées d'une complicité indéfectible. La décentralisation, quels qu'en soient les progrès, participe trop de ce même héritage culturel pour être susceptible de promouvoir la responsabilité. D'autant plus qu'elle procède toujours du politique et suscite un réflexe de méfiance « antiféodale ». L'éthique de l'initiative n'est concevable qu'au sein de services publics autonomisés, en fonction de tâches et de projets à la fois clairement spécifiés et négociés : service public par service public et, au sein des services, service par service. Cette volonté de libérer l'initiative mènera-t-elle à l'anarchie ? Les anciens détracteurs de l'autogestion, sages et démagogues réunis, retrouveront rapidement les accents de l'imprécation. Gageons de plus que les occasions politiques ne manqueront pas de susciter les polémiques les plus contradictoires. La République est autrement préservée du risque de l'anarchie : le discours de l'indépendance suscite toujours en France une sorte de terreur. Faisons confiance aux vieux sursauts : si initiative il y a, elle sera étroitement contrôlée [1]. Un tel contrôle trouvera-t-il des formes adaptées, non celles de la sanction, mais celles de l'évaluation et de l'incitation positive ?

Faute de s'arracher à la logique de la simple sanction, le thème de l'évaluation n'est-il qu'un « discours mystificateur » supplémentaire, un « gadget » nouveau dans la série déjà ancienne des discours sur la qualité administrative [2] ? Le statut des fonctionnaires dispose certes d'un mécanisme visant à juger de leur efficacité pour en faire dépendre leur carrière. Le système de la notation individuelle des agents par un inspecteur qui participe de la hiérarchie a vécu. Ici encore la polémique est vaine : pour les uns, le caractère factice de la notation, allié à la généralisation de l'avancement à l'ancienneté, paralyse l'initiative et fait du fonctionnaire un intouchable de la carrière ; pour les autres, la quasi-automaticité de l'avancement demeure le meilleur rempart contre l'arbitraire hiérarchique. Les uns et les autres pourront-ils s'affranchir de la logique de la notation individuelle pour assumer celle de l'évaluation des comportements et des résultats dans le cadre du service ?

Sans doute celle-ci requiert-elle de l'autonomie. Autonomie des services lorsqu'il s'agit de définir des « centres de responsabilité » adéquats permettant d'associer adaptation à l'environnement et gestion des ressources, humaines *a fortiori*. Autonomie aussi des agents, appelés à ne pas s'en tenir à l'application d'instructions hiérarchiques, mais à se concevoir comme associés à une entreprise collective. D'où l'idée de projets par service, établis avec les agents en fonction des missions assignées, formalisés en objectifs pouvant être évalués *a posteriori* et coordonnés entre eux. Ainsi doté de capacité d'initiative et de gestion, chaque service peut alors être soumis à l'obligation de résultat et définir en coopération avec l'autorité hiérarchique les critères de ses propres gains de productivité : dans un secteur public, celle-ci ne se réduit pas toujours à une forme de rentabilité financière.

Le contrôle de l'administration au travers des procédures d'évaluation suppose une adaptation de la règle budgétaire. En aval du processus administratif, la contrainte procédurière du contrôle *a priori* est sans doute incompatible avec l'autonomie de projet conjuguée avec l'autonomie de gestion. Certains proposent de lui substituer un contrôle *a posteriori :* les résultats seraient mesurés en fonction d'une enveloppe budgétaire négociée contractuellement et permettant la programmation pluriannuelle. En amont, la règle intangible de l'annualité budgétaire devrait donc être pour le moins assouplie. On

1. On songe notamment aux débats suscités à l'occasion de l'apparition des divers comités de sages. Cf. É. Pisier, P. Bouretz, « Le retour des sages », « La France en politique 1988 », *Esprit*, mars-avril 1988.

2. Jacques Chevallier, « Le discours de la qualité administrative », *Revue française d'administration publique*, n° 46, avril-juin 1988.

mesure l'ampleur de la mutation attendue : pour améliorer le contrôle de l'allocation et de l'utilisation des ressources publiques, le recours à l'évaluation risque de heurter de front une tradition administrative française qui superpose à la stricte hiérarchie fonctionnelle un monopole implicite laissé aux directions financières et budgétaires.

Découplée de la sanction, l'évaluation va au-delà du contrôle : elle jouerait un rôle d'avertisseur entre les mains des différents acteurs du service public[1]. Aux agents elle fournit une invitation à l'*expérimentation :* à la routinisation de la fonction elle vise à substituer la valorisation du métier. Le comportement du fonctionnaire ne serait plus mesuré en termes d'ordre et d'exécution, mais de motivation et d'efficacité. De la même manière, elle veut offrir aux usagers du service public une autre *image* de l'administration, génératrice d'un autre type de *relations.* A condition bien entendu que l'évaluation elle-même échappe au privilège hiérarchique pour associer les publics visés. Auto-évaluation sans doute, lorsqu'il s'agit d'estimer la performance des résultats à l'aune des contraintes de gestion, mais surtout évaluation externe, qui prenne en compte l'avis des usagers, voire parfois soumette l'administration aux procédures de l'audit, aux techniques de l'expert, aux délibérations du sage. Sans doute certains services fortement associés aux fonctions régaliennes de l'État résisteront-ils longtemps aux prétentions des regards extérieurs. Sans doute, dans certains cas, l'évaluation par l'usager sera-t-elle synonyme d'incitation à la démagogie. Ces craintes suffiront-elles à condamner l'expérience ?

La recherche des conditions de l'évaluation des services publics est sous-tendue par la volonté de substituer à une culture répressive une véritable culture incitative. D'où l'urgence d'une réflexion sur les modes d'incitation, inévitablement financière, mais pas uniquement. Là encore, les leçons de l'histoire française sont à prendre en compte. Nourrie d'un idéal égalitaire mais aussi d'un réel souci de rationalité, la logique du service public a longtemps reposé sur une volonté de dépersonnalisation qui préside à l'organisation des recrutements, des carrières et des rémunérations. C'est l'idée statutaire, contre l'arbitraire du Prince, d'une situation *générale et impersonnelle* du fonctionnaire, gérée en structures, corps, rangs, indices et grilles. Sous prétexte d'effacer le lien personnel du prince et du vassal on voulait oublier l'homme qu'aujourd'hui on dit ressource.

Gestion des ressources humaines : les nouveaux chercheurs sont sur la piste du vrai « gisement de productivité ». On décrète la levée de l'anonymat et la fin de l'automatisme. Concernant les rémunérations par exemple, l'idée chemine aujourd'hui qu'il serait possible de distinguer, dans le traitement du fonctionnaire, une part fixée unilaté-

1. Cf. le rapport récemment remis au Premier ministre par Patrick Viveret.

ralement par le pouvoir réglementaire, d'une autre, contractualisable et proportionnelle à sa *responsabilité*. Dans ce sens, le système des primes pourrait être remplacé par un intéressement aux gains de productivité, définis comme objectifs par services et répartis entre les agents. Mais on imagine d'autres incitations financières, par l'épargne notamment : comment alléger la contrainte de la rigueur sans engager immédiatement des masses budgétaires énormes ? L'accent est mis aussi sur d'autres ressources incitatives, compatibles avec le cadre statutaire : liberté dans l'organisation du travail, mobilité, formation permanente.

A l'heure de la communication, l'administration se prétend en outre capable de conjuguer efficacité et publicité. Non seulement par l'amélioration de l'accueil et de l'information. Mais en portant systématiquement à la connaissance des « publics » l'évaluation des performances des différents services. Une politique de mobilisation des fonctionnaires ne peut se passer d'une politique de sensibilisation de leurs publics. A quel prix ? De l'administration anonyme et secrète à l'administration sponsorisée et médiatisée ?

Au-delà de son caractère délibérément provocateur, une telle question est indissociable d'une réflexion plus large concernant les pratiques démocratiques. La notion même de responsabilité reprendrait des droits que le Droit avait épuisés en simples « compétences » et en seuls « mérites », sans que l'incitation participative ait jamais réussi à sortir le fonctionnaire de son ennui pour le réconcilier avec son métier. Compétence, mérite, participation : contrairement à quelques idées déjà reçues, le « renouveau » du service public dépend moins d'un *retour* à ces notions anciennes que d'une capacité à leur inventer un sens différent. Entre les prétentions du mercantilisme et les suffisances de l'élitisme, l'un et l'autre non moins républicains, le thème de la responsabilité des services publics parviendra-t-il à témoigner d'une « invention démocratique » ?

Évelyne Pisier et Pierre Bouretz

Un capitalisme sous tutelle

Élie Cohen[1]

On attendait d'une gauche qui, après avoir réhabilité le profit et vanté l'entreprise, devait gagner les élections sur le thème consensuel de la France unie et de l'État impartial, qu'elle n'intervienne plus sur le terrain miné des nationalisations/privatisations ; or ne voilà-t-il pas que notre Pinay de gauche s'en va-t-en guerre contre les noyaux durs, les patrons chiraquiens et défait ce qu'avait construit son prédécesseur ! Mieux encore, joignant le geste à la parole, il aide un ami du Président à réaliser un dénoyautage original en reproduisant dans la structure du capital la composition politique de l'hémicycle. L'assaut mené contre la Société générale par G. Pébereau avec le soutien vibrant du même ministre indique que la fin du cycle nationalisation/privatisation annonçait le cycle dénoyautage/renoyautage.

Mais le plus grave était encore à venir : la concomitance des affaires Péchiney et Société générale a fait naître la « méchante rumeur » d'un affairisme de gauche.

Bref le tandem Balladur-Bérégovoy aurait accouché d'un capitalisme « politiquement orienté », géré selon des mœurs dignes de républiques bananières. Les rires goguenards qui accueillent à l'étranger ces querelles de Gaulois nous renvoient une image peu flatteuse de notre réalité nationale.

D'où vient alors le sentiment que ces critiques manquent leur objet et que les apparences masquent la réalité des évolutions acquises ?

---

1. Maître de conférences à l'Institut d'études politiques de Paris, chargé de recherches au GAPP/CNRS.

La réponse est liée à un double constat. D'une part, l'État français a une responsabilité particulière vis-à-vis d'un capital sans capitaux, d'un capital chahuté par les alternances politiques et soumis au double choc de 1992 et de l'internationalisation des marchés. D'autre part, l'idée selon laquelle le contrôle par l'État des grandes entreprises favoriserait une sortie de crise plus rapide, est morte.

En cela, l'affaire de la Société générale, au-delà de ses péripéties, est exemplaire ; elle soulève trois problèmes fondamentaux touchant à l'évolution de la relation État/capital :

– Peut-on dissocier l'État et le capital en France ? N'y a-t-il d'autre issue qu'une évolution vers un capitalisme des investisseurs institutionnels, ceux qu'on appelle « zinzins » dans le jargon boursier ?

– Comment rompre avec la filière inversée du capitalisme à la française, où les dirigeants choisissent les administrateurs, qui choisissent les actionnaires ? La Caisse des dépôts est-elle dans son rôle en participant à un raid hostile ?

– Dès lors que les alternances s'accélèrent, peut-on éviter l'instauration d'un capitalisme politiquement orienté ? Comment en finir avec les privatisations administrées ou, ce qui revient au même, comment favoriser l'émergence de groupes industriels et financiers nationaux puissants et autonomes ?

Un capitalisme sans capitaux adossé à l'État

La France vit depuis 1945 dans une économie de financements administrés[1]. Dans un tel système, l'État et non le marché fixe les prix (les taux) et les quantités (rationnement du crédit), il oriente l'investissement par la politique monétaire et plus encore par les bonifications. De plus, la coupure entre banques commerciales spécialisées dans le financement à court terme des opérations commerciales, et banques d'affaires intervenant sur les fonds propres a conduit le Trésor et les institutions financières situées dans sa mouvance à financer l'investissement par le crédit à long terme. Ces caractéristiques permettent de mieux saisir la singularité française :

– A la différence de ce qui se passe en Allemagne, les banques, qui ne sont pas impliquées dans le financement à long terme des entreprises, s'installent dans le rôle d'actionnaires passifs et ne siègent pas dans les conseils d'administration. Dès lors les grandes entreprises françaises, à quelques exceptions notables près (St-Gobain s'alliant avec Suez en 1970), pratiquaient le contrôle interne (modèle américain de la *public company* adopté par PUK, CGE, Thomson, BSN...) ou

1. Cf. le rapport Lagayette, « Perspectives du financement de l'économie française », Commissariat général du Plan, *la Documentation française*, 1987.

innovaient pour maintenir l'apparence d'un contrôle familial (Schneider).

– A la différence de ce qui se passe en Angleterre, les entreprises ont pris le parti de s'endetter auprès d'organismes parapublics plutôt que de renforcer leurs capitaux par le recours au marché ; ce qui implique que tous les financements longs ont été soit le fait de créatures étatiques (FDES ou institutions financières parapubliques comme le Crédit national, le Crédit foncier, le Crédit d'équipement aux PME), soit le fait de procédures incitatives initiées par le Trésor (les crédits à taux privilégiés représentaient 43 % en 1979 et près de 50 % en 1983). Le système financier en France était donc finement géré par l'État et non régulé par le marché : en son centre, rayonnant de mille feux, se trouvaient le Trésor et ses satellites[1], puis de couche en couche, gravitant sur des orbites sans cesse plus éloignées, la Banque de France, les institutions financières parapubliques (CN, Caisse nationale du crédit agricole, Caisse des dépôts et consignations, CEPME), puis les banques d'affaires, les banques commerciales tenues par l'État actionnaire, incitateur, régulateur, maître du calendrier des émissions de valeurs mobilières.

– A la différence des entreprises japonaises, les entreprises françaises endettées n'ont pu bénéficier de la sécurité que favorise l'appartenance à des vastes conglomérats industriels, financiers et commerciaux.

– A la différence des entreprises américaines, les entreprises françaises n'ont pas bénéficié du soutien de puissants investisseurs institutionnels.

Dans un tel système, la grande entreprise a plus affaire à l'État qu'au marché pour trouver ses financements ; dès lors la sous-capitalisation, l'émiettement de l'actionnariat représentent une situation « rêvée » pour l'oligarchie dirigeante puisqu'elle la protège de l'actionnaire sans la faire dépendre de la banque. L'État est ainsi devenu l'acteur central du développement et un centre d'accumulation capitaliste grâce à son secteur nationalisé ; mais il a surtout contrôlé l'investissement en transformant l'épargne courte en financements longs. La spoliation du rentier[2] a permis aux industriels d'investir et de s'enrichir sans disposer des fonds propres nécessaires.

Quand il est plus rentable de s'endetter que de faire appel aux capitaux, quand de surcroît l'État vous y incite fiscalement, quand les investisseurs institutionnels ne pèsent pas lourd du fait de la faiblesse de la retraite par capitalisation, quand l'État protège le capital national des incursions non désirées, il ne faut pas chercher plus loin l'origine du capitalisme sans capitaux.

1. D. Lebègue, dans son cours à Sciences Po, parle de la « constellation du Trésor », in *Le Trésor et la politique financière*, avec Ph. Jurgensen, aux Cours du Droit, Paris, 1984-1985.
2. Cf. J.-J. Rosa et M. Dietsch, *La répression financière*, Bonnel, 1981.

Ce caractère pervers du système n'apparaîtra au grand jour qu'avec l'envolée des taux : dès lors que les taux réels atteignent 5 à 7 %, le poids de la dette devient insoutenable, les frais financiers consomment l'essentiel des marges, et il devient plus rentable de se désendetter que d'investir. On découvre alors qu'un capitalisme sans capitaux est une source de fragilité pour un appareil industriel et financier. La rentabilité de l'entreprise et sa capitalisation boursière, plus que le chiffre d'affaires, les implantations à l'étranger ou les effectifs, deviennent les vrais critères de l'excellence et même de la survie [1].

Mais sur ce plan les faiblesses françaises sont criantes. D'après l'enquête de *la Vie française* portant sur les 500 premières capitalisations boursières en Europe [2], la France fait pâle figure : aucun groupe français ne fait partie du groupe leader, les 10 premières entreprises anglaises pèsent 4,5 fois plus que les françaises, et celles-ci ne représentent que 29 % de la capitalisation des 180 entreprises anglaises classées parmi les « 500 ». Plus surprenant, les 10 premiers groupes espagnols pèsent plus lourd que les français. Si l'on considère à présent les forces et faiblesses sectorielles françaises, on constate que la capitalisation boursière de Fiat est 3,5 fois supérieure à celle de Peugeot. Dans le secteur des Assurances, promis à de grands mouvements de concentration dans la perspective de l'espace économique sans frontières, il n'est pas indifférent de noter qu'Allianz (RFA) pèse 3,5 fois plus qu'UAP et qu'elle pèsera même plus du double après la fusion Axa-Midi ; et les chiffres sont encore plus impressionnants avec le leader italien Generali. Enfin, la première société pétrolière française (Elf-Aquitaine) pèse 8 fois moins que la première européenne (Royal Dutch Petroleum). Quels que soient le secteur industriel considéré, l'excellence de la gestion, les avantages comparatifs détenus, les groupes industriels français ont des rentabilités au minimum deux fois moindres, des niveaux d'endettement deux fois supérieurs [3]. Le tableau annexé l'établit de manière décisive.

Un dernier élément propre à notre système de protection sociale explique qu'à défaut d'un capital bancaire ou d'un capital familial consolidé par les bénéfices accumulés, il n'y ait pas eu d'investisseurs institutionnels puissants pour tenir le rôle de l'État capitaliste. En effet, le régime de retraite par répartition élaboré après guerre a été conçu comme une technique de redistribution de revenus et non pas comme la constitution d'une épargne longue. C'est ainsi qu'on a pu distribuer à des générations de retraités ayant faiblement cotisé des

1. Les dossiers consacrés régulièrement par *Business Week* à l'actualité des concentrations et des raids montrent comment la course à la taille pour les entreprises et à la sophistication financière pour les raiders a abouti à faire de toute entreprise une victime possible. Cf. « The global 1000 » (18/7/88) ou « A new strain of merger mania » (21/3/88).

2. *La Vie française,* « Les 500 : le palmarès des capitalisations boursières européennes » (3/6/88).

3. Ministère de l'Industrie, des PTT et du Tourisme, *Les indicateurs de la compétitivité,* Imprimerie nationale, 1987.

retraites d'autant plus importantes qu'elles étaient servies à partir de cotisations d'actifs jeunes. L'envolée actuelle des retraites par capitalisation est la traduction de la crainte largement répandue de l'insolvabilité probable du régime de retraite par répartition au-delà de l'an 2000. D'après les experts, d'ici à 2025 il faudra soit reculer l'âge de la retraite de 7 à 9 ans, soit augmenter les cotisations en volume de 50 à 80 %, soit réduire de 45 à 60 % la pension servie à un octogénaire par rapport à la situation d'aujourd'hui[1]. On comprend dès lors que la capitalisation ait de beaux jours devant elle et qu'il y ait place pour un capitalisme d'investisseurs institutionnels particulièrement dynamique.

Les effets combinés d'une politique discrétionnaire des taux, d'une étatisation des circuits de financement long, de la modicité des bénéfices accumulés par des centres capitalistes privés et d'un régime de retraite par répartition qui a longtemps stérilisé les investisseurs institutionnels ont produit une situation dans laquelle l'État est le premier capitaliste de France et l'interlocuteur obligé dans toute construction financière. C'est la ruse de l'Histoire : la gauche a réalisé des nationalisations rendues nécessaires par la faillite du capital privé français (fin de la dynastie des Gillet à Rhône-Poulenc, des Empain à Schneider, crise du contrôle interne à Péchiney, à Thomson...) au nom de la socialisation des moyens de production et d'une stratégie de sortie de crise.

Une privatisation administrée et politiquement orientée

Le mérite d'une avancée décisive dans la voie de la libéralisation du système financier français revient incontestablement à P. Bérégovoy, qui a fait le choix de la déréglementation et de l'innovation financière sur le modèle anglo-saxon, contre le modèle gallican d'intervention économique et financière. Les conséquences en furent le retrait de l'État du financement de l'industrie, la distanciation aggravée de la banque et de l'industrie, et la stimulation des marchés. La logique aurait voulu que la gauche commençât les privatisations, elle le fit discrètement en introduisant des certificats d'investissement et la mise sur le marché des filiales.

L'arrivée de la droite au pouvoir aurait pu permettre une privatisation progressive, selon le modèle gradualiste imaginé par P. Bérégovoy et théorisé par J. Peyrelevade. Dans un premier temps, l'État autorise l'émission de certificats d'investissement à hauteur de 25 % du capital, puis il en accepte la transformation en actions et relève la barre à 49 % ; il transfère alors la gestion du patrimoine public à un

1. *Faire gagner la France*, sous la direction de H. Guillaume, Pluriel/Hachette, 1986.

investisseur institutionnel ou à une banque nationalisée, et finit par confier la gestion aux dirigeants agréés par les actionnaires privés et sanctionnés, en fonction de leurs performances, par les actionnaires publics ou privés. En bout de course, l'investisseur public ne conserve que la minorité de blocage, qui fonctionne alors comme une *poison pill* à la française (une arme de défense contre les prises de contrôle indésirées). On sait qu'il n'en fut rien et Balladur passera sans doute dans la postérité comme l'inventeur du capitalisme politiquement orienté, dénommé hypocritement capitalisme populaire.

La vague de privatisations de 1986/87 n'est pas seulement discutable pour son caractère idéologique – une volonté de rupture sans nuances avec les nationalisations de 1945 et de 1981 au nom d'un anti-étatisme qui, d'après J.-L. Bourlanges [1], n'a jamais été gaulliste –, ni même pour l'usage politique qui en a été fait – avec la politisation des noyaux durs –, elle l'est pour son contenu proprement capitaliste. La méthode de privatisation et l'objectif affiché étaient en effet antinomiques.

Le principe du noyau dur peut se défendre : la transition de la régulation financière étatique à celle du marché ne saurait être brutale, il faut se donner le temps de créer un actionnariat. L'idée de réunir un ensemble d'investisseurs, de leur faire prendre un engagement sur deux et cinq ans peut se comprendre. Mais par crainte des retombées politiques d'une cession à de vrais blocs de contrôle – qu'aurait-on entendu si Suez avait été cédé au groupe Vernes/France et Paribas au groupe Eskénazi ? – et à la demande de patrons nommés qui ne voulaient pas partager leur pouvoir, E. Balladur a émietté à l'excès les noyaux durs. Par conviction personnelle, il a ajouté un deuxième étage à la construction avec l'actionnariat des salariés, et un troisième avec le capitalisme populaire. On connaît le résultat : des patrons nommés par le pouvoir politique ont pu confisquer à leur profit les voix des petits actionnaires et des actionnaires salariés, tandis que les actionnaires du noyau dur s'engageaient par avance à régulariser le cours du titre et à défendre l'entreprise contre tout assaut extérieur. On n'a donc ni réglé la question capitaliste en France, ni consolidé des pôles privés, ni établi un principe de sanction pour mauvaise gestion. Car on ne peut attendre d'un actionnaire détenant 1 % du capital qu'il se sente mobilisé pour la défense d'une entreprise contrôlée par son équipe dirigeante. Dès lors, le destin de ces faux noyaux durs était l'effritement fatal, soit au profit d'un bloc de contrôle discret – mais pourquoi en avoir interdit la constitution dès l'origine ? – soit au profit d'un raider étranger conduisant l'État à mettre en avant les investisseurs institutionnels [2].

Le passage d'une économie de financements administrés et de capi-

1. J.-L. Bourlanges, *Droite année zéro*, Flammarion, 1988.
2. E. Cohen, « Le raider gaulois », in *Politique économique*, n° 3, 1986.

talisme d'État à une économie de marchés de capitaux suppose l'existence d'acteurs de marché ou de formes d'arrangement institutionnel offrant un substitut à leur absence. Aux États-Unis, l'existence de puissants investisseurs institutionnels et d'entrepreneurs financiers dynamiques a permis le ressaisissement américain d'après-crise et la mise en cause des gestionnaires défaillants et des actifs sous-exploités. En Allemagne, l'imbrication profonde du capital industriel et bancaire a permis de limiter la mise sur le marché des entreprises allemandes, ce qui est la première protection contre les prises de contrôle non désirées. Le système allemand a également permis de consolider les actionnariats des grandes entreprises grâce aux pouvoirs en blanc donnés par les petits actionnaires à leurs banques, et de protéger les grandes firmes des assauts étrangers grâce à la mobilisation toujours possible des grandes institutions financières.

En France il aurait fallu tenir compte des spécificités historiques et des mouvements récents en matière de modernisation financière. La croissance impressionnante de l'assurance-vie et des régimes de retraite par capitalisation permettait d'envisager la situation dans laquelle les investisseurs pouvaient jouer un rôle décisif dans l'actionnariat des entreprises mises sur le marché. D'autre part, le caractère moins stratégique du financement des collectivités locales libérait un espace d'intervention pour la Caisse des dépôts dans le champ industriel.

C'est le krach de 1987 qui a ouvert « une fenêtre de vulnérabilité » pour le capital français. Des entreprises sous-capitalisées (fortement décotées) aux noyaux durs friables et à la légitimité discutable constituaient des proies idéales pour des groupes étrangers infiniment plus puissants et mieux protégés. Le ramassage en bourse d'actions fortement dépréciées par des groupes financiers puissants aux capitalisations boursières impressionnantes a fait peser un péril mortel sur le capital national. Que la Compagnie du Midi qui était devenue un poids lourd à la Bourse de Paris et dans laquelle tout un chacun se plaisait à voir l'un des noyaux essentiels du capitalisme français puisse être croquée comme par inadvertance par Generali ne manquait d'inquiéter.

L'interruption du mouvement de privatisation a alors fait comprendre que dans la perspective de 1992 il n'existait pas d'autre moyen de consolider et de promouvoir un capitalisme autochtone que de l'adosser à des groupes financiers restés dans le giron de l'État. Seule l'augmentation de capital pouvait permettre d'accompagner une stratégie de développement ou de reconversion.

Le capitalisme des « zinzins »

Nous sommes tellement habitués aujourd'hui à « nos » socialistes réconciliés avec le marché, prêts à célébrer les prouesses des champions nationaux à l'export, que nous avons fini par oublier qu'il y a peu encore ils associaient la sortie de crise à l'extension du secteur public, la modernisation industrielle à une réorientation forcée des investissements bancaires dans l'industrie et non pas à des spéculations immobilières et financières, et la démocratisation à l'instauration d'une pyramide de conseils.

Il n'était pas impossible que, par souci de revanche politique et en s'appuyant sur une opinion vite revenue des délices du libéralisme, on en vienne à envisager la renationalisation totale ou plus simplement celle des seuls noyaux durs. Mais il n'en a rien été. Une telle concession au libéralisme économique ne revenait pas pour autant à absoudre l'affairisme de droite et l'angélisme de gauche. F. Mitterrand, s'il a découvert tardivement les vertus du marché, n'en reste pas moins viscéralement ennemi de l'argent qui corrompt, qui achète les consciences, et plus encore de l'argent qui se dresse contre la République. Or comment pouvait-il rester insensible aux noyaux durs ostensiblement constitués sur une base politique chez Havas, à la CGE et à la Société générale, et dénoncés en leur temps par les barristes ?

Pourtant le dénoyautage n'a apparemment pas constitué une priorité, même si les privatisations ont été interrompues : Péchiney, Rhône-Poulenc et l'UAP pour qui l'opération était programmée et qui en avaient besoin pour réaliser des acquisitions à l'étranger ont dû innover. Péchiney et l'UAP ont eu la même idée : créer des filiales internationales, y faire entrer des partenaires étrangers et les faire coter en bourse. Ainsi, argent frais, alliances étrangères et sécurité de la holding de contrôle étaient préservés à l'intérieur du cadre formel des nationalisations. La question des nationalisations/privatisations sortait du catéchisme pour entrer dans les livres de recettes financières.

Pour être de parfaits libéraux, les socialistes au pouvoir avaient deux pas supplémentaires à faire : renoncer au *spoil system* industriel et doter la France d'institutions de surveillance des marchés. Si l'on considère les nominations de PDG des groupes publics, en sept ans on est passé de la table rase à la correction sur les marges. En 1981, tous les PDG des banques sont débarqués, ainsi qu'une fraction notable des patrons industriels. En 1986, la valse des patrons se fait déjà moins systématique, et on y procède selon un tempo plus lent. En 1988, ceux qui avaient déclenché préventivement une salve de critiques contre la chasse aux sorcières finiront par se rendre à l'évidence. Jean Peyrelevade et Bernard Attali avaient été victimes de l'ostracisme de l'ancien pouvoir, leur nomination n'était qu'une réparation. Quant à la mise à l'écart du grand prêtre de l'épuration, J. Friedmann, proche compagnon de J. Chirac, président d'Air France, elle constituait la concession minimum à l'alternance.

La réussite du premier dénoyautage laisse espérer au gouvernement qu'il pourra faire l'économie de mesures législatives, aussi encourage-t-il « l'initiative du marché » pour régler les cas de la Générale et de la CGE. Que nul ne songe alors au gouvernement à renationaliser, et même à dénoyauter Suez ou le CCF ou St-Gobain, que le noyau dur initial de Paribas soit protégé contre le groupe Frère-Eskénazi, que les socialistes ne remettent pas en cause les conditions financières de certaines privatisations témoignait de l'absence de volonté de revanche. Brandir l'étendard de l'État impartial devait suffire pour réduire les derniers carrés du capitalisme politiquement orienté. Au surplus, la tâche devait être relativement facile puisque les anciens noyaux durs comprenaient des actionnaires restés dans le giron de l'État. Enfin, le nouveau pouvoir disposait d'un troisième atout dans la perspective du grand marché intérieur : la fragilité d'un secteur bancaire privatisé, faiblement capitalisé, peu contrôlé, et donc à la merci de la première opération de ramassage. En effet, la protection ultime d'une entreprise au noyau dur friable exige soit l'appel aux investisseurs institutionnels, au premier rang desquels on trouve la Caisse des dépôts, soit l'appel à l'État régalien pour barrer la route à l'envahisseur, soit la toile d'araignée du capitalisme sans capitaux (contrôle pyramidal et croisé avec des groupes dans la même situation). Il pouvait donc être légitime, lorsqu'on sait le rôle stratégique de l'ensemble CGE/Société générale, de les défendre contre la volonté de leurs dirigeants du moment.

Comment donc une telle concentration d'atouts a-t-elle pu déboucher sur un revers qui a compromis provisoirement la marche vers l'économie sociale de marché ? Quelles leçons tirer de l'affaire de la Société générale pour l'avenir du capitalisme français ?

1) Filière inversée ou logique de marché ? L'affaire de la Générale naît de la convergence stratégique d'un raider à la française (G. Pébereau), d'une institution financière prestigieuse qui aspire à s'affranchir (la Caisse des dépôts) et d'un contexte marqué par vulnérabilité du noyau dur de la Générale. En s'attaquant à la construction balladurienne, les raiders français entendaient contester avec des armes capitalistes la prétention d'un dirigeant à se protéger de la sanction du marché financier par l'intangibilité du noyau dur, du contrôle par les administrateurs en les désignant lui-même, de la pression de l'actionnariat populaire en les réduisant à l'état de « grande muette ». Que ce raid serve par ailleurs la volonté du président de la République de mettre un terme au mariage illégitime du pouvoir de l'argent et de l'influence politique est évident, mais l'initiative en revient à G. Pébereau.

2) Identité stratégique ou stratégie de communication ? Un grand commis nommé par l'État – M. Viénot – à la tête d'une banque nationalisée, et qui, par la privatisation, s'est assuré une rente de situation,

s'est affirmé comme un redoutable manœuvrier. Sans jamais apparaître à visage découvert, en informant régulièrement la presse des éléments dont il disposait, il parvint d'abord à fissurer le bloc Pébereau en mettant en cause l'argent sale de certains actionnaires (Tettamanti), puis à coller aux raiders l'image de commis d'un pouvoir politique, avant de laisser à la presse et à un ministre d'ouverture le soin de porter l'estocade finale en suggérant que l'argent public de la Caisse avait servi l'enrichissement privé. Quant au fond, M. Viénot n'a rien opposé aux raiders si ce n'est le souhait de maintenir un actionnariat éclaté, ses doutes devant les fusions banques-assurances qui se déroulent partout dans le monde, et son refus que la Caisse de dépôts puisse jouer un rôle d'actionnaire actif. Mais en fédérant l'*establishment* pour la défense de la Générale, en jouant des contradictions du pouvoir, en évitant les pièges grossiers qui lui étaient tendus par les stratèges à la petite semaine qui voulaient le pousser à faire appel au capital étranger, il a gagné sa légitimité capitaliste. Il a, ce faisant, montré la voie : pour survivre, les noyaux durs imaginés par E. Balladur devaient se renforcer. La CGE appliquera la leçon.

3) Trésor : une toute-puissance mise en cause. L'un des enseignements majeurs de la bataille perdue par P. Bérégovoy est que le ministère des Finances n'est plus ce qu'il était. En fin de parcours, tout avait été mis au service de G. Pébereau pour emporter la bataille de la Générale : une autorisation minute pour le franchissement de seuil, les concours financiers de la Caisse, la pression politique sur le président du GAN, le soutien public du ministre, l'injonction faite aux membres publics du noyau dur de refuser l'augmentation de capital souhaitée par le PDG... bref tout ce qui faisait l'inégalable efficacité du Trésor n'a servi à rien.

4) La réussite par l'échec. L'assaut contre la Générale imaginé par G. Pébereau et activement soutenu par P. Bérégovoy a pour le moment échoué ; il a buté sur le refus du président de l'UAP – un homme de gauche nommé quelques semaines plus tôt – de servir un dessein politique et une opération qui n'entraient pas dans le cadre de ses priorités. Ainsi, une entreprise nationalisée a désobéi à une consigne politique pour mieux défendre les intérêts patrimoniaux de l'État actionnaire. Dans un pays où par nécessité le capitalisme d'État est appelé à durer, la preuve a ainsi été faite qu'un capital récemment privatisé pouvait résister à l'assaut conjoint d'un raider, de la Caisse des dépôts et du ministre des Finances, mais aussi que les dirigeants des entreprises nationalisées pouvaient dire *non* à l'État, à la puissance publique au nom des intérêts de l'État actionnaire.

5) La dénonciation du rôle de la Caisse des dépôts dans l'assaut mené contre la Générale, le large accord sur la nécessité de réformer la Caisse ont eu pour effet paradoxal de lever l'interdit qui empêchait celle-ci de jouer un rôle actif dans la restructuration du capital des

firmes françaises, et plus généralement dans l'ingénierie financière. Jusqu'ici, la fantastique puissance de la Caisse des dépôts était mise au service de l'État qui, en échange du monopole octroyé, désignait les priorités et transférait les activités débudgétisées ; mais cette puissance était également mise au service de l'*establishment* puisque la Caisse était un garant des équipes en place. A partir du moment où la Caisse cesse d'être neutre, elle devient un investisseur comme les autres et doit être soumise aux règles du marché. A l'avenir et comme ATT (American Telegraph and Telephon) l'a fait dans un autre domaine, les activités exercées dans le cadre d'un monopole devront être distinguées de celles qui le sont sur les marchés. Ainsi la pression exercée pour banaliser la Caisse fera d'elle un puissant investisseur institutionnel, plus libre de ses mouvements, et un pilier du nouveau capitalisme des « zinzins ». C'en est probablement fini de la Caisse modelée par F. Bloch-Lainé, réduite au financement du logement social et à l'équipement du territoire.

6) Régulation étatique ou contre-pouvoir ? L'avènement d'un capitalisme des « zinzins » suppose de renforcer et non de brider les investisseurs institutionnels en séparant l'État régalien de l'État actionnaire ; il suppose également de développer les droits des actionnaires grâce à une information financière pluraliste et à une Commission des opérations de Bourse (COB) érigée en autorité administrative indépendante, sur le modèle de la Securities and Exchange Commission (SEC), et d'accepter la recomposition capitaliste en cours en offrant, lorsque nécessaire, le soutien minoritaire d'investisseurs publics autonomes. L'entreprise nationalisée n'a pas vocation à poursuivre d'autres objectifs que ceux des entreprises privées, le capital public est tout au plus, dans la phase présente, la garantie ultime d'un capitalisme autochtone dans les entreprises jugées stratégiques.

Affairisme de gauche ! L'accusation a fait d'autant plus mal qu'elle venait de la gauche. L'incessant procès fait à l'argent par une gauche vertueuse aurait tourné, selon les gardiens du temple, à l'adoration du veau d'or. Que la capacité d'indignation de la gauche soit intacte, qui y trouverait à redire ? Que l'aspiration à la moralisation des opérations boursières soit mieux partagée, qui n'y voit un signe de progrès des idées et des institutions libérales dans ce pays ? Mais à vouloir ressortir les vieilles lunes de la nationalisation, de l'obéissance nécessaire des dirigeants du secteur public aux injonctions politiques, on s'expose à retarder un mouvement d'adaptation des structures capitalistes et institutionnelles, et cela sans bénéfice ni pour les entreprises, ni pour l'État, ni pour la gauche, ni plus généralement pour la classe politique. Une opération mal conçue, mal conduite et dont l'échec a été mal géré ne saurait justifier la régression sectaire et étatiste qu'on nous annonce. Il n'y a donc nulle fatalité à passer du capitalisme d'État au capitalisme politiquement orienté.

Élie Cohen.

Achevé de rédiger le 19 janvier 1989

Annexe

Indicateurs de rentabilité et de structure financière pour les grands groupes industriels européens

	RE/CA en % *		DLMT/FP **	
	1986/85	1982/81	1986/85	1982/81
Électronique				
Philips	5.4	5.1	0.49	0.40
Thomson	2.2	0.5	1.09	1.29
Telecom				
Siemens	13.5	17.9	0.08	0.07
CGE	2.7	2.1	0.78	0,63
Automobile				
Fiat	8.1	5.3	0.66	1.02
PSA	4.2	1.3	3.22	1.39
Agro-alimentaire				
Nestlé	9.9	9.7	/	/
BSN	8.8	6.7	/	/
Informatique				
Nixdorf	8.6	11.5	0.07	0.81
Bull	5.3	3.76	0.86	2.65
Sidérurgie				
British Stell	3.3	– 7.8	0.05	0.36
Sacilor	– 1.2	– 4.6	7.1	34
Verre				
Saint-Gobain	4.7	3.2	0.96	0.84
Pilkington	8.7	3.4	0.26	0.28
Aluminium				
Péchiney	7.7	NS	1.16	1.68
Alusuisse	1.2	1.0	2.3	0.78
Chimie				
Bayer	10.9	8.5	0.39	0.84
Rhône-Poulenc	6.6	3.8	0.87	1.24

* Résultat d'exploitation/chiffre d'affaires
** Dettes à long et moyen terme/fonds propres
Source : ministère de l'Industrie, *op. cit.*

L'alternative fiscale

Discussion entre Jean-Philippe Domecq et Bernard Manin

Jean-Philippe Domecq : Pendant la décennie qui s'achève, les politiques fiscales se sont alignées sur la philosophie fiscale mise en œuvre par la révolution conservatrice américaine. Et on peut croire qu'en ce domaine, plus qu'en tout autre, il n'y a guère d'alternative possible. *A fortiori* si l'on supprime toutes les barrières douanières en Europe.

Pourtant, un grand débat nous attend sur ce sujet, qui pourrait bien être sujet à alternatives marquées. La fiscalité est l'exemple même de ces modes d'intervention politique dans la vie économique qui seraient vraiment de notre temps, parce que la fiscalité pose en termes économiques des questions qu'a toujours posées la politique.

Bernard Manin : Vous pensez donc que la politique fiscale pose aujourd'hui des questions décisives. Mais à quoi faites-vous allusion ? A la réforme fiscale américaine de 1987-88 ?

J.-Ph. Domecq : Toute politique fiscale révèle : 1) une conception de la *motivation* économique ; 2) une conception du profit. Une parmi d'autres, dans l'un et l'autre cas. Exemple : la révolution conservatrice reaganienne a privilégié les baisses fiscales pour les particuliers par rapport aux baisses consenties aux entreprises. C'est une claire conception du profit. On peut, à l'opposé, préférer encourager le profit collectif, donc alléger plus fortement la fiscalité des entreprises que celle des particuliers. Sans rien dire de la répartition de ces allégements aux particuliers, qui est toujours éloquente là encore, et dans le cas des néo-libéraux américains l'idéologie est affichée dans la grille des allégements fiscaux.

B. Manin : La récente réforme fiscale suédoise soulève des questions complexes. On en voit bien un certain nombre de principes directeurs : diminution des taux marginaux et de la progressivité de l'impôt sur le revenu d'un côté, élargissement de l'assiette globale de l'autre, par suppression des exonérations et des exemptions et alourdissement de la fiscalité sur les bénéfices et le capital. Le ministre suédois des Finances présente certes la réforme comme inspirée par un objectif égalitaire (le régime des exemptions favorisait, dit-il, ceux qui avaient les possibilités culturelles de jouer avec les complexités du système ou de s'offrir les services d'un conseiller fiscal). Il faudrait cependant voir si la réforme produira de fait une plus grande égalisation. La chose ne paraît pas certaine, le discours de K.O. Feldt vise peut-être simplement à rendre acceptable pour l'idéologie égalitaire des sociaux-démocrates une réforme qui aura en fait d'autres résultats.

J.-Ph. Domecq : La discussion sur la réforme fiscale suédoise pourrait en effet être fort instructive. Parce qu'elle pose le problème que devrait se poser toute pensée qui se veut aujourd'hui progressiste : la gauche – sociale-démocrate, dans sa version la plus moderne – va-t-elle avoir autre chose à proposer que l'État-providence ? Hormis la protection, thème défensif, n'a-t-elle rien à opposer aux conservateurs ? Il s'agirait pour elle d'avancer, en même temps que ce thème, une nouvelle conception de la motivation économique. Protection *et* motivation : la fiscalité oblige précisément à penser simultanément ces deux thèmes. Si les sociaux-démocrates suédois réforment leur fameux système fiscal, c'est qu'ils ont compris qu'à privilégier la protection, ils alourdissaient terriblement l'impôt, au détriment de la motivation. On reconnaît là le lieu commun de la révolution fiscale conservatrice. Les choses pourraient être plus nuancées que cela.

Première chose fâcheuse, dans le projet de réforme suédois : sur le modèle des politiques conservatrices, on va, comme le gouvernement de Jacques Chirac, relever les seuils d'imposition minimaux, et donc exonérer beaucoup de foyers. Erreur au niveau du principe même de la fiscalité, qui ne doit jamais cesser de signifier au citoyen qu'il est actionnaire de l'économie publique, dont il jouit à travers tous les services et garanties qu'elle assure. Chacun doit signer ce contrat d'économie politique qu'est la déclaration d'impôts, tout le monde doit payer, même les plus démunis, à proportion de leurs moyens évidemment.

Quant aux seuils maximaux, on a assez dit que la progressivité était devenue écrasante en Suède. Souvenons-nous des pleurs de Bergman, qui consacre un chapitre à ses démêlés fiscaux dans son autobiographie, *Laterna magica.* Dans ce chapitre, il joue sur du velours, assuré qu'il est de faire pleurer Margot sur sa dure condition de contribuable traqué par des fonctionnaires évidemment kafkaïens, qui vous attendent par deux, style bureaucrates de l'Est au bas mot, on connaît la chanson. Toujours est-il que, lorsque le ministre des Finances suédois a récemment présenté son projet de réforme, les commentateurs ont surtout souligné que la progressivité serait nettement atténuée. En omettant le motif donné par le ministre : seuls les contribuables du haut de l'échelle ont les moyens de payer des conseillers fiscaux qui leur permettent de moins payer d'impôt en utilisant le maquis des exonérations. C'est donc le principe des exonérations que la réforme fiscale suédoise veut supprimer. Et c'est son principal point commun, positif, avec la seconde réforme fiscale de Reagan, entrée en vigueur à compter du 1er janvier 1986. Mais l'analogie s'arrête là.

Par ailleurs, je lisais une déclaration du ministre suédois, qui estimait que la fiscalité devait dissuader le profit spéculatif, pas l'enrichissement de l'industriel...

B. Manin : Lorsque vous opposez les profits financiers à « l'économie réelle », ou la finance à l'industrie, n'avez-vous pas le sentiment de reprendre une vieille idée, pour ne pas dire une « vieille lune » de la gauche : la production, c'est sérieux, la finance et la spéculation voilà le Mal ?

J.-Ph. Domecq : Non, il ne s'agit pas de cette vieille dichotomie... C'est au niveau du rythme qu'on doit rapprocher profits industriels et profits spéculatifs. Ceux-ci sont extrêmement rapides par rapport à ceux-là. Comment donc garantir que les profits spéculatifs aillent régulièrement, et dans quelles proportions, vers l'investissement productif ? C'est le problème qui s'est posé à partir du milieu des années 80, et qui ne s'est résolu que par le krach d'octobre 1987.

On dit que le krach n'a pas empêché le fort investissement de l'année suivante. Mais le problème n'a pas été résolu pour autant, et il pourrait bien se reposer. Tant qu'on laissera des commissions boursières établir des nouvelles règles en fonction des nouveaux instruments spéculatifs développés par la grande révolution financière des années 80, qu'est-ce qui amènera les forts profits spéculatifs à investir à leur rythme, c'est-à-dire à court terme, dans l'économie productive ? Je ne vois pas pourquoi, dans ce domaine, la discussion parlementaire serait tenue à l'écart d'une nécessaire re-réglementation. Autrement dit, des lois pourraient être réintroduites dans le jeu économique pour ajuster le rythme des profits spéculatifs sur le rythme de la rentabilité industrielle, forcément plus lent du fait de l'enchaînement logique entre investissements, renouvellement des techniques de productivité, structures commerciales, sanction par le marché.

B. Manin : Si vous aviez à caractériser l'opposition entre une politique fiscale de gauche et une politique fiscale de droite, sur quels points, à votre avis, les clivages devraient-ils porter, puisque nous sommes d'accord sur le fait qu'il n'y a pas de politique sans alternative ?

J.-Ph. Domecq : Premier point, dont nous venons de parler : revoir l'articulation entre profit financier et investissement productif, trouver de nouvelles règles du jeu adaptées aux nouvelles techniques financières et qui seront destinées à drainer leurs profits vers ce que les économistes nomment l'économie « réelle ». Qui le fera ? Le pouvoir politique, par voie législative, trouvera là un lieu d'exercice adapté aux évolutions présentes. Comment le fera-t-il ? La fiscalité revient au centre du débat. C'est bien normal, puisque la fiscalité est, par définition, l'instrument privilégié de la volonté publique en économie, et qu'elle est, par voie d'action, à l'articulation de la volonté politique et de l'initiative économique. Également à l'articulation de l'économie publique et de l'économie privée. A l'articulation aussi des deux thèmes sur lesquels gauche et droite s'opposent rhétoriquement : *protection* et *motivation,* la première étant l'apanage apparent de la social-démocratie, et la seconde ayant été explicitement assumée par les libéraux. C'est le deuxième point où devrait se jouer clairement l'alternative politique : celui de la motivation.

Les principes de motivation, tels qu'ils sont mis en œuvre par la fiscalité, restent largement brouillés, du moins dans le débat public. Pour l'heure, le citoyen n'a droit qu'à des concepts moraux mal dégrossis. Si l'on observe en quoi ont consisté les innovations fiscales de la révolution conservatrice des années 80, il a surtout été procédé à des baisses d'impôts sur les plus hauts revenus, parce qu'ils sont considérés comme les plus motivés. Les baisses fiscales les motivaient plus encore, d'où plus grand dynamisme, meilleure productivité de la machine économique, et donc plus à partager pour la collectivité. Tel fut le schéma. Maintenant, la vérification des résultats reste largement sujette à caution. On est là en plein rideau de fumée idéologique. La machine économique américaine, par exemple, tourne-t-elle mieux depuis que Reagan a lancé son programme, dont la politique fiscale était un élément central ? Le bilan reste à faire, et il le restera sans doute toujours – comme si l'on voulait savoir si vraiment l'aristocratie d'Ancien régime assurait les fonctions pour lesquelles elle était soulagée d'impôts par rapport aux paysans.

Mais prenons un des arguments de la fiscalité reaganienne : en baissant les hautes tranches du barème fiscal, on aura de plus grosses rentrées – paradoxe seulement apparent, puisque si les plus rémunérés sont les plus actifs, moins ils sont taxés plus ils feront rentrer d'argent dans l'ensemble. Or, les rentrées fiscales ont baissé durant les deux mandats de Reagan. D'où, en partie, le déficit budgétaire – dont la question reste pendante après le triomphal départ de Reagan. Et ce déficit ne s'explique pas seulement par l'augmentation des dépenses militaires. Les rentrées d'impôts furent réellement en baisse.

Troisième point, lié au précédent, puisqu'il s'agit toujours de la *motivation* économique. La différence entre droite et gauche sur ce plan, c'est que la droite n'a pas à diffuser la motivation dans la société, et concrètement dans ce microcosme social qu'est l'entreprise. Or la motivation est autant le produit d'une échelle fiscale que d'une échelle salariale. La diffusion de la motivation doit se faire par une différence de salaires non pas seulement d'un échelon à l'autre de l'entreprise ou de l'administration, mais surtout à chaque échelon, à chaque niveau de travail et de responsabilité.

B. Manin : Si l'on suit votre idée qu'il importe de diffuser la motivation et de ne pas la réserver aux tranches supérieures de revenus, la question se pose de savoir ce qui permettrait de diffuser la motivation.

J.-Ph. Domecq : D'abord il faudrait commencer par ne pas démotiver la majorité des gens en leur signifiant ce que leur a signifié la révolution fiscale des conservateurs : à savoir que leurs éventuelles initiatives ne sont comptées pour rien, puisqu'on attend la relance économique des seuls hauts revenus. Et les revenus moyens ? Ceux qui, dans le système fiscal très progressif que vont abandonner les sociaux-démocrates suédois, payaient jusqu'à 70 % d'impôt ? Pour les uns et les autres, où est le motif d'initiative économique ?

On connaît la quadrature du cercle de la motivation selon les libéraux, et sur l'instant je ne vois pas d'autre formule pour la résumer que celle à laquelle j'aboutis dans mon livre : la motivation des uns est la démotivation des autres, et la surmotivation des mêmes est la démotivation de beaucoup. Là réside l'échec de la fiscalité libérale – ainsi d'ailleurs que de la libre échelle salariale – parce qu'elle décroche une minorité publiquement surmotivée de la communauté professionnelle où, dans ces conditions, se compteront toujours autant d'agents et aussi peu d'acteurs économiques.

Seulement, derrière tout cela, il y a une difficulté majeure : la résistance à l'impôt, son impopularité. Au nom de cette impopularité de l'impôt direct, Michel Rocard déclarait récemment que l'État devrait trouver ses ressources dans la TVA. En fait, à bien interroger la population, s'agit-il vraiment de résistance à l'impôt, ou d'une conscience de l'inégalité devant l'impôt ? Voilà pourquoi le sujet paraît névralgique, et le débat public sur l'impôt s'en ressent.

B. Manin : Une politique fiscale de gauche consisterait donc à accroître la motivation pour les tranches inférieures de revenu et à rendre plus égalitaire la fiscalité portant sur la consommation.

J.-Ph. Domecq : Concernant la TVA, et d'une manière plus globale l'impôt à la consommation, la discussion s'ouvre à peine, là encore.

Pourquoi ne pas établir une grille à grand nombre de taux, selon les produits, c'est-à-dire ouvrir une large et fine grille de taxation ? Et puis, certains théoriciens de la fiscalité réfléchissent à un impôt sur la dépense qui, fortement modulé et hiérarchisé, serait prélevé non pas auprès du commerçant, mais directement à la fabrication, aux stocks de produits finis. Ce qui simplifierait considérablement le service fiscal. L'administration fiscale pourrait, sur ce plan, devenir aussi légère que les douanes. Sans face à face entre qui paie et qui fait payer la taxe.

Un impôt sur la dépense ne porterait pas atteinte au marché, à la variété des produits que l'économie de marché permet de multiplier. Chacun resterait libre devant le marché, donc on ne toucherait pas à la liberté du marché. Ceci reste à préciser, certes, mais si l'on discute ici d'une orientation possible des réflexions et prospections pratiques, il y a là des pistes.

Autre piste, à laquelle j'ai fait allusion précédemment : l'État peut passer des contrats avec certaines entreprises qui observeraient quelques règles de fonctionnement interne, moyennant quoi elles auraient droit à des baisses d'impôt. Des règles comme : une échelle donnée des salaires, les différences de salaires marquées à chaque échelon de l'entreprise plus que d'un échelon à l'autre, part du salaire au mérite, plus la circulation des objectifs d'entreprise par les concertations prévues dans le cadre des lois Auroux.

B. Manin : Tout cela me paraît bien dirigiste. Le risque ne serait-il pas de favoriser des entreprises inefficaces selon les critères du marché, mais socialement irréprochables ? La sidérurgie française se serait sauvée, à ce compte, en étendant l'application des lois Auroux...

J.-Ph. Domecq : Précisons : cela n'a rien d'une intervention de l'État, c'est une incitation. L'État l'aide passivement, en prélevant moins. Il n'intervient pas dans le reste de la gestion, pas dans les décisions gestionnaires. Et il ne protège pas l'entreprise qui passerait pareil contrat. Pour elle la sanction du marché resterait la même. Elle trouverait son intérêt à ce que lui reste la part de bénéfice que l'État ne prélèverait pas ou qu'il prélèverait moins. Mais il est évident qu'une telle mesure – et d'autres qu'il s'agit de penser – repose sur le principe qu'il faut diffuser la motivation du travail. Moins on la concentrera, et plus les initiatives devraient se multiplier. L'intérêt économique bien compris veut que l'économie tourne à meilleur profit si de plus en plus d'agents économiques peuvent faire preuve d'initiative dans leur travail.

La gazette du consensus

Nicolas Beau [1]

Quiconque se promène dans les locaux exigus mais cossus de *l'Événement du jeudi* est frappé par la densité de jeunes personnes ravissantes. Un signe parmi d'autres que ce journal a le vent en poupe. L'hebdomadaire, apparemment florissant, a racheté dans la rue un cinéma et un restaurant. Deux symboles pour désigner une entreprisse avant tout conviviale. L'*Edj* ou le bonheur d'être ensemble.

Ses lecteurs sont d'abord des moralistes. Des applaudissements nourris accueillent, début décembre, lors de la dernière assemblée générale, l'annonce du refus de créer un minitel rose. Un bon millier d'actionnaires se sont ainsi retrouvés ravis et frémissants à cet happening, au Cirque d'hiver. Avec effets garantis pour le directeur de *l'Événement,* Jean-François Kahn, seul en piste pour quatre heures de débats. Le malheureux qui tenta au départ d'égrener les comptes fut en effet vite chahuté. En revanche, les passages obligés sur l'indépendance du journal ou sur le droit pour ses lecteurs d'exprimer toute forme de désaccord, dans quatre pages d'un courrier hebdomadaire réduit ailleurs à la portion congrue, sont accueillis avec frénésie. « Nous n'avons pas parlé de fric comme c'est le cas durant ce genre d'assemblées, note une actionnaire du Limousin, ce fut autre chose, comme la réunion autour d'un enfant qui nous est cher » ; « une grande famille », « une famille d'esprit », notent d'autres participants. Un fervent venu de Rouen, tranche : « On a tous quelque chose en commun, l'amour de la liberté, l'ouverture d'esprit. » Ces assemblées générales, pour reprendre les termes de Kahn sont « à la fois sérieuses,

1. Journaliste au mensuel *Fortune.*

denses, et bon enfant ». Proust avait déjà noté, quelques années avant la percée de *l'Événement,* que « la communauté des opinions » importait moins que « la consanguinité des esprits ». Voilà une intuition transformée en succès de presse. Les lecteurs se retrouvent même, pour certains, au Club de loisirs créé par le journal. Invitations gratuites et fours à micro-onde au rabais. Les prix *Libé* sur papier couleur. Un nouveau consumérisme de cadres supérieurs. Certains lecteurs ne s'abonnent même que pour pouvoir adhérer au Club.

Quatre années après sa création, *l'Événement* vend chaque semaine entre 160 000 et 222 000 exemplaires, avec une relative stagnation au dernier trimestre 1988 qui, d'après la direction du journal, aurait été... volontaire pour faire apparaître le lectorat fidèle... Le plus récent de la bande des quatre principaux hebdomadaires progresse pourtant plus rapidement que les autres. Avec une vente dans les kiosques de province plus forte désormais que ses trois concurrents, *le Point, l'Express* et *le Nouvel Observateur.* Et le sentiment chez beaucoup de lecteurs de vivre une aventure exceptionnelle. Une image de marque cultivée quelquefois trivialement par un journal qui se vantait, dans une de ses publicités, « d'avoir coupé le cordon ».

Le lancement de *l'Événement* est vécu comme une épopée : « Ce qui nous procure le plus de satisfaction, explique Kahn, c'est d'avoir pu renvoyer l'ascenseur, comme on dit vulgairement, au démiurge collectif par qui le journal fut. A l'égard de ceux qui ont été à ce point formidables jusqu'à nous permettre d'exister, nous avons tenté de l'être à notre tour. » Un monde de gens exemplaires, voilà bien le mythe fondateur du journal. L'autosurveillance de tels lecteurs devient évidemment la plus solide des références : « A vous de juger, leur écrit Kahn, si je suis acquitté, je continue. »

La rédaction de *l'Événement* cultive volontiers l'illusion lyrique. Ne ressembler à nul autre : « Ce journal est une montagne inspirée », juge Jacques Derogy, conseiller de la direction, qui compare *l'Événement* à *l'Express* des années 60 qui se battait alors contre la guerre d'Algérie : « Même enthousiasme, même ambiance. » Joli émerveillement d'un journaliste après une quarantaine d'années de métier : « C'est comme en amour quand on monte l'escalier. » Même écho chez Jean-Marcel Bouguereau, un des deux directeurs de la rédaction qui fut longtemps le second de Serge July à *Libération :* « Dans certaines réunions d'actionnaires en province, on retrouve un peu l'atmosphère des comités *Libé* des premiers temps, le côté gauchiste en moins. » Encore que... Au Cirque d'hiver, un lecteur s'est plaint de l'excès de publicité ; un autre de son caractère quelquefois trop luxueux.

Pas question d'écorner l'image d'Épinal d'une rédaction dos au mur, seule contre tous les pouvoirs. Reconnaissons à Kahn, amoureux de Victor Hugo à qui il a emprunté le titre de son journal, quelque talent épique. Ainsi parla-t-il devant les fidèles de la première heure : « Nous sommes quarante journalistes face à des concurrents qui emploient cent dix à deux cent cinquante rédacteurs. Nous voici un peu dans la situation des armées de Bonaparte lors de la campagne d'Italie, lorsque 50 000 hommes sans vivres et sans souliers étaient opposés à 200 000 Autrichiens dotés du nécessaire et même du superflu. Or la faiblesse même des troupes républicaines fut transformé en force... » Conclusion de cette adresse conquérante : « Nous devons tous être opérationnels. » Il s'agit de rien de moins que d'« un combat » : « L'insurrection en faveur du pluralisme aura lieu, peut déclarer Kahn, rien n'est encore gagné. »

On ne saurait ôter aux débuts de *l'Événement* quelque panache. Avec comme lettres de noblesse les démissions fracassantes et répétées de Kahn aussi bien d'Antenne II, des *Nouvelles littéraires* que du *Matin*. Pour cause d'indépendance. Encore fallait-il à ce héros positif un graal, une quête. Ce sera sa croisade contre la guerre civile idéologique, cette alternative gauche-droite totalement dépassée à ses yeux. Un jugement qui ne fait certainement pas l'unanimité au sein d'une rédaction moins recentrée que son directeur. La déclaration d'intention de Kahn au départ de *l'Événement* témoigne en tout cas de ce qui est chez lui une manière d'obsession. « Nos lecteurs veulent un journal vrai parce qu'inféodé à aucune faction, lucide parce qu'inféodé à aucune Église, divers et pluraliste parce que lié à aucune chapelle, courageux parce que ne dépendant d'aucun groupe d'intérêt. Ils veulent un journal différent... Élitisme ? En quelque sorte... »

Restait à trouver ces élites. Ce à quoi Kahn s'employa, toujours prêt à s'engouffrer, sa mallette à la main, dans le premier train venu, agitateur talentueux d'idées et bateleur impénitent. La liste des premiers souscripteurs de ce qui n'était alors que trois pages d'intentions rédigées par un homme isolé témoigne de sa force de persuasion : de nombreux éditeurs, des banquiers, le manager de Coluche ou le bras droit de Dassault, Guilhain de Bénouville. Et plus tard Jonasz, Montand, Bedos, Boisset, de Closets, ou Fernand Pouillon, 20 000 actionnaires au total.

Cet engouement ne fut pas seulement parisien. L'élitisme de *l'Événement*, pour reprendre le terme de Kahn, sera effectivement « populaire ». Bien sûr, on ne pleurera pas dans les chaumières en apprenant que des chômeurs se sont mis à quatre pour devenir actionnaires de l'hebdomadaire. Ou qu'une retraitée est venue proposer pour toute aide quelques heures de ménage. Cette version de l'histoire est à mettre au compte de la dérive populiste toujours présente chez le fondateur de *l'Événement*. Personnage contradictoire qui se flatte d'anti-intellectualisme tout en étant un des rares, dans la presse nationale, à s'intéresser à la vie des revues dites intellectuelles. Mais un vrai réseau d'actionnaires s'est développé dès la naissance de l'hebdomadaire. A peine créé un Club des lecteurs qu'aussitôt des « délégués » ont offert leurs services. « Ce sont des propagandistes du journal », annonce-t-on à Paris. Ce qui est largement vrai.

Est née, en effet, une confrérie stupéfiante d'amoureux de *l'Événement,* qui rêvent le soir en s'endormant d'un dîner-débat avec Kahn pour se réveiller en pleine nuit soudain angoissés à l'idée de ne pas parvenir à animer une telle réunion. Redoutable *melting pot* où l'on trouve aussi bien des fous de presse, quelle qu'elle soit, des dames associatives en quête d'un supplément d'âme ou des adeptes des « bouchons » lyonnais jamais en retard pour partager le gras-double et le pot de côte-du-rhône.

La diffusion de l'*Edj* est devenue pour beaucoup un véritable engagement, un militantisme de substitution. Ainsi le délégué de Rouen, lecteur de *Témoignage chrétien* et de *Paris-Normandie,* voit-il dans *l'Événement* un journal « différent » : « Ce journal avec son bon sens ramène les choses à leur juste valeur. » Ce qui n'empêche pas ce militant socialiste de déceler dans cet hebdomadaire un « sens de la Justice » : « La générosité de la gauche, on la retrouve, mais en plus libre, avec Kahn. » Pour le reste, cet électricien sans emploi apprécie l'accès que donne le Club de l'*Edj* « à certains privilèges », « à certains avantages », « ce qui crée des liens entre individus ». Nous voilà au cœur de « l'élitisme populaire ». Une ancienne enseignante de Strasbourg, déléguée elle aussi, trouve avec *l'Événement* un supplément d'âme. Un *must* dans une vie de province un peu morne ? « Les sorties du Club, ce n'est jamais le théâtre de boulevard. Il faut toujour un alibi culturel. On ne fait pas sortir les membres du Club pour n'importe quoi. »

Un poujadisme culturel mais aussi l'impression d'aller au fond des choses : « Je lis à peu près tout », proclame cette lectrice à qui le Paris-Strasbourg en train, trois heures trois quart, suffit à peine : « Avec *l'Événement,* j'ai l'impression d'avoir vraiment lu. » Un autre, à Rochefort, dit même : « C'est un peu comme une revue qui paraîtrait chaque semaine. » Le dossier de la semaine est la quintessence de cette studieuse lecture. Le délégué lyonnais en a une armoire pleine : « Je les garde, affirme ce chef d'un bureau de télécommunications, c'est vraiment de la documentation. » *L'Événement* ou un journal à triturer, à découper, à classer. Comme *le Monde* ? « Non, répond ce Lyonnais, *le Monde* est trop ardu. » L'*Edj* ou le gai savoir.

C'est à Lyon, quatre cents actionnaires, que le Club de *l'Événement* a pris son plus grand essor. Chaque mois, les adhérents se retrouvent autour d'une bonne table chez « la mère Ohris », Miss France en 1965, célèbre pour ses mousses au chocolat. Ou partent visiter une centrale nucléaire, les hauts lieux du protestantisme et aussi d'autres actionnaires de *l'Événement.* Avec un seul regret dans cette vie associative retrouvée : le refus de Paris de leur laisser utiliser le papier à en-tête de *l'Événement.* Une preuve supplémentaire, pour ces Lyonnais chauvins, de l'impérialisme parisien.

Plus généralement, un million et deux cent mille Français lisent chaque semaine *l'Événement.* Contre 2,3 millions pour *l'Express,* 1,7 million pour *le Point,* et 1,9 pour *le Nouvel Observateur.* Les lecteurs du journal de Kahn sont majoritairement des hommes. Presque un sur trois a moins de 24 ans, soit proportionnellement davantage que chez ses concurrents. On trouve légèrement plus de cadres supérieurs que dans les autres hebdomadaires. Ils vont plus au cinéma, lisent davantage. Consommateurs de culture avant tout, « ils sont plus poussés vers les loisirs que vers les placements financiers », constate Pascal Toury, responsable de la publicité. Sport, photo ou voyage les préoccupent plus que d'autres. D'où l'importance paradoxale, dans ce journal pétri de morale, des pubs pour l'alcool et le tabac.

Le soupçon de moralisme n'est pas gratuit. La couverture la plus vendue en 1988 fut consacrée aux « mecs bien ». Exception faite du numéro record après le deuxième tour des présidentielles (340 000 exemplaires vendus). Cette division manichéenne du monde entre « les cons » et « les salauds » a des adeptes de plus en plus nombreux. « La pensée sympath » que Jacques Julliard a reprochée au créateur de *l'Événement* est largement partagée. Le « courrier des lecteurs » en témoigne. C'est le même ton catégorique qui sévit par ailleurs dans les billets, les éditoriaux et les titres en général (quel que soit le caractère équilibré des articles). On lit d'un jeudi à l'autre : « Très courageux » ; « Bravo pour ce courageux article » ; « bien que trop prudent... » Des redresseurs de tort à la pelle.

Morale et journalisme. Le civisme est-il porteur d'une éthique journalistique ? Les gratte-papier sont-ils vraiment les nouveaux hussards de la modernité ? Ne sont-ils pas payés d'abord, comme l'a si bien dit Pivot – dans le journal de Kahn justement – pour poser des questions ? Pourquoi ne pas revendiquer le professionnalisme plutôt qu'on ne sait quelle pureté perdue ? Tiens, voilà un bon sujet de dossier pour *l'Événement.*

Nicolas Beau

La gazette du consensus

Diffusion par numéro en 1988

Numéro	Titre couverture	Diffusion
N° 166-7 janvier	Le fric pourrit	180 000
N° 167-14 janvier	Tonton Mitterrand nous gonfle	177 000
N° 168-21 janvier	Les embouteillages	161 000
N° 169-28 janvier	L'école a la tronçonneuse	180 000
N° 170-4 février	Le drame israélien	170 000
N° 171-11 février	Les journalistes	170 000
N° 172-18 février	Le scandale du logement	175 000
N° 173-25 février	Insécurité-criminalité	170 000
N° 174-3 mars	Les impôts	160 000
N° 175-10 mars	Les questions que vous n'osez pas poser	175 000
N° 176-17 mars	L'anatomie des candidats	160 000
N° 177-24 mars	Israéliens-Palestiniens. 40 ans de guerre ça suffit	165 000
N° 178-31 mars	Voilà qui sera président le 9 mai	175 000
N° 179-7 avril	Ouragan sur la droite	163 000
N° 180-14 avril	Deux siècles de guerre franco-française	170 000
N° 181-21 avril	Comment ne pas voter idiot	161 000
N° 182-28 avril	Le Pen danger	205 000
N° 183-5 mai	L'enjeu	173 000
N° 184-12 mai	Tonton fait gaffe	340 000
N° 185-19 mai	Vers un nouveau tremblement de terre	203 000
N° 186-26 mai	Radioscopie de la France entre deux séismes	178 000
N° 187-2 juin	Comment leur donner une bonne leçon	173 000
N° 188-9 juin	Spécial 1er tour : l'ouverture oui ou merde	165 000
N° 189-16 juin	2e tour : victoire de l'ouverture	218 000
N° 190-23 juin	La droite éclatée : ouf, ça bouge	166 000
N° 191-30 juin	Staline	170 000
N° 192-7 juillet	Les vrais revenus des non-salariés	187 000
N° 193-13 juillet	Dossier femmes : elles veulent tout	198 000
N° 194-21 juillet	Les rois de l'escroquerie	176 000
N° 195-28 juillet	La France des dessous-de-table	195 000
N° 196-4 août	Les tribus survivront-elles à l'an 2000 ?	175 000
N° 197-11 août	L'Église et la chair	186 000
N° 198-18 août	La bourgeoisie française aujourd'hui	220 000
N° 199-25 août	Les mecs bien	226 000
N° 200-1er septembre	Les salaires	180 000

L'Église catholique sur la mauvaise pente

Jean-Louis Schlegel

1988 apparaîtra peut-être plus tard comme l'année d'une inversion de tendance dans les relations entre l'Église et la société française. Ce n'est pas seulement une image positive de l'Église qui a été égratignée en trois mois : de l'affaire Scorsese à celle de la pilule abortive et du préservatif, une confiance, une sympathie, des attentes, ambiguës certes mais réelles, ont fondu comme neige au soleil.

Assurément – pour répondre d'emblée à un argument volontiers employé par la « défense » dans ces débats –, les bons rapports entre l'Église et la société et, *a fortiori*, entre l'Église et l'État ne sont pas un critère de vérité ou une panacée, ni pour l'une ni pour l'autre d'ailleurs. Une « bonne image de l'Église » (pour parler le langage des sondages) peut traduire, en réalité, une dangereuse « adaptation » (l'*Anpassung* des Allemands) aux normes et aux conformismes très peu éthiques d'une société.

Vatican II, une parenthèse ?

On imagine volontiers que l'injonction célèbre de Paul à Timothée taraude la conscience des évêques (c'est un verset que la tradition a souvent appliqué à leur ministère) : « Proclame la parole, insiste à temps et à contre-temps, réfute, menace, exhorte, avec une patience inlassable et le souci d'instruire... » Mais cette adjuration n'est qu'un cadre formel : sans le discernement pour l'appliquer avec pertinence à un juste contenu, sans l'amitié pour les gens et les choses de ce monde, elle peut tomber dans toutes sortes d'excès et d'errements, et son emploi s'avérer pire que le silence ou une certaine sobriété. Car dans les sociétés modernes démocratiques, le conflit avec l'État et la société ne peut pas devenir une règle ; l'« écart » évangélique, la ligne de partage entre résistance et soumission par rapport à une société marquée aujourd'hui comme hier par le mal (du moins peut-on l'imaginer) mais non adversaire de la religion ne sont pas tracés d'avance. Ils sont aujourd'hui réservés aux individus plus qu'à des Églises constituées en groupes de pression pour influencer les législations des États (ce qui ne les empêche pas d'élever la voix).

C'est bien ce qui fait aujourd'hui l'inconfort de la situation du chrétien et, probablement, de tous les groupes religieux à des titres divers. Un inconfort tel que la pente des groupes religieux, ou de nombreux croyants, consiste, pour se rassurer, s'identifier, exister tout simplement, à désigner l'adversaire, à diaboliser la société, à voir dans le conflit avec la société « la preuve que l'Église est fidèle à sa mission[1] », et donc à s'ériger en contre-société. A certains égards, en dehors de la « parenthèse conciliaire », qu'a fait d'autre le catholicisme depuis deux siècles ?

Parenthèse conciliaire ? Peut-être faut-il considérer dès à présent le concile Vatican II, ou du moins son interprétation la plus ouverte, comme une parenthèse, un malentendu, une grande illusion. Émile Poulat a exprimé cette idée d'un impossible changement du catholicisme à l'ère moderne avec son modèle d'une Église « intégraliste », antilibérale par définition, intransigeante à des degrés divers devant le monde moderne – un schéma plus large et plus convaincant que l'image d'une Église contre-révolutionnaire et opposée à la modernité. Non sans raison, à la suite d'Ernst Troeltsch, et malgré les dénégations des gens visés, d'aucuns parlent de « dérive sectaire » du catholicisme : « sectaire » n'a pas alors le sens de « fanatique », mais indique une coupure essentielle par rapport à la culture du monde mauvais et diabolisé[2]. Ou encore, que le refus du compromis avec la modernité aboutit nécessairement à des aspects sectaires.

Plus intéressante peut-être, plus actuelle en tout cas, l'hypothèse de Pierre Vallin[3], d'un retour du « réflexe monastique » dans le catholicisme (et sans doute au-delà) : insistance sur une identité liturgique et spirituelle, sur la communion dans une certaine unanimité, sur l'action caritative, sur l'aide sociale efficace, exercée en quittant éven-

1. Gérard Leclerc, « Le signe de contradiction », dans *30 jours dans l'Église et dans le monde*, décembre 1988, p. 3. G. Leclerc, journaliste religieux au *Quotidien de Paris*, à *la France catholique*, à *Trente jours...*, éditorialiste à *Radio Notre-Dame* (la radio libre de l'archevêque de Paris), est un porte-parole, peu inspiré à vrai dire, de cette apologétique par le « monde mauvais » et d'une « défense », outrée jusqu'à la niaiserie, du pape, de Mgr Lustiger et consorts.

2. A propos des violences contre le film de Scorsese, le cardinal Lustiger n'a pas hésité à déclarer, faisant d'une pierre deux coups : « Si on ne respecte pas le sacré, on déchaîne le diable. » Le diable est là... à cause des autres.

3. Pierre Vallin, *Histoire politique des chrétiens*, Nouvelle Cité, Paris, 1988, p. 170-174. On ne peut que conseiller ce petit livre très suggestif.

tuellement un statut professionnel antérieur, et dans des lieux *internes* à l'Église (les centres d'accueil pour les personnes atteintes du sida en seraient l'exemple-type). On aurait alors en quelque sorte la relève du modèle simultanément « critique » et « intégraliste » de l'Action catholique dans la période antérieure, modèle qui privilégiait « l'insertion du chrétien dans les luttes nées en dehors de l'Église ».

Image en hausse dans l'opinion...

Si l'on prend en compte cet arrière-plan, on comprend sans peine que lors des « affaires » de 1988, il y a eu probablement méprise dans l'opinion publique à propos de l'Église catholique : ceux qui ont pris la parole – Mgr Decourtray et Mgr Lustiger – n'ont rien ajouté à des *niet* antérieurs tout aussi définitifs sur les problèmes en cause. En tout cas, les prises de position sur la pilule abortive, sur le préservatif n'avaient rien de nouveau. Et pour *La dernière tentation du Christ,* il suffit de se rappeler, il y a quelques années, les condamnations en très haut lieu du film de Godard, *Je vous salue Marie,* et les interventions de Mgr Lustiger pour faire supprimer la subvention du ministère de la Culture au film de Scorsese, pour n'être pas surpris par le communiqué d'archevêques condamnant le film sans l'avoir vu.

Mais soit : surprise il y a eu, pour des raisons qu'on peut évaluer. Au moins dans la classe intellectuelle, politique, médiatique, la participation des Églises protestante et catholique à la mission en Nouvelle-Calédonie a eu un retentissement considérable, d'ailleurs rehaussé par le succès de cette mission, et elle a sans doute représenté une sorte de sommet dans le sens d'une réintégration officielle de l'Église dans la société française. Dans les mêmes milieux, l'engagement actif de l'Église, avec des figures emblématiques, aux côtés des immigrés (Mgr Decourtray à Lyon), des plus pauvres (l'abbé Pierre, le père Wrésinski), du tiers-monde (mère Térésa, sœur Emmanuelle) a été souvent salué. Le charisme médiatique sans frontières de Jean-Paul II, le succès du livre de Mgr Lustiger, diverses actions de Mgr Decourtray (par exemple, son trouble exprimé lors de la réception de Kurt Waldheim par le pape, son intervention lors de l'affaire du Carmel d'Auschwitz) ont accrédité l'idée paradoxale d'une Église « moderne », au cœur des problèmes, parlant juste, agissant efficacement.

On pourrait aligner encore d'autres raisons d'un changement de climat, celui-là même qui rendait possible le discours épiscopal sur un « nouveau cadre de la laïcité » française, encore indéfini, mais impliquant, d'une façon ou d'une autre, une réévaluation à la hausse du poids de la tradition religieuse en France. Au demeurant, ce climat n'est pas resté sans échos dans le « camp laïc », puisqu'une remise sur le métier de l'idée de laïcité et de ses implications aujourd'hui a été entreprise notamment par la Ligue de l'enseignement. En un certain sens, la campagne de publicité, début novembre – au pire moment ! – pour le denier de l'Église (autrefois « denier du culte ») participait de la même confiance en un climat favorable : l'image d'un baptême champêtre, évoquant la force tranquille de l'Église, en appelait à la générosité des donateurs habituellement éloignés, mais consommateurs des biens symboliques de l'Église, et finalement concernés positivement par elle.

C'est un peu tout cela qui s'est trouvé remis en cause par des interventions successives sur des questions de société – interventions massivement contestées. Comme d'habitude en pareil cas, les responsables de l'Église ont plaidé l'accident de parcours, le concours de circonstances fortuit, le harcèlement des médias, la différence entre les diverses affaires ; ils se sont jugés incompris, tout en plaidant pour leur droit et leur devoir de s'exprimer sur tous les sujets, y compris non religieux [1]. Rien n'est tout à fait faux dans cette défense, rien n'est entièrement vrai, une chose est sûre : ce qui est en cause dans les trois affaires – Scorsese, la pilule abortive, les préservatifs, sans compter une interview étonnante du cardinal Lustiger, dans le *Monde* du 8 octobre –, ce n'est pas, contrairement à une ligne de défense faible et même fausse, le *droit de parler,* mais bien la forme et le fond de la parole prononcée. Ce n'est pas que l'Église soit en position de se taire, mais qu'elle se mette en position de n'être pas entendue.

... et recomposition interne du catholicisme

A mon sens, on ne comprend pas ce qui s'est passé si l'on ne mesure pas que les bonnes relations entre l'Église et la société (depuis 1984) sont allées de pair, dans le même temps, avec une évidente rétraction dans l'Église. On mesurera peut-être un jour les retombées du schisme de Mgr Lefebvre, qui est vécu comme le grand échec d'un pontificat. Pour rattraper ce qui peut l'être, tous les moyens semblent bons : dénonciation répétée des « excès » postconciliaires et, sans le dire explicitement, de Vatican II (notamment de la place donnée aux Conférences épiscopales nationales) ; nomination systématique d'évêques ultra-conservateurs, ou plutôt de personnalités dont la seule vertu semble consister à manifester une rigoureuse fidélité romaine et une papolâtrie sans failles [2] ; création ou reconnaissance de structures

1. Lors d'un débat à *Radio Notre-Dame,* les journalistes de la station (dont G. Leclerc) tentaient de faire admettre à leurs interlocuteurs du *Monde,* de *l'Express* et d'*Europe 1* la thèse du complot anticlérical des médias. Goguenards, ceux-ci répliquaient que l'Église bénéficie surtout d'une mer d'indifférence dans les médias et ne représente, dans le traitement de l'information, qu'un « sujet » parmi d'autres, dont on évalue la place aux informations en fonction du taux présumé d'écoute. C'est cela qu'il faudrait méditer.

2. Cf. « La grande illusion du catholicisme », *Esprit,* septembre 1988.

d'accueil traditionalistes et réintégration de prêtres intégristes par-dessus la tête des évêques, voire contre leur volonté, ou contre le droit des ordres religieux [1] ; imitation « kitsch » du traditionalisme, avec le retour des processions dans la rue, l'érection de statues de la Vierge dans le paysage français, etc.

A vrai dire, en France et ailleurs, ce mouvement avait commencé avant le schisme de l'été dernier. On ne peut sous-estimer le retour en force d'un catholicisme traditionnel, sinon traditionaliste, où certaines mouvances charismatiques, des rassemblements ponctuels, des paroisses [2], une presse active [3], des groupes d'édition [4] jouent un rôle important (plus d'une fois au corps défendant des évêques et des responsables de l'Église). S'il est bien difficile d'apprécier les « fruits spirituels » de l'année mariale (terminée le 15 août dernier), deux choses sont certaines : côté réflexion théologique, le résultat est nul (il s'agit même d'une régression intellectuelle, à mon sens ; et comme il fallait s'y attendre, l'année s'est terminée par des effervescences autour des apparitions et des miracles réels ou supposés de la Vierge) ; cependant, la réussite est grande si, comme c'est probable, l'intention du pape était de stimuler le retour à un catholicisme simple, pieux, peu intellectuel (et donc peu critique), répondant aux besoins religieux des gens, tout en leur demandant de s'identifier à la parole pontificale et épiscopale, de s'impliquer autant que faire se peut dans la doctrine sociale de l'Église, et... de se confesser si l'on échoue à se conformer aux commandements de l'Église.

Le sens d'une « seconde évangélisation »

Reconquête donc d'un « peuple chrétien » appelé à rester sans voix, dont on loue le silence et qu'il faut surtout éviter de « troubler [5] ». Mais

1. Lors de la nomination de l'évêque de Cologne, placé devant le refus du chapitre d'entériner son candidat, le Vatican a changé la règle de l'élection en cours de procédure : dans l'histoire récente du droit, on sait quels régimes ont usé de ce procédé.

2. L'archevêque de Paris a confié des paroisses à l'Emmanuel, mouvance charismatique connue pour son traditionalisme parmi les grands mouvements charismatiques français.

3. Ainsi *Famille chrétienne, Trente jours... :* ce dernier, mensuel, présenté lors de son lancement comme une version internationale de *La France catholique*, en est en réalité une version de combat : c'est une traduction partielle de *Trente Giorni*, mensuel italien de la même tendance que *Famille chrétienne*, où écrivent notamment des membres de *Communion et libération*. *Trente jours...* a été créé pour faire pièce à *l'Actualité religieuse dans le monde* (anciennement *Informations catholiques internationales*), principal mensuel catholique international depuis les années 60. Si la tendance de cette presse traditionaliste qu'on dirait inspirée de la Curie romaine est claire, l'origine de ses capitaux est fort obscure.

4. La presse a signalé qu'un « groupe Ampère », dirigé par Rémi Montagne, tissait sa toile d'araignée en rachetant de petites maisons d'éditions et les éditions Dargaud et Lombard, contrôlant ainsi 45 % de la bande dessinée francophone. Montagne se propose de faire une presse (et des BD) fidèle à Dieu, à la famille et aux valeurs chrétiennes. Cf. Marie-Jo Hazard, in *Témoignage chrétien*, 23 novembre 1987 et 13 février 1989 ; *Libération*, 26 janvier 1989.

5. Cf. les réflexions pointues d'Yvan Tranvouez, *Catholiques d'abord*, Éditions ouvrières, Paris, 1988, p. 188-192 (« Le catholicisme à deux vitesses »). Il montre bien que le « peuple chrétien » a bougé dans un sens libéral (on en prend, on en laisse), mais peu importe : il est toujours traité en mineur dans l'Église du moment qu'il se tait, contrairement aux intellectuels.

à quel prix ! Une ou deux générations de militants chrétiens et de prêtres sont ainsi ouvertement ou implicitement désavoués, indistinctement condamnés au nom d'« excès » postconciliaires. Je gagerais qu'on préfère aujourd'hui leur éventuel départ ou leur marginalisation à la blessure ouverte d'un intégrisme qui détruit l'image narcissique des « succès » d'un pontificat (et d'un intégrisme qui a toujours refusé, en réalité, *tout* le concile Vatican II).

Peu à peu se sont mis en place les contours d'une nouvelle stratégie pastorale, d'« une vision particulière de la société et de l'Église que l'on pourrait résumer ainsi : " Le monde occidental a perdu son âme. Tant que la société n'aura pas accueilli le message chrétien, elle n'aura pas d'avenir. C'est donc au monde de s'ouvrir à l'Église, non à l'Église de s'ouvrir au monde. " Une telle perspective implique une Église à forte identité, qui ne manque aucune occasion de manifester sa visibilité afin de regagner le terrain perdu. La réalisation d'un tel projet implique aussi de prendre autant de pouvoir qu'il est possible [1] ». La « seconde évangélisation » de l'Europe prônée par Jean-Paul II est ainsi devenue, pour certains, le refus de la laïcité de l'État comme neutralité devant la question religieuse et l'invitation à un véritable « catholicisme politique » pour combattre les dérives de la société laïque sécularisée [2].

Les propos du pape sont certes ambivalents sur ce point, parfois explicitement ambigus. Ainsi, lors de sa récente visite à Strasbourg, dans son discours au Parlement européen, le pape a marqué ses distances avec un intégralisme qui refuse d'accorder à l'État et à la culture leur autonomie, et souligné, dans le même temps, la « fécondité culturelle » et le « rôle d'inspirateur éthique » d'un « christianisme qui, de par sa nature, ne peut être relégué dans la sphère privée ». La ligne de crête ainsi dessinée peut laisser ouvertes toutes les interprétations. En tout cas, le discours sur la seconde évangélisation s'accompagne d'une vision très pessimiste de la situation, morale surtout, des vieux pays européens.

Le pape définit rarement des lignes d'action concrètes. En revanche, on sera peut-être moins surpris de ce qui s'est passé si l'on se souvient des lignes suivantes, incluses dans l'instruction de la Congrégation pour la doctrine de la foi « sur le respect de la vie humaine naissante et la dignité de la procréation », *Donum Vitae* (mars 1987) : « De nos jours la législation de nombreux États confère une légitimation indue à certaines pratiques ; elle se montre incapable de garantir une mora-

1. Marie-Jo Hazard, « La stratégie pastorale du cardinal Lustiger », *Échanges*, décembre 1988, p. 22.
2. C'est l'un des buts du mouvement italien *Communion et libération*. Cf. dans le numéro cité de *Trente jours* (décembre 1988), l'article virulent signé par un journaliste de ce mouvement contre Ciriaco de Mita, président de la Démocratie chrétienne et membre de l'aile gauche « sécularisée » de ce parti. Mais dans les nouvelles mouvances religieuses, on trouve plus d'une fois, en France aussi, des indices d'une critique de la laïcité de l'État comme telle.

lité conforme aux exigences naturelles de la personne humaine et aux " lois non écrites " gravées par le Créateur dans le cœur de l'homme. Tous les hommes de bonne volonté doivent s'employer, spécialement dans leur milieu professionnel comme dans l'exercice de leurs droits civiques, à ce que soient réformées les lois *civiles moralement* inacceptables et modifiées les pratiques illicites. En outre, " l'objection de conscience " face à de telles lois doit être soulevée et reconnue. Bien plus, commence à se poser avec acuité à la conscience morale de beaucoup, notamment à celle de certains spécialistes des sciences biomédicales, l'exigence d'une résistance passive à la légitimation de pratiques contraires à la vie et à la dignité de l'homme[1]. »

Il est difficile ne pas lire dans ces lignes non seulement le principe d'un droit à la parole – légitime –, mais la prétention à régenter les mœurs et à imposer l'ordre moral, celui que conçoit l'Église catholique. Ce texte éclaire d'ailleurs ce qui s'est passé en France. En ne s'adressant pas clairement aux seules consciences dans l'affaire de la pilule abortive et dans celle de la publicité pour le préservatif, le cardinal Decourtray[2] a accrédité – malgré ses dénégations et ses affirmations sur la prétendue faiblesse de son pouvoir – l'idée d'une Église-lobby, faisant pression sur les pouvoirs publics pour imposer son point de vue. Dans cette affaire comme dans d'autres, il est impossible de sous-estimer la pression romaine dans les interventions des évêques français, obligés de « s'aligner » d'autant plus que des fidèles, plus papistes que le pape, les rappellent à l'ordre s'ils s'avisent de déroger à la règle du consensus. *A fortiori,* les intégristes et les activistes catholiques peuvent-il trouver dans un texte officiel des raisons à une « objection de conscience » interprétable comme refus violent contre des pratiques et des événements jugés non « conformes aux exigences naturelles de la personne humaine et aux lois " non écrites " par le Créateur dans le cœur de l'homme ». Le plus grave serait peut-être ce que suggère ce texte : si l'Église disposait encore du bras séculier, serait-elle prête à y renoncer ?

Sur trois « affaires »

Pour les « événements » eux-mêmes, qu'ajouter qui n'ait été dit ? L'invention de la pilule abortive, avec ses facilités supposées (en fait, semble-t-il, contestables), ne changeait rien au cadre fondamental de

1. Texte édité dans *Cahiers de l'actualité religieuse et sociale,* n° 347, mars 1987.
2. Le cardinal Decourtray, président de la Conférence épiscopale française, en est en fait aussi le porte-parole, avec Mgr Lustiger. On a pu parler d'une division du travail de leur charisme médiatique. Mais les événements de fin 1988 ont aussi montré les limites du « fonctionnement au charisme » : à l'amour immodéré de ce genre de personnage peut très bien succéder une grosse déception, ou pire encore (et sans doute une assimilation injustifiée de tout l'épiscopat à eux).

la loi sur l'IVG [1]. Mais l'Église catholique n'a jamais accepté cette loi, qui reste un cheval de bataille dans le discours du pape et soulève encore plus de remous politiques et religieux dans d'autres pays (en Allemagne fédérale, aux États-Unis par exemple). Le plus gênant a été de voir, à l'assemblée de la Conférence épiscopale de Lourdes, les évêques applaudir debout la décision du laboratoire d'interrompre la commercialisation de la pilule, et considérer avec empressement cette interruption tactique comme une décision éthique du laboratoire !

La « campagne contre la campagne » pour le préservatif est apparue scandaleuse en raison de l'urgence de ce moyen pour empêcher le pire. Là surtout, à tort ou à raison, l'intervention de Mgr Decourtray est apparue comme une volonté d'imposer la vision de la sexualité humaine selon l'Église, c'est-à-dire une vision qui réserve son exercice au couple hétérosexuel. Au lieu d'en appeler à la conscience des individus, qui, au demeurant, n'ont pas attendu l'Église pour comprendre le danger de relations sexuelles multiples, on s'immisce dans la prophylaxie publique, en suggérant que la sexualité selon le catholicisme serait le meilleur remède. En réalité, là encore, on peut se demander s'il n'y a pas méprise totale du côté de l'Église, méprise qui expliquerait la virulence des réactions lorsqu'elle parle de la sexualité humaine. Méprise en ce sens que l'intervention ecclésiastique semble toujours supposer implicitement un univers de stupre et de sexualité débridée chez les gens [2], univers sans paroles et sans cœur auquel elle se croit obligée d'opposer son ordre lisse et son discours bavard et idéalisé du couple chrétien – discours totalement imbuvable à l'extérieur et qui, en effet, ne peut susciter que la colère, l'indifférence ou, au pire, l'abattement. Car on confond, dans l'Église, la représentation publicitaire de la sexualité, marquée certes par un érotisme pléthorique, sans frontières, sans valeurs, et sa pratique réelle, contrastée, heureuse ou prosaïque, mais souvent marquée par l'échec, la solitude, l'incommunication. Le plus grand échec du discours de l'Église sur la sexualité, c'est qu'il n'aide pas, qu'au contraire il fait fuir, quand il ne culpabilise pas un peu plus ceux qui déjà sont en difficulté.

1. Pour autant que les chiffres soient fiables, le taux d'avortements en Pologne (par rapport à la population) est l'un des plus importants d'Europe. Si l'on considère que l'Église catholique parle, en cas d'IVG, d'« assassinats objectifs », sans considérer les raisons personnelles et sociales d'un tel acte, on mesure l'absurdité qu'il y a à condamner sans nuances l'IVG légalisée. En tout cas, un tel constat aurait pu inciter à un peu de réserve Lech Walesa, lors de son voyage à Paris en décembre : au sortir de sa visite chez le cardinal Lustiger, il s'est cru autorisé à stigmatiser le « matérialisme » de la société française... une société qui n'a pas rechigné sur la générosité envers la Pologne, en 1981-82.

2. Dans *Trente jours* (*op. cit.*), le père Xavier Tilliette écrit sans rire : « Tandis que l'Église donne des signes timides de résipiscence, le monde sombre dans la luxure et le crime. » Même si c'était vrai – mais ce ne sont que les fantasmes nés de la misanthropie de l'auteur –, cette opposition devrait poser une question au père Tilliette. Un peu plus loin, il rappelle la prétention du catholicisme à être « la vérité absolue », en dépit de la « sourdine mise aux anathèmes » : oser dire que le catholicisme est « la » vérité est aussi un thème rémanent des littératures que j'évoque. Le paradoxe est précisément qu'aujourd'hui, avec cette prétention, le catholicisme ressemble à toutes les religions qui prétendent détenir le monopole de la vérité.

Dans l'affaire Scorsese, le plus choquant a été un communiqué condamnant le film sans l'avoir vu, sur la foi d'un scénario communiqué par l'épiscopat américain, qui ne l'avait pas vu non plus, évidemment. On s'est obstiné dans le ridicule en refusant de visionner un film dont l'« intérêt » s'est révélé être tout à fait ailleurs que dans l'amour fait à Marie-Madeleine. Comme d'autres, j'estime que ce film sur le Christ (et non sur l'Évangile) est un film intéressant, posant une foule de questions passionnantes et très contemporaines sur la conscience humaine de Jésus, sur le « secret messianique » (le secret demandé par Jésus, en Marc notamment, sur son identité messianique), sur les tentations humaines de Jésus, sur l'« alternative » posée humainement à cette vie, sur la Croix et la Résurrection, sur le rôle de Paul, etc. Belle occasion perdue d'une parole sur Jésus, heureusement mieux tenue par la grande presse, qui a multiplié les articles sur les Évangiles, sur le personnage du Christ, sur le dogme du Dieu-homme...

Le divorce entre l'Église et l'esthétique moderne

Mais à certains égards, et sans considérer *La dernière tentation* comme un chef-d'œuvre filmique, c'est le profond divorce, depuis le XIXe siècle, entre l'Église et l'art contemporain, aux formes sécularisées, éclatées, fortement subjectivisées, spécialisées et réservées aux amateurs (donc détachées d'un peuple chrétien), qui transparaît en pleine lumière avec ce genre d'affaire. De cette question complexe, je retiens seulement quelques aspects. Le problème est resté pendant un temps celui de la création (et de la gestion par l'Église) d'un art « sacré », détaché de l'art profane, ou de l'inspiration chrétienne d'auteurs « laïcs ». Dans le premier cas, on a le meilleur et le pire, dans la mesure où l'on a largement maintenu d'anciennes formes (le néo-gothique, par exemple), ou tenté de redire « littéralement » le récit des origines dans l'imagerie pieuse. Dans le second, on a eu la grande floraison littéraire des auteurs chrétiens du XXe siècle, ou la tentative (du père Couturier) de faire travailler des artistes chrétiens pour l'Église, ou encore des artistes indépendants comme Rouault et Bresson.

On pourrait dire grossièrement qu'on est dans une logique d'exclusion (avec sans doute des exceptions et des variantes) : il y a l'art profane et l'art sacré lié, sauf exception, à l'Église, il y a l'inspiration profane et l'inspiration chrétienne liée à l'Église (les auteurs chrétiens sont « orthodoxes » par rapport à l'Église, les auteurs non chrétiens acceptent de faire un art « orthodoxe » pour l'Église, même s'ils s'éloignent des formes reçues). A l'époque la plus récente, ces frontières se sont effacées. D'un côté, du côté de l'auteur et du récepteur, il arrive que l'art « profane » soit compris comme une expérience fondamentalement spirituelle, religieuse, voire comme un substitut de la religion quand celle-ci a disparu. De l'autre, des thèmes religieux, typiquement chrétiens ou autres, reviennent de manière adventice ou centrale dans l'inspiration des artistes et des auteurs, chrétiens ou non ; ils sont traités hors orthodoxie et sont reçus par un public sécularisé, peut-être justement pour cette raison (est-il besoin de rappeler *Thérèse* d'Alain Cavalier, *Sous le soleil de Satan* de Maurice Pialat ?).

On pourrait donc lire dans la prise de position des responsables d'Église et des chrétiens qui les ont suivis sur ce terrain une tentative de redéfinir, conformément à la tendance actuelle, des frontières entre le sacré et le profane, et de s'affirmer propriétaires de l'interprétation de la figure christique, dans l'art et ailleurs. On peut respecter la douleur subjective à voir cette figure, avec lequel le chrétien entretient un rapport si particulier, prise dans des récits déformés, souvent grotesques, ricaneurs, inversés dans l'esprit et la lettre. Mais on mesure aussi combien l'intervention contre le film de Scorsese, avec l'invite à ne pas le voir, s'oppose de plein fouet à une situation de la culture présente, où le passé chrétien n'a plus de propriétaire légitime. Au lieu de parler du « trouble » dans le peuple chrétien, cette situation pourrait être une chance d'« éduquer le regard » et de ressaisir, y compris dans les formes d'art contemporain excentriques, y compris dans ses aspects vils, quelque chose du mystère de l'homme (et dans le cas de Scorsese, quelque chose de l'Incarnation de Dieu). Mais on refuse de franchir la frontière de l'art laïc, inspiré ou non par des thèmes religieux ; on préfère les « péplums » sulpiciens comme la récente *Bernadette* de Jean Delannoy, film « officiel » à Lourdes pour des années, ou le *Jésus de Nazareth* de Zefirelli, avec son Christ aux yeux bleus, ou d'autres spectacles édifiants, mais nuls esthétiquement.

Un regard sceptique ne verra dans l'évolution récente du catholicisme qu'un avatar de sa relation compliquée, toujours intégraliste et intransigeante, toujours irréconciliée, avec le monde moderne. D'aucuns y trouvent argument pour louer la « synthèse Jean-Paul II » : continuité profonde avec l'esprit de ses prédécesseurs et adaptation remarquable à notre actualité. Mais doit-on croire qu'il n'y a plus rien à penser dans les relations entre catholicisme et société[1] ? D'autant plus que la question reste entièrement posée de la « justesse » de ce modèle, pour la France du moins, où il ne fait que raviver sans cesse – non sans raison et à grand dommage – la méfiance des secteurs laïcs et républicains les plus ouverts (passons sur le blocage de l'œcuménisme).

La situation politico-religieuse actuelle en France n'est pas sans paradoxes. Au moment de la querelle scolaire, en 1983-84, on a pu montrer que le slogan laïc : « A école publique, fonds publics ; à école

1. Cf. l'interview d'Émile Poulat par René Pucheu, *La France catholique,* 27 janvier 1989.

privée, fonds privés » ne correspondait plus à la réalité, puisque l'État finance, en fait, une multitude d'initiatives privées. On pourrait étendre ce constat à d'autres secteurs, y compris symboliques, des rapports entre religion et société : sans doute par un effet à retardement paradoxal de la législation laïque d'il y a un siècle, les frontières sont moins étanches, moins exclusives, les compromis sont innombrables. On n'en est certes pas à la situation américaine, où, dans le cadre de la laïcité, la religion au sens de « *one nation under God* » est essentielle pour le lien socio-politique américain.

L'« américanisation » de la société fait rugir notamment une partie de la gauche laïque. N'empêche, si l'on refuse d'idéologiser trop vite cette idée d'« américanisation », si l'on refuse de lui donner des connotations uniquement négatives, il y aurait peut-être à apprendre, et notamment pour l'Église catholique, la valeur de cette « nouveauté chrétienne [1] que fut et reste l'expérience américaine, la valeur donc d'un autre fonctionnement que l'intégralisme europé-centriste, celui-là même que Jean-Paul II, au nom du passé, ne cesse d'assigner aux Églises et aux sociétés d'Europe comme leur avenir : la valeur, autrement dit, du débat, de la consultation, de la concurrence religieuse, d'une liberté de l'Église locale et d'une liberté religieuse des individus qu'on ne saurait balayer d'un revers de main comme du « gallicanisme » honni.

L'un des paradoxes pathétiques du pape actuel n'est-il pas de prêcher sans cesse les droits de l'homme à l'extérieur, et de les considérer comme rigoureusement non pertinents à l'intérieur, voire de cautionner l'irrespect du droit (comme lors de récentes nominations épiscopales) ou de laisser croire que l'objection à la doctrine de l'Église est une atteinte à Dieu lui-même [2] ? N'est-il pas de renforcer de son charisme personnel une bureaucratie ecclésiastique arrogante, une théolo-

1. Sur le rôle et le sens de l'Église catholique aux États-Unis et pour l'Église en général, cf. P. Vallin, *op. cit.*, p. 103-117 ; cf. aussi François-Xavier Dumortier, « John Courtney Murray revisité », dans *Recherches de sciences religieuses*, 1988, 4, p. 499-531. Le P. Courtney Murray a été – est-ce un hasard ? – le grand artisan de la déclaration conciliaire sur la liberté religieuse. Sa réflexion théologique sur les rapports entre l'Église catholique et la société américaine est particulièrement intéressante.

2. Pour le 20e anniversaire d'*Humanæ vitæ* (l'encyclique opposée à la contraception par la pilule), le pape déclarait le 12 novembre 1989 : « [Cette doctrine d'*Humanæ Vitæ*] a été inscrite par la main créatrice de Dieu dans la nature même de la personne humaine, et a été confirmée par lui dans la Révélation. Par conséquent, la remettre en cause équivaut à refuser l'obéissance de notre intelligence à Dieu lui-même. » Plus loin, il est dit que la contraception porte atteinte « à l'idée même de la sainteté de Dieu » (*Documentation catholique*, 15 janvier 1989, p. 61-62). Cette attitude typiquement « fondamentaliste » (et « païenne »), qui objective et réifie Dieu à partir de la nature, fait bon marché de la tradition qui veut que la loi naturelle soit interprétée selon l'« analogie de l'Être » (qui ménage la distance entre la créature et le Créateur) et selon la loi de liberté « inscrite par l'Esprit dans les cœurs ». En fait, – le pape le souligne explicitement –, le catholique dépend d'un « magistère institué par le Christ Seigneur pour éclairer la conscience », et sa conscience morale n'existe qu'éclairée par la volonté du Créateur, i.e. par le magistère. Sans compter le problème théologique général posé par cette identification entre la chaire de Pierre et la volonté divine, le propos semble « lier » la conscience des catholiques à des doctrines certes officielles, mais relevant d'un magistère ordinaire, qui précisément éclaire mais ne lie pas. C'est en fait une extension tout à fait indue de la doctrine de l'infaillibilité.

gie condamnée à la répétition, un épiscopat aux ordres, une liturgie verrouillée ? Il n'y a pas de persécution, nul n'est torturé[1], mais il n'y a pas non plus de débats, de discussion, le minimum de « démocratie » religieuse qui rendrait crédible le discours sur la démocratie socio-politique. « L'Église n'est pas une démocratie », nous dit-on, comme s'il suffisait d'une formule péremptoire et dogmatique pour exorciser la question démocratique dans l'Église. Le problème n'est pas de savoir si l'Église est une démocratie. Il est de savoir si elle peut se passer d'une « éthique de la discussion » (pour parler comme Habermas), sans laquelle, comme dans les démocraties des temps modernes, ne peuvent qu'apparaître des dysfonctionnements regrettables du groupe et des « pathologies » importantes chez les individus (qu'il s'agisse de la forme de l'autorité ou de celle de l'obéissance, par exemple). Sans laquelle surtout les mots de l'Évangile qu'on prétend redire aujourd'hui sont démentis constamment par les comportements de l'Église – c'est-à-dire sans laquelle est reniée l'inspiration majeure de Vatican II. De ce point de vue, l'Église comme toutes les institutions sait parfaitement y faire (mais nous croyions qu'elle n'était pas une institution comme les autres) : la lettre du Concile est parfaitement respectée, son esprit est trahi[2].

Jean-Louis Schlegel

1. Le problème des « droits de l'homme dans l'Église » n'a rien à voir avec les droits de l'individu dans l'État totalitaire ; il impliquerait plutôt que la hiérarchie dans l'Église respecte le droit tout court (le droit de l'Église et éventuellement le droit commun), et surtout que l'Église accepte d'entendre ce qui est proprement moderne dans les droits de l'homme : la valeur de l'autonomie de la conscience.

2. Voir dans ce numéro la controverse « Vatican II, la grande illusion », par Jean-Claude Eslin.

Albertville disparue
Les vertiges du marketing olympique

Georges Vigarello [1]

Faut-il retenir qu'en traçant la nouvelle piste de descente des jeux olympiques, à Val-d'Isère, Jean-Claude Killy et Bertrand Russi se seraient arrêtés devant une fleur devenue rare dans les Alpes : l'ancolie sauvage ? *L'Équipe* prétend même qu'ils auraient infléchi la piste pour... épargner la fleur, d'où ce « virage de l'ancolie », dans le nouveau tracé. Le mythe ne meurt pas, fût-il ici « simplissime », jusqu'au dérisoire.

Reste une aventure, à vrai dire, autrement réaliste. Les problèmes d'Albertville tiennent plus à l'urgence de construire des autoroutes qu'à celle de cultiver des fleurs, plus à la nécessité d'ouvrir des marchés qu'à celle d'évoquer des références poétiques, ils tiennent au devoir d'inventer des compromis sans nombre : entre les stations des vallées, d'une part, entre le local et l'État, d'autre part, entre les puissances d'argent, surtout. La confirmation que les Jeux ne peuvent plus se faire et se penser sans une immersion totale dans la politique et le profit.

Le vertige local

Ce qui, en décembre 1981, est encore simple boutade entre Jean-Claude Killy, héros des Jeux de Grenoble, et Michel Barnier, député RPR, homme politique ascendant en Savoie, prend, le

1. Professeur à l'université de Paris 5. Coordinateur des numéros spéciaux d'*Esprit* sur « Le corps » (février 1982) et « Le nouvel âge du sport » (avril 1987).

11 décembre 1982, une forme concrète et crédible : Albertville dépose une candidature officielle, auprès du Comité national olympique et sportif français (CNOSF), pour les Jeux de 1992. Les autorités locales, les stations de la Tarentaise, les chefs d'entreprise des vallées semblent prêts à une mobilisation. Il faut encore plus d'un an pour que la candidature soit reprise par le CNOSF, préférée, entre autres, à celle de Chamonix. Et près de deux ans pour que se réalise l'indispensable consécration politique : le 6 septembre 1984, François Mitterrand apporte son soutien à la candidature d'Albertville, lors d'une visite officielle au Conseil général de Savoie. Une consolation pour Michel Barnier, à qui nombre de ses pairs, au sein du RPR, reprochent quelques compromis avec le pouvoir socialiste. N'aurait-il pas ainsi donné une publicité au chef de l'État pour mieux faire aboutir son projet ? Premier procès d'intention dans cette aventure qui n'a pas fini d'en compter.

Le parcours des Savoyards s'organise dès lors autour de trois axes, trois types d'actions, sans lesquels aucun succès de candidature n'est aujourd'hui pensable. Création d'un comité de soutien, tout d'abord, rassemblant les grandes entreprises locales et les autorités diverses : une façon d'obtenir les trente millions nécessaires à la promotion d'Albertville (le budget le plus important des sept concurrents recensés en 1985). L'obtention d'un consensus politique à l'échelle de la Savoie, ensuite : « calmer » les rivalités entre les stations de la Tarentaise, proposer un programme « équilibré » permettant leur participation aux sites, assurer la présence d'autres vallées, comme celle de la haute Maurienne, par exemple, pour éviter quelque amorce de frustration. Le consensus est d'ailleurs laborieusement acquis, au prix d'une dispersion et d'un émiettement des lieux de compétition : la rançon à payer pour que la candidature soit celle de « tous ». En contrepartie, le Conseil général relève la taxe routière prélevée sur les sociétés de remontées mécaniques (de 2 à 4 %). Autre façon, d'ailleurs, de rendre crédible le projet : le dispositif des voies d'accès aux vallées, en 1985, aurait interdit les JO. Un intense travail de communication, enfin : activité diplomatique persévérante et fiévreuse où tous les membres du Comité olympique international ont été l'objet de soins répétés, Jean-Claude Killy et Michel Barnier jouant, à cet égard, le rôle d'inlassables commis voyageurs.

Avant même de l'emporter, le projet savoyard est le signe d'un changement décisif dans la pratique de l'olympisme : impossible d'organiser des Jeux sans que convergent, dans une dynamique rigoureusement identique, puissances politiques et puissances financières, sans que se déclarent sponsors et mécènes, sans que se croisent solidement soutiens locaux et soutiens d'État. L'accueil des spectateurs, sans doute, celui des concurrents aussi, bouleversent l'économie des sites, pour des investissements nécessairement concertés et un aménagement toujours plus massif. Mais le spectacle télévisuel, la vente de ses images, les innombrables marchés publicitaires qu'ils mettent en jeu, interdisent toute improvisation et multiplient les effets de séduction. Plus que jamais une candidature implique une véritable campagne politique, financière, nationale et internationale, où se multiplient les critères et les conditions. Une « annonce » des postulants savoyards, promue par le groupe Quadrillage, confirme la mutation des enfants du vieux baron créateur des Jeux : « L'olympisme interdit aux amateurs ».

Un obstacle, enfin, dans ce parcours préalable, a dû être soigneusement pensé et contourné : celui de la candidature parisienne pour les Jeux d'été de la même année 1992. Michel Barnier, ténor fortement implanté, mais local, opposé à Jacques Chirac, figure de proue des Jeux de Paris ? Concurrence d'autant plus équivoque, en tout cas, qu'elle risquait de traverser le même parti. Les stratèges d'Albertville n'ont pu, d'ailleurs, tout à fait la contenir. Au soir de l'échec parisien, le 17 octobre 1986, Guy Drut ne cache-t-il pas difficilement quelque ressentiment, en répondant à *l'Équipe :* « Il aurait été préférable de différer une seconde candidature nationale, celle-là pour les Jeux d'hiver » ? La dynamique locale l'a pourtant emporté, aidée, sans doute, par de savants dosages internationaux, où la Barcelone de Samaranch, président du Comité olympique international, était mieux placée que le Paris de Coubertin, laissant alors le champ libre aux ambitions savoyardes.

L'ombre de l'échec

Le vertige de la candidature d'Albertville, enfin victorieuse à Lausanne, ce même 17 octobre, connaît aussitôt une nouvelle phase : l'enthousiasme, l'euphorie du projet sont tout simplement proches de leur fin. Trop coûteux semblent les compromis, trop différentes les forces en jeu. Il a suffi d'une décision de resserrement des sites, la rationalisation financière des lieux de compétition, en particulier, pour que se déchirent des liens locaux méticuleusement et patiemment tissés. « La candidature est une chose, l'organisation en est une autre » (*Le Monde,* 31 janvier 1987), expliquent, embarrassés, les collaborateurs de Michel Barnier. D'où de nouveaux et graves malentendus. Certaines stations y perdent leur présence aux Jeux, d'autres des types d'épreuves qu'elles jugeaient préférables à leur image.

L'unité glisse à la cacophonie, le consensus au déchirement, une fois la rigueur gestionnaire devenue prioritaire, et le projet devenu réalité : « Marielle Goitschell et bien d'autres criaient à l'escroquerie en voyant leur montagne chérie passée au bulldozer de la rentabilité » (*Libération,* 30 janvier 1987). La station des Ménuires, le fief de l'ancienne championne, « perdant » l'épreuve de « descente femmes » dans le nouveau dispositif, entre en dissidence. Une mobilisation inédite s'engage : fait unique dans la tradition olympique, le maire de la cité alpine, Georges Cumin, proche du RPR, est « accompagné » par près de mille moniteurs, pisteurs, hôteliers, commerçants, pour exprimer le 30 janvier 1987 son mécontentement à la préfecture. Les mots sont durs : « Il n'y a pas pire désillusion que d'être trompé par des gens en lesquels on a confiance » (*Le Monde,* 7 mars 1987). Nouveau procès d'intention ? Les exclus du partage manifestent, en tout cas, comme des travailleurs en grève. La dynamique régionale, sa réalité économique et sociale, mettent l'olympisme à la rue.

Killy, président du Comité d'organisation des Jeux olympiques, le puissant COJO, démissionne brusquement, abandonnant sans emphase, face à une dérive qu'il dit ne pouvoir contrôler : « Je suis un chef d'entreprise, non un politique » (*Le Monde,* 31 janvier 1987), avoue-t-il, dans une très courte déclaration.

C'est un politique, précisément, Michel Barnier, qui reprend la présidence du COJO, l'ajoutant à sa présidence du Conseil général de Savoie. C'est un politique, encore, Jacques Chirac, Premier ministre, qui tente un arbitrage par un voyage officiel dans la région Rhône-Alpes, les 6, 7 et 8 mars 1987, laissant espérer une plus grande participation de l'État, annoncée, de fait, quelques mois plus tard, le 25 novembre 1987. C'est un haut fonctionnaire, enfin, Claude Villain, habitué des cabinets ministériels, qui devient directeur général du COJO. Nouvelles négociations locales : les Ménuires « gagnent » l'organisation du « slalom spécial hommes » ; les Saisies, terre de Frank Picard, étoile de la descente, « gagnent » l'organisation du ski de fond et du biathlon, sans grand rapport avec la spécialisation de leur héros. Nouvelles négociations aussi avec les 150 sponsors potentiels (les plus grandes entreprises du pays). Premières discussions, enfin, avec les *networks* américains pour la négociation des droits télévisés. La Savoie se livre au réalisme tempéré.

Le local, l'État, l'argent

Comment pourtant se passer de Jean-Claude Killy, dont la notoriété internationale, mal évaluée en France, reste considérable et peut s'avérer décisive dans un univers de marchandages en tous genres ? Poussé par Samaranch, qui l'invite personnellement aux Jeux de Calgary, en février 1988, encouragé par Jacques Chirac, qui lui aurait proposé un poste ministériel en cas de victoire électorale, Killy, à vrai dire, accepte de renouer avec l'organisation des Jeux. Son « retour » est confirmé le 30 mars 1988, durant une assemblée extraordinaire du COJO, par le vote d'une coprésidence l'associant à Michel Barnier ;

direction bicéphale où se distingueraient un pôle politique et un pôle financier. Le réalisme peut, dès lors, s'accroître sans nuances, même si le partage de pouvoir, rarissime dans une telle situation, révèle l'extrême difficulté des arbitrages.

Quelques décisions soulignent, très vite, les orientations à venir : Jean Albert Corrand, industriel savoyard de travaux publics, succède au haut fonctionnaire Claude Villain, à la direction générale du COJO ; la société International Management Group de l'Américain McCormack, avec laquelle Killy travaille depuis ses victoires de 1968, prend en charge l'ensemble de la politique de marketing du COJO (et lutte pour obtenir la somme de 1,7 milliard représentant les recettes commerciales nécessaires au projet) ; un groupe Pierre-de-Coubertin, enfin, est créé, qui doit réunir une douzaine d'entreprises françaises ou étrangères ayant acquitté une somme « étourdissante », variant entre 60 et 110 millions de francs pour exploiter l'exclusivité des anneaux olympiques. Du coup le vertige change de camp, comme l'apprend Éric Dubuisson, propriétaire d'un grand hôtel de Chamrousse, poursuivi, en janvier 1989, pour avoir utilisé les cinq anneaux « à des fins commerciales » ; ou comme l'apprennent les quelques entrepreneurs français contraints de négocier en anglais avec Ian Todd, homme de l'IMG de McCormack, dégagé à plein temps pour « relever le défi ».

Les premiers soutiens de la « Savoie olympique », les entreprises locales qui ont financé la longue campagne de candidature, ont l'inévitable sentiment que le courant passe « ailleurs ». Avec, quelquefois, d'amères frustrations : RMO, par exemple, société grenobloise de travail temporaire, assurée sous le règne de Claude Villain de devenir l'un des sponsors des Jeux olympiques d'hiver, en engageant un contrat de 50 millions de francs, s'est vu préférer un concurrent. La société Bis n'avait-elle pas signé pour 65 millions ? « C'est McCormack qui dirige en fait le COJO. Les Jeux de 1992 sont devenus une affaire américaine ! », remarque, exaspéré, Marc Braillon, président de RMO (*Le Nouvel Économiste,* 23 décembre 1988).

A vrai dire, un élément décisif de la bataille est bien financier : IBM France, par exemple, entre dans le groupe Pierre-de-Coubertin, en fournissant un ensemble de prestations, de prêts d'équipements, de fournitures de service, d'une valeur dépassant 200 millions de francs ; le Crédit lyonnais aussi fait partie de ce club plutôt fermé, acquittant 110 millions pour renforcer son image de « banque d'affaires et d'ingénierie financière » (*Les Échos,* 9 septembre 1988). Les télévisions américaines, enfin, ne sauraient être absentes : CBS accepte une exclusivité nationale pour 243 millions de dollars, somme très supérieure à l'offre de NBC et... aux espérances les plus optimistes.

L'autre élément décisif est, à l'évidence, politique, jusque dans certains choix financiers eux-mêmes : l'échec de Peugeot, par exemple, face à Renault, susceptible de fournir des véhicules utilitaires et des cars, mais surtout entreprise « nationale », et donc choisie dans le groupe Pierre-de-Coubertin ; Antenne 2, encore, sans doute préférée à TF1, pour son image également « nationale » ; une décision à vrai dire non encore arrêtée, et qui éclairera sur bien des orientations à venir. Les hommes de McCormack ne doivent-ils pas à leur tour « négocier » ?

Jean Glavany, délégué interministériel en charge du dossier olympique, ancien chef de cabinet de François Mitterrand, est le troisième homme face à la « bicéphalité » du COJO. Le délégué dispose d'une structure relativement lourde, une quinzaine de personnes, chargées de coordonner les actions de l'État. Les « limites » au vertige de l'entreprise des Jeux ne seraient plus alors imposées par l'idéal olympique, depuis longtemps dérisoire et exténué, mais plutôt par la puissance étatique, à la fois incontournablement « démocratique » et « centralisatrice ». Le COJO trouverait-il, dans ce cas, le seul obstacle à son profil d'entreprise individualiste et performante ?

Il reste que l'olympisme ne se décline plus avec des fleurs. Le nom que l'ancolie sauvage donne encore à un virage de la piste cache, à coup sûr, bien d'autres sinuosités.

Georges Vigarello

L'opéra, bien public ?
A propos de l'Opéra-Bastille

Pierre-Michel Menger [1]

L'opéra est l'une de ces institutions dont l'existence même fait tache dans la politique culturelle d'une démocratie. Son fonctionnement est tout entier fondé sur une singulière équation qui met en relation l'excellence de ce qui s'appelle un art total, unissant toutes les grandes disciplines des beaux-arts, le coût de production de tels spectacles, si élevé qu'il est supporté massivement par la collectivité publique, et l'étroitesse persistante de son audience réelle, essentiellement recrutée dans les classes supérieures de la société. C'est en songeant à ce genre de contradictions que les économistes s'interrogent sur la rationalité des interventions publiques dans le domaine culturel et cherchent des réponses à l'objection élémentaire qui voudrait faire des actuels consommateurs les seuls payeurs. L'objection invoque le bon vieux test du marché : seuls doivent être produits les biens et les services dont les consommateurs sont prêts à payer le prix et à permettre la production aussi longtemps qu'ils choisiront de leur réserver une place suffisante dans leurs dépenses. Pourquoi maintenir en vie et à si grands frais des institutions dont l'impuissance à s'autofinancer peut suggérer qu'il s'agirait de domaines d'activités économiquement obsolètes ?

Comment légitimer l'action culturelle publique ?

Quelles réponses apporter à la brutalité de l'objection ? La plus élémentaire et la plus commune est tautologique : les arts doivent être

---

1. Chercheurs au CNRS (Laboratoire de sociologie des arts). A publié notamment *Le paradoxe du musicien*, Flammarion, 1983.

soutenus parce qu'ils le méritent. Or, le mérite présuppose l'universalité de la valeur artistique en question et l'universalité de la délectation esthétique procurée au consommateur, alors que l'observation courante, et les renforts que lui apportent les enquêtes sociologiques montrent que la reconnaissance active de telles valeurs, la fréquentation des arts, et spécialement des arts réputés les plus universels et les plus nobles, reste le fait d'une étroite minorité sociale... Maintenir des activités hors du champ d'application du test du marché, c'est rechercher des motifs légitimant la dérogation au principe démocratique élémentaire de la souveraineté des citoyens et ici des citoyens consommateurs. La culture n'est pas seule en cause : ira-t-on faire le même procès à la justice, l'école, la défense nationale et éprouver le bien-fondé de leur existence à l'aune des seuls critères du marché ?

Deux sortes d'arguments jouent un rôle décisif : le propre du conflit autour de l'Opéra-Bastille est de les faire émerger au travers des tensions et des contradictions d'un projet de théâtre « moderne et populaire ».

Le premier argument met en jeu la distinction entre souveraineté formelle et souveraineté réelle du consommateur : si l'on décrit le test du marché comme une élection dans laquelle le consommateur peut, par les dépenses qu'il fait, contribuer à décider quels biens doivent être produits et en quelle quantité, il est aisé d'apercevoir que tous les votes ne pèsent pas le même poids et que les consommateurs fortunés ont sur le cours des choses une influence plus forte. L'État doit donc, pour améliorer les conditions dans lesquelles se fait l'élection marchande, agir sur les facteurs d'inégalité dans la consommation des biens et services considérés.

Dans le cas qui nous occupe, les principales inégalités sont de trois ordres. Le premier déséquilibre est géographique : point de consommation s'il n'y a pas d'équipements et de ressources humaines correspondantes. Deuxième facteur d'inégalité dans la consommation des biens, le niveau d'éducation dont toutes les enquêtes de sociologie culturelle ont établi combien il est fortement corrélé avec la consommation artistique, son intensité, sa variété et son audace : il est peu de dire que l'institution lyrique n'a, par elle-même, qu'une influence parfaitement marginale sur l'ampleur de cette inégalité et que ses initiatives ont surtout valeur symbolique, se limitant généralement à des actions en faveur du jeune public scolaire. Enfin, l'inégalité des ressources et des revenus individuels joue dans le cas de la fréquentation de l'opéra un rôle primordial : des principales pratiques culturelles savantes, la fréquentation de l'opéra est la seule qui soit plus fortement corrélée avec le revenu qu'avec le niveau d'instruction. Mais sans soutiens publics, la consommation des spectacles lyriques serait infiniment plus discriminante. L'ambition d'agir sur ces trois inégalités fonde l'assimilation de la production culturelle subventionnée à un service public, mais l'appréciation qu'on peut porter diffère selon qu'on considère ou non les faits en perspective. L'ampleur même des inégalités qui font de la démocratisation de l'opéra une exigence lancinante offre d'impeccables justifications à tout projet visant à corriger marginalement leurs effets, en abaissant le prix des places ou en ouvrant vers le bas l'éventail des tarifs, en augmentant la capacité de la salle et le nombre de représentations, en diversifiant les tactiques de recrutement et de familiarisation de publics nouveaux, etc. Mais la lenteur prévisible de cette évolution oblige à raisonner en termes de coûts d'opportunité : les mêmes moyens financiers, employés autrement, n'auraient-ils pas une plus grande efficacité ?

Second argument, les arts sont ce que les économistes appellent des biens mixtes ou quasi publics. Ils procurent certes à ceux qui les consomment des satisfactions directes ; mais au-delà de ces bénéfices directs, réservés à un petit nombre, la production des œuvres et des spectacles n'offre-t-elle pas à la communauté sociale tout entière des bénéfices indirects qui justifient leur mise à l'abri des pures règles du marché ? Ces bénéfices-là vont essentiellement au crédit de la « modernité » de l'opération Bastille. C'est le prestige que procure l'édification de ce nouveau temple des plaisirs artistiques les plus raffinés : prestige de l'État, prestige de ceux qui le dirigent, prestige de la capitale, prestige de la nation. Ce sont les retombées économiques à en attendre : bénéfices touristiques, essor de l'activité économique environnante, créations d'emplois liés à cet essor, autant de variations sur le thème de la réconciliation de l'art et de l'économie qui ont fait contrepoint au développement de l'État-providence culturel pendant le premier ministère Lang. C'est encore le bénéfice que les générations futures tireront du soin que met l'État à ne pas laisser dépérir son patrimoine artistique, ni les créateurs et les personnels artistiques appelés à entretenir et renouveler la tradition artistique concernée.

L'argument vaut spécialement pour les types de création qui misent sur le long terme pour être reconnus et appréciés. La prise en considération de ce délai conduit à légitimer la distinction que peut opérer la politique publique entre l'aide à la culture savante et le traitement des productions plus populaires, ancrées dans le marché. Les secondes ont pour horizon explicite le court terme, elles sont éphémères et sans cesse renouvelées : leur mode d'existence économique suppose que les consommateurs soient immédiatement responsables de leur entretien et de leur évolution. A l'inverse, dans la production savante, le risque pris par l'artiste qui ne s'adresse pas à une demande largement constituée a pour corrélat l'incertitude du jugement qui sera porté ultérieurement sur la valeur de l'œuvre : sans la socialisation de ce risque par le mécénat public, l'activité créatrice serait menacée de disparition ou au moins de sous-développement, et les générations futures fondées à questionner leurs pères. On connaît la force de cette intimidation qui fait valoir le risque de la mise à mort d'un génie auquel l'avenir pourrait bien rendre justice.

Politique de prestige et démocratisation

La question qui se pose est celle de la compatibilité des deux séries d'arguments qui légitiment l'action culturelle publique, et, en l'espèce, des deux dimensions qui en sont l'incarnation, la modernité et l'assise populaire d'un nouveau théâtre d'opéra.

Le souci de prestige ne connaît-il de meilleur site que la capitale, dans un pays aussi marqué par sa tradition centralisatrice ? La politique des grands travaux dont l'Opéra-Bastille est un fleuron a tendu à reconstituer ou même aggraver le déséquilibre contre lequel la politique de décentralisation culturelle avait officiellement mission de réagir, au début des années 1980. Il faut supposer que le goût du monumental constitue aussi l'un des tributs que la démocratie paie à l'exercice régalien du pouvoir présidentiel et que chaque nouveau septennat serait comme privé d'un horizon symbolique si le président n'inventait pour la durée de son mandat quelque grand dessein dans le registre le plus noble et le plus pacifique de la décision politique garante de l'intérêt général, celui de l'art et de la connaissance.

Le prestige s'accorde-t-il avec la volonté de popularisation de l'opéra ? Rappelons-nous que c'était notamment au nom de cette considération du prestige qu'avait été entreprise la construction du Palais Garnier sous le second Empire. Quelques années de fonctionnement de cette nouvelle institution, sous les auspices de la République fraîchement réinstallée, ont suffi à démontrer que la conception choisie alors faisait du théâtre lyrique celle des institutions musicales qui décourageait le plus manifestement toute espèce de démocratisation, par la lourdeur de son fonctionnement, la fragilité de son économie, par la célébration architecturale, décorative et spatiale des hiérarchies sociales inscrites dans le rituel même de la fréquentation et de l'occupation de la salle. Et en 1881, soit six ans seulement après l'inauguration du Palais Garnier, un projet de création d'un Opéra populaire et moderne, et qu'on voulait déjà implanter dans un quartier populaire, celui de la Bastille précisément, était déposé à la Chambre des députés pour « remédier à l'impuissance où se trouvent l'Opéra et l'Opéra-Comique de faire connaître les ouvrages des jeunes musiciens dont le talent n'a pas été consacré par de précédents succès, et mettre pour la première fois le grand art à la portée de toutes les bourses ».

N'y a-t-il pas dans ce scénario comme l'image du cercle d'airain dans lequel risque de s'enfermer l'action culturelle publique ? Pour corriger les déséquilibres que font naître des projets culturels équivoques, je veux dire construits sur le pari de satisfaire simultanément plusieurs exigences partiellement divergentes – le prestige artistique de la nation, le souci d'éduquer les masses, la volonté d'entretenir un patrimoine culturel, le soutien des créateurs, etc. – l'État parle de « moderniser », en recourant chaque fois aux séductions du monumentalisme centralisateur.

L'histoire du projet de l'Opéra-Bastille illustre les avatars de cette problématique réconciliation du populaire et du moderne. En 1967, Jean Vilar, entouré de Boulez et de Béjart, les deux symboles de la modernité d'alors dans leurs disciplines respectives, fut chargé par Malraux de concevoir un projet d'opéra populaire sur le modèle du TNP. L'affaire n'eut pas de suite, et le départ fracassant de Boulez à l'étranger après une rupture bruyante avec Malraux fut l'une des conséquences de cet échec. Observons au passage quelques similitudes remarquables avec l'affaire actuelle, où certains des protagonistes d'alors sont à nouveau présents et dont l'issue provisoire n'est pas sans rappeler l'exil boulézien de l'époque, puisque Boulez, faute d'obtenir sur la vie musicale française l'influence dont il rêvait alors, alla diriger le BBC Symphony à Londres puis le New York Philharmonic pendant quelques années, tout comme Barenboïm s'en ira sous peu diriger le Chicago Symphony Orchestra.

A la fin des années 1970, au moment où ce qu'on appela alors le miracle de la gestion Liebermann à l'Opéra de Paris avait épuisé ses effets et les finances de la tutelle publique, François Bloch-Lainé reçut mission d'examiner le fonctionnement de notre Léviathan musical. Le rapport, qui ne fut jamais rendu public, offrait un inventaire impressionnant et inachevé (tant l'opacité de l'organisation et de la gestion de ses personnels était grande) des motifs de dysfonctionnement de cette organisation complexe et fragile. Un grand commis de l'État déplacé après l'arrivée de la gauche au pouvoir en 1981 inventa, pour retrouver dans le secteur culturel un rôle actif, une suite logique au travail de François Bloch-Lainé et le projet de l'Opéra-Bastille ressuscita là où on ne l'attendait pas vraiment, sous un gouvernement d'union de la gauche et en plein activisme décentralisateur. Il est vrai que dans le tourbillon du doublement du budget du ministère de la Culture, et la vaste panoplie des actions qu'il a permises, cet idéal de la démocratisation d'un art obstinément réservé à la délectation des élites sociales pouvait se parer plus impunément des couleurs chatoyantes d'un grand dessein national.

Gage du souci de démocratisation, c'est au plus direct des héritiers de Vilar, Paul Puaux, qu'échut la mission de mise en forme de ce défi institutionnel : nommé à la présidence de l'Opéra de Paris, il anima les travaux de la commission qui a donné corps au projet et défini le cahier des charges imposé dans le concours d'architecture. En 1986, à la suite de la mission constituée à l'initiative du ministre de la Culture de l'ère de la cohabitation, deux éléments clés de la modernisation de l'institution lyrique étaient remis en cause : les ateliers des décors et la salle modulable, respectivement conçus pour offrir à l'institution une meilleure productivité et pour abriter des spectacles plus expérimentaux et relancer la création dans un genre dont le moins qu'on puisse dire est qu'il s'est, depuis plus d'un demi-siècle, continûment éloigné de son âge d'or. Si le projet ne fut finalement guère modifié, les hypothèses de fonctionnement sont demeurées trop floues pour que fût réellement décidé ce qui pourtant importait, les conditions précises de fonctionnement d'une organisation aussi complexe, menacée de sombrer dans l'inertie et l'improductivité aussi vite qu'elle est habitée, si rien n'est fait pour remédier à tous les dysfonctionnements du contre-modèle, le Palais Garnier. Car c'est à l'aune de la réalité de son organisation, de sa programmation et de son fonctionnement que devait se mesurer la validité du pari de modernisation par la démocratisation.

Le représentant de l'État et la star de la vie musicale

Or, le conflit qui a opposé Daniel Barenboïm et Pierre Bergé illustre cet état de relative impréparation, car l'épineux problème de la répartition des pouvoirs entre l'artiste et l'administrateur appartient au lot des dysfonctionnements endémiques évoqués à l'instant. Le conflit peut être vu de deux manières différentes. Les intéressés prennent toujours grand soin d'élever les querelles de personnes au rang de querelles de principes symétriquement soucieux de l'intérêt général, pour mieux dénoncer ensuite l'écart entre les prises de position intéressées de l'adversaire et la noblesse des conceptions dont chacun se prétend le champion. Ainsi, l'artiste est-il dénoncé ici comme un rapace aux exigences financières exorbitantes, et le représentant de l'État comme un industriel mégalomane et incompétent dans le domaine qu'entend se réserver l'artiste.

Ce que la forme dramatisée du conflit a le pouvoir de révéler est la tension d'une relation entre marché artistique et politique culturelle publique dont les grandes institutions artistiques, telles que les musées et les opéras, pour ne citer que les cas les plus spectaculaires, sont aujourd'hui le lieu. Ces institutions ont en commun de contribuer directement à la formation de la valeur des œuvres et de la réputation et de la cote des artistes qu'elles présentent. En rendant les œuvres accessibles à un public de consommateurs beaucoup plus large que si des règles strictement marchandes sélectionnaient la demande solvable pour des spectacles très coûteux ou, *a fortiori*, pour l'acquisition et la délectation privée des chefs-d'œuvre acquis par les musées, elles en élèvent l'importance sociale et, à terme, la valeur économique. Mais la conversion de la valeur sociale en valeur économique pèse de plus en plus lourd sur le budget de ces institutions publiques. Arrêtons-nous au cas des arts du spectacle.

Si la dépendance croissante des théâtres d'opéra et des orchestres à l'égard du mécénat public (direct comme en Europe, ou indirect comme aux États-Unis par le jeu des exemptions fiscales stimulant le mécénat privé et industriel) est chose connue, la relation entre ces organisations communément dénommées de non-profit, les agents qui négocient la valeur marchande des talents artistiques mobilisés et l'industrie du disque apparaît plus étonnante. Nulle part, sauf peut-être en Grande-Bretagne, les bénéfices que peut retirer un orchestre subventionné de la vente de ses prestations à des firmes phonographiques n'approchent ceux qu'obtiennent lesdites firmes en employant des forces de travail dont elles n'ont à rémunérer qu'une infime fraction du coût d'entretien. Les superstars de la direction d'orchestre et de l'opéra, dont la carrière, la réputation et la valeur marchande sont forgées dans l'enceinte de toutes ces organisations de non-profit massivement subventionnées, font pourtant payer de plus en plus cher à ces institutions la célébrité qu'elles leur doivent. Parmi les divers facteurs responsables de l'inflation des cachets d'artistes (comme du prix des chefs-d'œuvre de la peinture), il faut mentionner ce mécanisme d'exacerbation de la rareté du talent ou du bien qu'est l'internationalisation de la concurrence entre les grandes institutions pour l'appropriation de ceux-ci. Dans la musique, cette concurrence ne serait pas si vive, ni à ce point génératrice de salaires exorbitants, si le talent des superstars n'était pas exploité par les firmes phonographiques : celles-ci parviennent à amplifier des différences relatives de qualité artistique et à les transformer en écarts absolus entre génie et médiocrité, bref à construire ou au moins à aggraver la variance dans les réputations et les mérites artistiques et à en transférer le coût d'entretien en grande partie sur les organismes de non-profit.

On a là l'illustration d'un mécanisme économique d'autant plus pervers qu'il est généralement invisible. C'est qu'en finançant l'essentiel des coûts qu'implique cette formation de superprofits, la collectivité publique en rend l'expression plus invisible : le prix (administré) du billet d'entrée pour le concert symphonique ou le spectacle d'opéra ne varie que dans des proportions restreintes avec la qualité du plateau, et le disque diffuse à des prix unitaires comparativement modestes les prestations des interprètes les plus consacrés.

A la différence des musées, où le rôle des conservateurs comme partenaires volontaires ou involontaires des agents du marché de l'art n'est apparu que récemment, surtout à la faveur de l'engagement massif de l'État dans le soutien à la création plastique et la multiplication des achats et des musées d'art contemporain, le cas des arts du spectacle présente l'intérêt de faire apparaître plus directement les effets de cette évolution non seulement à travers le débat sur les coûts croissants supportés par la collectivité publique, mais aussi à travers les choix stratégiques conditionnant l'organisation même des institutions. C'est le cas à l'Opéra-Bastille : le conflit entre le représentant de l'État et une star de la vie musicale internationale comme Barenboïm, dont la force principale – la multiplicité des talents musicaux – est aussi la faiblesse – dans nulle spécialité il n'est au sommet de la hiérarchie –, a fait éclater au grand jour le paradoxe où se meuvent de telles organisations culturelles de non-profit. Deux symptômes : l'appel au boycott de l'Opéra-Bastille lancé par Barenboïm au nom de la communauté musicale internationale, et le renfort maladroitement apporté par quelques grandes multinationales du disque à leur champion, garant des intérêts de ladite communauté et de ses faire-valoir industriels.

Le seul défaut de telles initiatives est d'oublier que même dans un domaine où le culte du génial interprète est poussé si loin, nul n'est irremplaçable, et que les artistes eux aussi sont, en un sens, interchangeables dans la combinaison des facteurs requis pour la production d'un concert ou d'un spectacle : « Nous ne pouvons engager Barenboïm pour diriger tel opéra de Mozart, Weber ou Strauss, soit ; Sawallisch ou Janowski ou Vladimir Nelson feraient au moins autant l'affaire », se dira le directeur du théâtre. C'est même parce que le vivier des talents est moins étroit que le *star system* le laisser supposer que l'organisation de la production artistique peut garder toute sa flexibilité et que la concurrence entre les individus et entre les agents du marché pousse à la recherche incessante de nouveaux talents et de nouvelles combinaisons de talents.

Les conceptions divergentes du rôle de l'Opéra-Bastille défendues par les deux protagonistes et leurs clans respectifs ne sont pas indépendantes de l'évolution signalée. La modernité de l'institution telle que la défendent Barenboïm et ses partisans suppose de maximiser la qualité des spectacles, en recourant à ce principe de programmation qui a valu à Liebermann gloire publique et foudres du ministère des Finances : le festival permanent. Le principe a tout pour satisfaire ladite communauté internationale puisqu'il s'agit de combiner les facteurs de production propres à valoriser au mieux tous les partenaires du spectacle, en associant chaque fois stars du chant, de la direction d'orchestre et de la mise en scène. Mais les coûts sont augmentés d'autant, le nombre de représentations est nécessairement très inférieur à ce que suggère le fonctionnement d'un théâtre populaire et le répertoire choisi se meut à l'altitude où il s'agit de démontrer que l'opéra est non pas le plus populaire des genres musicaux mais le plus accompli des genres savants. *Exeunt* Verdi, Puccini, le bel canto italien ou l'opéra français du XIXe siècle, qui offrent de moindres perspectives de relecture radicale propre à valoriser chefs et metteurs en scène, et qui sont tenus à l'écart de l'histoire reconstruite du progrès esthétique porteur des avant-gardismes contemporains.

Dans ce dispositif de modernisation antipopuliste, un compositeur a valeur de symbole, Wagner, vedette de la programmation bâtie par Barenboïm. On pourrait accumuler les indices, anecdotiques ou symptomatiques, de cette présence écrasante. La gloire de presque tous les protagonistes entrés en rébellion contre Pierre Bergé a partie liée avec leurs inclinations wagnériennes, qu'il s'agisse de Boulez et de Barenboïm, dont la réputation internationale de chefs s'est beaucoup consolidée à la faveur de leurs engagements à Bayreuth, ou des metteurs en scène tels que Chéreau et Kupfer, eux aussi grands triomphateurs de Bayreuth. Il n'est pas jusqu'à l'arrière-petite-fille de Wagner pour compléter le portrait de groupe, puisqu'elle a été engagée à l'Opéra-Bastille pour s'occuper de la programmation. La signification de ce tropisme wagnérien me paraît triple : nul plus que Wagner n'a défendu l'idée de modernité, d'art de l'avenir dans un genre réputé hybride et rebelle aux innovations esthétiques, nul compositeur n'a ambitionné plus que lui de faire de l'opéra l'accomplissement de la symphonie et du spectacle lyrique une œuvre totale et totalement homogène, dont la musique, le livret et le lieu même de diffusion seraient conçus par un seul et même créateur, nul autre compositeur lyrique ne fait l'objet d'un culte aussi fervent chez les mélomanes réputés les plus cultivés, ceux qui aiment les derniers quatuors de Beethoven et les œuvres d'avant-garde, comme l'a si plaisamment montré Proust. On comprend dès lors pourquoi Barenboïm a pu, pour se défendre de l'accusation de rapacité, déclarer que lui, qu'on paierait 8 millions de francs par an pour quatre mois de présence à Paris, acceptait bien de diriger à Bayreuth pour presque rien.

Le risque n'est pas grand, dans un projet de modernisation ainsi conçu. Le festival permanent est une routine plus coûteuse que les autres, où l'incertitude sur la qualité du spectacle est moins forte, puisque tout est fait pour la réduire, i.e. pour s'attacher le concours des artistes dont la réputation vaut garantie contre l'incertitude. Le pari de la popularisation est le seul vrai défi à haut risque : il suppose des innovations techniques et logistiques, il pose le problème difficile entre tous de la productivité d'une organisation aussi complexe et fragile qu'une maison d'opéra, il suppose une synergie institutionnelle, il mise sur des équipes d'artistes dont la coopération régulière doit offrir d'autres satisfactions aux spectateurs que les séductions du *star system*. En un mot, il a pour horizon le long terme, et cette situation est inconfortable, car nul consommateur, et les fous d'opéra moins que les autres, n'est préparé à compter dans son plaisir la satisfaction de servir une cause d'intérêt général.

Pierre-Michel Menger

3. Y a-t-il encore une politique étrangère ?

Le Quai d'Orsay
Déclin d'un grand ministère

Didier Grange[1]

Le déclin du ministère des Affaires étrangères est devenu un fait accompli pour tout spécialiste qui se penche sur l'élaboration et la conduite de la politique étrangère française. La presse s'en est déjà fait l'écho à plusieurs reprises, les éditoriaux et libres-opinions se sont multipliés pour en souligner l'intensité, en rechercher les causes et en proposer des remèdes. Les rapports parlementaires sur ce sujet, tous aussi alarmistes, se succèdent, quelle que soit la majorité à l'Assemblée nationale.

Il faut, d'abord, souligner la spécificité de cette crise qui ne s'inscrit pas dans la remise en cause globale du rôle de l'État. En effet, nul ne conteste la légitimité du ministère des Affaires étrangères, institution régalienne par excellence ; nul n'en dénonce l'impérialisme. C'est, d'ailleurs, de l'intérieur de l'administration et du ministère lui-même, plus encore que de l'extérieur, que viennent critiques, plaintes et propositions, comme en témoignent les déclarations des associations professionnelles et syndicats de toutes obédiences. En outre, la crise n'a pas dépendu des ministres qui se sont succédé au Quai d'Orsay, ni même de l'alternance politique : elle avait commencé avant 1981, s'est approfondie de 1981 à 1986, puis de 1986 à 1988, et s'aggrave encore. Le budget du ministère des Affaires étrangères représente actuellement 19,09 % des dépenses extérieures de notre pays. Ce chiffre, quels que soient les arguments avancés, suffit à prouver la marginalisation du Quai d'Orsay à l'intérieur de son propre domaine : dans l'administration, comme ailleurs, qui a la maîtrise des crédits a le pouvoir.

1. Haut fonctionnaire au Quai d'Orsay.

L'échec du ministère des Affaires étrangères

Du congrès de Vienne à la Libération, l'organisation et le fonctionnement de l'outil diplomatique français, qui se résumait alors au ministère des Affaires étrangères, n'ont subi que des aménagements. Les premiers conseillers commerciaux apparaissent dès 1904 ; une sous-direction des affaires économiques et commerciales est créée en 1919 et la participation à la Société des nations impose l'apprentissage de la diplomatie multilatérale. Néanmoins, la politique étrangère de la France restera jusqu'en 1940 en grande partie limitée aux relations bilatérales entre gouvernements. Le diplomate de ces époques représente Paris auprès de son pays de résidence, négocie les traités et accords et informe ses autorités de la politique et de la situation des États étrangers. En France, le ministère des Affaires étrangères conçoit la politique étrangère : or le ministre, victime de l'instabilité de la IIIe République, ne parvient pas toujours à imprimer sa marque sur une administration où le secrétaire général représente, depuis 1915, la continuité et peut, à ce titre, influencer profondément la diplomatie française, comme le firent, par exemple Philippe Berthelot et Alexis Léger.

Depuis 1945, le ministère des Affaires étrangères a successivement raté tous les rendez-vous et n'a pas su étendre ses responsabilités directes ou, même, de coordination aux nouveaux domaines qui ont été intégrés dans le champ des activités internationales : que ce soit le développement des échanges et de la coopération économique internationale, de la compétence des ministères des Finances et du Commerce extérieur [1] ; les télécommunications, où les responsabilités de la direction générale des télécommunications (devenue France-Télécom) dépassent le domaine technique ; la communication, puisque le ministère n'a aucun contrôle réel sur le budget de Radio-France internationale ; le terrorisme, du ressort exclusif du ministère de l'Intérieur et des services de renseignements malgré ses évidents aspects politiques, etc.

Par ailleurs, le développement des institutions européennes a conduit à la multiplication des relations directes entre les ministères techniques des pays membres : leurs ministres et directeurs se rencontrent régulièrement à Bruxelles et ils disposent d'attachés spécialisés qui les représentent auprès de la Commission.

A Paris, chaque ministère s'est doté d'une direction des relations internationales qui mène sa propre politique. Ces administrations disposent des crédits et prennent des décisions techniques, gestion quoti-

1. Ce qui n'est pas le cas aux États-Unis, où le Département d'État a conservé la responsabilité de la promotion du commerce américain à l'étranger.

dienne et sans gloire qui représente, pourtant, la réalité immédiatement tangible des relations internationales. Certes, un décret du 1er juin 1979 tentait de pallier ce dessaisissement en réaffirmant le rôle de l'ambassadeur de France comme coordinateur des activités des services extérieurs de l'État à l'étranger : autorité qui ne peut que rester théorique dans la mesure où ces services restent subordonnés à leurs ministères respectifs (en particulier dans le cas des Finances, qui ne reconnaissent aucune compétence, dans leur domaine, aux Affaires étrangères). La coordination se réduit donc, en général, à une information.

Enfin et de manière plus fondamentale, la Constitution de la Ve République et sa pratique ont opéré un transfert d'une partie de la responsabilité de la conception et de la conduite de la politique étrangère française du ministère des Affaires étrangères à la Présidence de la République. Or, les conséquences institutionnelles n'en ont pas été tirées : le président de la République s'appuie, à l'Élysée, sur quelques conseillers qui ne peuvent assurer la liaison avec l'ensemble des administrations, et ne sont d'ailleurs en relation qu'avec le ministre et son cabinet. Les initiatives diplomatiques du président de la République surprennent donc souvent ceux qui, au-delà de leur effet médiatique, seront chargés de les concrétiser ; en outre, en l'absence d'une institution qui serait capable de les expliciter et d'en assurer le suivi, leur application pratique se heurte soit aux interrogations de diplomates qui sont quelquefois réduits à faire l'exégèse des déclarations présidentielles, soit aux contradictions entre administrations que nul n'arbitre : la crédibilité et la cohérence de la politique de notre pays en sont atteintes.

Marginalisé, le Quai d'Orsay a été dépecé par la création de deux ministères de plein droit : la Coopération et les Affaires européennes ; il a ainsi perdu la responsabilité de la politique française dans deux continents. Il a en outre été balkanisé par la multiplication, à la limite du comique, des échelons ministériels : un ministre d'État, deux ministres délégués et un secrétaire d'État, ce dernier ayant sous son autorité un directeur général... pour un budget inférieur à 1 % du budget de l'État...

L'absence d'une politique de l'information

En 1936, un seul journal français entretenait un correspondant permanent à Berlin. Aujourd'hui, journaux, radios, télévisions et agences de presse de notre pays sont représentés à Washington par plus d'une cinquantaine de journalistes[1]. Ces correspondants, auxquels il faut

1. L'AFP compte à Washington plus de journalistes que l'ambassade de France aux États-Unis de diplomates.

ajouter l'ensemble des journalistes des pays occidentaux, bénéficient de moyens matériels et d'un accès aux informations auprès desquels les ambassades font souvent piètre figure. Dans leur propre pays, ils sont en effet des puissances et traités en conséquence, d'autant que les meilleurs d'entre eux connaissent et savent utiliser les ressorts du pouvoir. A l'étranger, ils sont souvent reçus au plus haut niveau : le correspondant du *New York Times* à Ankara ou à Athènes, du *Monde* à Rome ou à Madrid obtiennent plus facilement un entretien avec un ministre ou même le chef de l'État que l'ambassadeur de France. Certains de ces journalistes travaillent depuis longtemps sur les mêmes sujets et ont développé une véritable expertise et un vaste réseau de relations. Par ailleurs, leurs articles[1] sont lus et commentés et exercent ainsi souvent une influence directe sur la décision politique.

En dehors de la presse, active de Pékin à Prétoria, les pays occidentaux comptent de multiples instituts de recherche et départements d'université dont les spécialistes publient articles et livres sur un large éventail de sujets. Ces analyses, qu'ils développent également dans des séminaires, ne se résument pas à des points d'érudition mais relèvent souvent de l'actualité : en témoigne la production des universités américaines sur le phénomène Gorbatchev, sous tous ses aspects.

En réalité, le ministère des Affaires étrangères pourrait considérer, aujourd'hui, que sa seule valeur ajoutée provient des relations qu'il entretient avec les institutions officielles des autres pays. Le problème qui se poserait alors ne serait plus celui de la collecte de l'information mais de son tri, pas de la conception des analyses mais de leur synthèse.

Or, le Quai d'Orsay conserve la plus vive méfiance envers les journalistes. Les diplomates français, à Paris comme à l'étranger, ont instruction de laisser au service d'information et de presse la responsabilité des contacts avec la presse. Les journalistes n'ont donc pas accès aux responsables des dossiers mais seulement à un discours officiel, vague par définition. En retour, les informations dont ils disposent restent souvent ignorées des autorités françaises. Se mettent alors en place des filières officieuses fondées sur les relations personnelles et le hasard des rencontres, seule fenêtre sur l'extérieur d'une institution à laquelle le correspondant à Paris du *Times* de Londres a donné, en 1986, le surnom de Kremlin. De toute façon, la méfiance qu'éprouve la diplomatie française envers la presse s'étend à ses productions, qui éveillent la suspicion et se voient rarement reconnaître le statut de source fiable[2].

---

1. Le *Herald Tribune* joue, à cet égard, un rôle de faiseur d'opinion, en Europe, par la qualité de ses lecteurs et de ses articles, repris du *Washington Post*, du *New York Times* et du *Los Angeles Times*.
2. Alors que les articles de l'*Economist*, du *Financial Times* ou du *Christian Science Monitor*, par exemple, sont quelquefois des modèles du genre par la précision des informations et la qualité des analyses.

Le ministère des Affaires étrangères manifeste la même réticence à utiliser les travaux universitaires et à tenir compte des avis de leurs auteurs. Seul, le Centre d'analyse et de prévision du ministère, avec des moyens d'ailleurs dérisoires, tente de suivre l'état de la recherche, en France et à l'étranger, mais le résultat de ses efforts rencontre, au mieux, une curiosité polie et n'influe quasiment jamais sur la politique de notre pays.

Les ministères des Affaires étrangères de nos principaux partenaires ne manifestent pas le même parti pris : à Washington, par exemple, Département d'État, universités et instituts de recherche travaillent en étroit contact, les individus circulant souvent, au cours de leur carrière, entre ces organismes. Cette utilisation de travaux même théoriques se retrouve, à des degrés divers, à Londres, Bonn ou Moscou.

Dans les faits, le ministère des Affaires étrangères se repose, avant tout, sur ses propres informations que lui transmettent les ambassades par voie de télégrammes ou de dépêches : ainsi s'institue un circuit fermé où rédacteurs et lecteurs sont interchangeables et qui trop souvent ignorent que d'autres font mieux, ou au moins aussi bien, qu'il est inutile de les concurrencer [1] et qu'il serait même préférable de les utiliser.

Mais la déficience de notre politique en matière d'information ne se limite pas à sa collecte : elle affecte aussi la production de l'information. En avril 1986, alors que le gouvernement français venait d'interdire le survol de notre territoire aux avions américains en route vers la Libye et qu'il était évident que cette décision provoquerait un sursaut de l'opinion outre-Atlantique, rien n'a été fait pour anticiper cette crise : l'indignation qu'a provoquée notre attitude est encore sensible aujourd'hui. Le ministre n'a accepté de recevoir les correspondants à Paris des journaux américains qu'une dizaine de jours après l'événement, quand le mal était fait.

En novembre 1986, à Luxembourg, au moment où les ministres des Affaires étrangères des Douze étudiaient des sanctions contre la Syrie en représailles de ses activités terroristes, tout au long des débats, les Britanniques ont tenu informés les journalistes qui attendaient la conclusion de ces discussions à l'extérieur et sir Geoffrey Howe s'est rendu au centre de presse pour répondre aux questions. Les Français se sont contentés, à leur habitude, d'inviter quelques journalistes, français, faut-il le préciser, à rencontrer le ministre. Comme il fallait s'y attendre, la presse occidentale se faisait l'écho, le lendemain, des thèses de Londres et accusait Paris, contre toute vérité, d'avoir défendu les Syriens. De même, lors de son passage à New York et à Washington, en septembre 1988, le président Mitterrand a stupéfait les journalistes américains par la désinvolture de ses réponses.

1. Dans les grandes ambassades de France, un diplomate suit la politique intérieure de son pays de résidence et la commente pour son administration centrale sans que la plus-value qu'il apporte, par rapport à l'AFP, au *Monde* et aux journaux locaux, paraisse évidente.

Ces exemples illustrent l'incapacité de la France à utiliser les médias. Sûrs de notre bon droit, nos diplomates oublient trop souvent qu'aujourd'hui, la vérité ne suffit pas à assurer le succès d'une politique mais que sa perception est tout aussi importante, et quelquefois plus. Cette naïveté ou cette arrogance font de la France, à l'étranger, un pays mal connu et, souvent chez nos principaux partenaires occidentaux, mal aimé. En France, le pouvoir est secret et ses décrets sont indiscutables. Cette double conviction nous empêche apparemment de comprendre que, de toute façon, la presse analysera le premier et commentera les seconds et que le résultat de ces efforts peut faire basculer l'opinion publique, ce qui est capital dans une démocratie. Dans ce théâtre d'apparences qu'a su dominer le général de Gaulle et que maîtrise, aujourd'hui, Mme Thatcher, la France est trop souvent absente.

De même, dans les séminaires de haut niveau qui se multiplient en Occident, auxquels assistent les meilleurs spécialistes de l'Est comme de l'Ouest et où s'élaborent les analyses qui peuvent orienter des politiques, la participation française, lorsqu'elle se concrétise (ce qui n'est pas toujours le cas), se réduit, en général, à une délégation bien moins nombreuse que celles de la RFA ou du Royaume-Uni.

Certes, le ministère des Affaires étrangères dispose d'un service d'information et de presse et d'un réseau de conseillers et d'attachés de presse mais son budget est dérisoire (50 millions de francs[1]) et il reste prisonnier d'une logique « maison » : ses cadres sont d'ailleurs des diplomates qui n'ont reçu aucune formation sérieuse pour cette mission. En outre, les directions du ministère des Affaires étrangères ne rédigent pas de notes d'information détaillées et argumentées (des *position papers* dans la nomenclature anglo-saxonne), destinées spécifiquement à la presse, ce qui réduit les attachés de presse à diffuser des discours et communiqués officiels qui n'intéressent guère. Le réseau même des attachés de presse réserve des surprises puisque, malgré la faiblesse du budget global, ils sont présents dans des pays ou des villes dont la presse existe à peine (le Nigeria) ou ne semble pas justifier un tel intérêt de la France (les Philippines, le Venezuela par exemple), saupoudrage inutile et coûteux. En réalité, ses moyens, son organisation et, pourrait-on dire, son état d'esprit lui interdisent de mener une véritable politique d'information qui, par essence, doit servir une diplomatie sans en respecter les rites, les codes et, en apparence, les prudences.

Le métier de diplomate

L'efficacité et l'avenir d'une institution reposent, avant tout, sur la qualité des agents qui la servent et qui lui permettent de s'adapter et

1. A comparer aux 900 millions de dollars (plus de cinq milliards de francs) de l'United States Information Agency.

de remplir sa mission. Or, aujourd'hui, les diplomates français, de toutes origines, n'ont reçu aucune formation spécifique, au-delà, dans les meilleurs des cas, d'un concours qui relève de la logique nationale du bachotage. Bien plus, ils ne sont pas préparés à la négociation, technique qui fait l'objet de cours et d'études chez nos principaux partenaires.

En l'absence de formation permanente, le professionnalisme des diplomates français, invoqué pour protester contre les nominations de personnalités extérieures à des postes de responsabilité au ministère des Affaires étrangères, prend alors la forme de connaissances, de réflexes et, quelquefois, de préjugés « acquis sur le tas ». Cet amateurisme de fait est aggravé par la politique délibérée de la direction du personnel qui décourage les plans de carrière autour de filières particulières, au nom du mythe du généraliste, notion qui stupéfie nos partenaires occidentaux : elle conduit notamment à la nomination d'ambassadeurs dans des régions qu'ils ignorent totalement. En revanche, les diplomates américains ont droit, trois fois au cours de leur carrière, à une année sabbatique consacrée à l'apprentissage de la langue et de la civilisation de leur prochain poste. De leur côté, les Britanniques passent plusieurs mois dans une famille du pays où ils vont être affectés.

La méconnaissance des langues étrangères est la conséquence la plus évidente de cette absence d'une politique de formation du personnel. Les diplomates français ne parlent pas toujours couramment l'anglais et sont rarement trilingues. Il est vrai qu'à Paris, il est, tout au plus, possible d'obtenir un crédit de quelques dizaines d'heures de langues à étudier en poursuivant ses activités professionnelles. Dans les ambassades, les cours se réduisent, au mieux, à deux maigres heures par semaine. De toute façon, la direction du personnel du ministère des Affaires étrangères ne considère pas que la possession d'une langue soit un argument essentiel pour solliciter un poste.

Les diplomates français en sont donc souvent réduits soit à se contenter d'entretenir des relations avec les milieux francophones et anglophones de leur capitale de résidence, soit à se familiariser, sur place, avec la langue du pays, source de perte de temps dans le processus d'acclimatation puisqu'il se greffe sur toutes les obligations du poste et les sujétions d'une installation, et effort d'une efficacité souvent douteuse.

Enfin, les diplomates français, qui restent trop confinés au ministère des Affaires étrangères et à ses annexes, ne peuvent prétendre à une polyvalence qui, seule, leur permettrait de conserver leur légitimité en face des ministères techniques et leur efficacité dans les négociations avec nos partenaires étrangers. En effet, ils ne sont pas soumis, à la différence des autres hauts fonctionnaires, à l'obligation de « mobilité » qui contraint, statutairement, ces derniers à prendre un poste en dehors de leur administration d'origine. En 1986, seulement 5,8 % des diplomates français occupaient un emploi qui ne relevait pas de leur ministère.

La nécessité d'une réforme

Des adaptations institutionnelles s'imposent pour revenir sur l'éclatement de la politique étrangère française, qui a atteint la cote d'alerte. Il permet à nos interlocuteurs de jouer des contradictions et des rivalités franco-françaises puisqu'une décision de Paris n'est jamais sans appel : il suffit, pour un pays étranger, soit de recourir à des arbitrages de l'Élysée ou de Matignon, soit de profiter de la mauvaise diffusion de l'information entre ministères.

– Un organisme, du type du Conseil national de sécurité américain, doit recevoir mission, à la présidence de la République, d'opérer les arbitrages nécessaires en politique étrangère afin de rendre plus cohérentes, plus claires et plus prévisibles les orientations et les décisions que les administrations devront appliquer. En outre, il faut substituer aux filières plus ou moins officieuses des procédures qui établissent une liaison institutionnelle entre la présidence et l'administration, au premier rang de laquelle le ministère des Affaires étrangères.

– De son côté, le ministère des Affaires étrangères doit devenir une administration dont la mission serait de coordonner l'action extérieure des autres ministères. Le réalisme et le souci de l'efficacité justifient que les ministères dits techniques conservent leurs compétences internationales, à condition qu'ils les exercent dans le cadre global de la politique étrangère de notre pays et non pas seulement en fonction de considérations techniques. Des secrétariats généraux, sur le modèle du secrétariat général pour la coopération économique qui traite des affaires communautaires, soit géographiques (pour l'Europe de l'Est ou le Maghreb, par exemple) soit horizontaux pourraient devenir des instances au sein desquels les ministères s'informeraient de leur action extérieure, la coordonneraient et éventuellement soumettraient à arbitrage les points de désaccord.

– Ces adaptations ne vaudront qu'autant que le ministère des Affaires étrangères sera capable de les utiliser pour remplir sa mission d'organe central de l'outil diplomatique français. Il doit donc développer une vraie politique du personnel qui rompe avec l'impéritie de la gestion actuelle, pour l'affectation et la formation des agents.

Il est nécessaire de pallier les conséquences du recrutement sur concours ou sur titre par une période de formation spécifique au début de chaque carrière. La formation permanente doit permettre aux diplomates de se préparer à de nouveaux postes. L'apprentissage systématique des langues s'impose, en particulier : la connaissance du russe est nécessaire à Moscou, banalité qui, rappelons-le, n'en est pas une au Quai d'Orsay.

Les carrières doivent s'organiser autour de filières qui fassent justice du mythe du généraliste.

Le ministère des Affaires étrangères, en s'ouvrant largement sur l'extérieur, au prix, s'il le faut, d'un changement de statut de ses personnels, permettra aux diplomates d'élargir leur expérience et au Quai d'Orsay de bénéficier des compétences de spécialistes dans certains domaines comme la communication, la gestion des immeubles et du personnel, les questions budgétaires.

– Enfin, à l'étranger, l'utilisation des autres sources d'information (presse, universités) et surtout un meilleur cadrage du travail de collecte de l'information politique[1] en fonction des besoins réels et immédiats de l'administration centrale[2] permettraient une transformation partielle du rôle des diplomates d'observateurs en agents de relations publiques.

Cette différence d'approche nécessiterait, à l'évidence, une formation en conséquence (langues, techniques de communication) et le soutien logistique d'un service d'information et de presse crédible par ses moyens et ses méthodes.

Le premier obstacle invoqué pour retarder une réforme d'ensemble de l'outil diplomatique français est toujours la faiblesse du budget des Affaires étrangères. Elle est indéniable[3] mais le réalisme commande d'admettre qu'il ne sera pas sensiblement augmenté. En réalité, des économies sont possibles, ne serait-ce que par la réduction drastique du nombre des postes diplomatiques et consulaires : la France en entretient plus de 300, alors que le Royaume-Uni, avec une population expatriée trois fois supérieure à la nôtre, et la RFA se contentent de 200. Seul, un audit peut imposer cette opération chirurgicale que le bon sens exige. La France n'a pas besoin de cinq (!) consulats en Belgique, huit en RFA, onze aux États-Unis, etc. : des centres culturels et des antennes commerciales, éventuellement dotées de compétences d'état civil, suffisent ; leur accorder des responsabilités politiques est inutile.

*

1. D'autant que la perte par la France de son statut de puissances mondiale réduit la quantité d'informations politiques qui lui est effectivement nécessaire.

2. Alors qu'aujourd'hui, les ambassades rassemblent, au jugé, l'information, et la transmettent à Paris sans recevoir la moindre instruction à cet égard.

3. Moins de 11 milliards de francs, dont le tiers pour l'action culturelle et un quart pour les contributions aux organismes internationaux.

Le constat est accablant : le ministère des Affaires étrangères a bel et bien échoué dans sa finalité même : il ne dirige ni ne coordonne [1], ni même souvent ne connaît la plus grande partie de l'action extérieure de la France.

En lui-même, ce déclin ne pourrait relever que de la sociologie administrative s'il s'était accompagné d'une relève, de l'émergence d'une entité qui aurait rempli cette fonction. Il n'en a rien été : la politique étrangère française s'est atomisée. Elle prend alors, trop souvent, la forme de filières parallèles, d'initiatives personnelles et de positions contradictoires, cacophonie que nul ne vient accorder.

En effet, soit le ministère des Affaires étrangères ignore ce qui se passe (par exemple, les voyages de M. Attali, émissaire du « secret du président », les négociations pour la libération des otages français du Liban au début de 1988 ou même les missions du directeur du Trésor), soit il n'a que l'ombre du pouvoir : dans toutes les négociations financières où un représentant du Quai d'Orsay dirige théoriquement la délégation, les techniciens du ministère des Finances, théoriquement sous ses ordres, appliquent des instructions à l'élaboration desquelles il n'a pas participé et que, quelquefois, il ne connaît même pas [2].

Le déclin du ministère des Affaires étrangères n'a pas pris de dimension politique : il est vrai que les effectifs concernés ne font pas masse et que la dégradation du service public, en la matière, ne peut être spectaculaire.

En l'absence de mouvement d'opinion, la réforme pourrait être suscitée par l'administration, assez consciente du problème pour en promettre régulièrement la solution. Mais comme tous les ministères bénéficient, à des titres divers, de la faiblesse d'une tutelle qui leur permet de mener leur propre politique extérieure et que la présidence de la République a développé sa diplomatie parallèle, nul n'a intérêt, dans l'appareil d'État, à revitaliser un ministère dont l'effacement satisfait toutes les ambitions.

Reste l'institution malade qui aurait pu, d'elle-même, sécréter ses propres anticorps et se réformer : elle en a été, tristement et irréductiblement, incapable. Le dernier exemple en a été donné par les travaux de la commission Viot, créée en 1986 par un ministre diplomate et donc sensible au malaise de sa maison. La modestie des propositions qu'elle a rédigées, d'ailleurs sans commune mesure avec l'étendue des problèmes, n'a pas empêché son rapport de rester lettre morte.

1. La France a perdu en 1988, contre toute attente, le contrat du métro de Shangai par absence de coordination entre les services politiques, commerciaux et financiers concernés.

2. Ainsi, tout au long des pourparlers franco-iraniens sur la dette d'Eurodif, en 1986, l'ambassadeur, chef de délégation, n'a cessé de découvrir de nouveaux éléments que la Cogéma et le CEA n'avaient pas jugé bon de lui communiquer, quand il n'a pas eu à contenir leurs rivalités, sous l'œil goguenard de la partie adverse.

Depuis lors, M. Dumas ne manifeste aucune velléité de promouvoir une réforme qui ne lui avait, d'ailleurs, pas semblé nécessaire lors de son précédent passage au Quai d'Orsay. Il serait regrettable que, semblable en cela à la plupart de ses prédécesseurs qui, plus sensibles au prestige de la diplomatie qu'à son organisation, se sont désintéressés de l'administration de leur ministère, il ne procède pas à une évaluation d'ensemble de l'outil diplomatique français. En effet, comme le rappelle l'horizon de 1993, l'internationalisation de notre société se poursuivra en s'accélérant. La France doit avoir les moyens matériels de dominer cette transition qui concerne, en particulier, toutes les administrations : un coordinateur est indispensable pour s'assurer que, d'une part, elles procèdent aux adaptations nécessaires et, d'autre part, ne perdent pas de vue l'intérêt national dont la perception sera plus difficile ; nul organisme n'est, aujourd'hui, en mesure de remplir cette mission. En outre, si un lien effectif n'était pas rétabli entre une présidence impériale et des administrations toujours tentées par la féodalisation, la politique étrangère française risquerait d'achever de se disloquer entre des initiatives médiatiques et la réalité d'une gestion administrative défaillante ou même contradictoire.

Didier Grange

Vers l'Est du nouveau ?

Pierre Hassner[1]

La guerre de la défense et de la détente n'a pas eu lieu. Du moins en 1988. Est-ce à dire que les tendances que nous croyions déceler au début de l'année dernière[2] ont été démenties, et que, notamment, les failles qui semblaient apparaître dans le consensus français en matière de défense n'étaient qu'apparentes ? C'est peu probable puisque François Fillon, sans doute le député français qui connaît le mieux les questions de défense, peut écrire un an après : « Le débat qui aura lieu au printemps 1989 au Parlement, à l'occasion de la discussion du projet d'actualisation de la loi de programmation militaire, pourrait bien sonner le glas d'un consensus dont chacun s'accorde à reconnaître aujourd'hui la fragilité[3]. »

Certes, dans le même article, l'auteur remarque aussi que « les débats sur le devenir de l'Alliance qui ont lieu aux États-Unis et en Allemagne de l'Ouest contrastent avec l'étrange assoupissement dans lequel sont plongés les problèmes de défense dans notre pays. L'opinion publique française n'a pas conscience de la portée des événements qui se préparent. Il est vrai – poursuit-il – que la volonté de vider les débats électoraux de tout contenu ne pouvait favoriser le développement de l'information sur ces sujets ». Mais il a tort d'en rejeter la responsabilité sur le président de la République, accusé d'entretenir délibérément « le flou qui recouvre le fameux consensus sur la défense[4] ».

---

1. Directeur de recherche au CERI (Fondation nationale des sciences politiques). Spécialiste des rapports Est-Ouest. A dirigé avec Guy Hermet et Jacques Rupnik le recueil *Totalitarismes*, Paris, Economica, 1984.
2. « Un chef-d'œuvre en péril : le consensus français sur la défense », in « La France en politique 1988 », *Esprit*, mars-avril 1988.
3. François Fillon, « D'un anniversaire à l'autre », *Politique étrangère*, 4, 1988, p. 839.
4. *Ibid.*, p. 834.

Au contraire, dès le mois de mars et les élections de mai 1988, c'est François Mitterrand qui a jeté le gant à ses adversaires en désignant la question : « Armer ou désarmer ? » comme l'un des trois débats essentiels de la campagne, en soulignant tout ce qui le séparait, dans ce domaine, de J. Chirac et A. Giraud, en remettant en cause par ses attaques contre la riposte flexible l'armistice tacite conclu, depuis la déclaration d'Ottawa en 1974, entre la stratégie française et celle de l'OTAN. Ce sont ses concurrents qui, craignant de s'aventurer sur un terrain impopulaire, ont pratiquement gardé le silence.

Pourtant, si l'opinion française évolue, comme François Mitterrand et le Parti socialiste, dans une direction favorable au désarmement et à une réduction des dépenses militaires ou du moins de leur priorité, elle s'oppose de plus en plus à eux à propos de la défense européenne. Si 57 % des Français (contre 25 %) « souhaitent diminuer le budget de la Défense pour contribuer au désarmement général », à la question : « Préféreriez-vous que la France conserve une défense indépendante ou qu'elle s'intègre à un système de défense européen ? », 26 % se prononcent pour la défense indépendante et 60 % pour l'intégration européenne [1]. Les réponses à la même question posée par un autre institut de sondage en 1983 étaient, respectivement, de 39 % et 47 %, et, en 1987, de 35 % et 54 % [2]. Or François Mitterrand a semblé évoluer en sens inverse, en se repliant, en matière nucléaire du moins, vers une conception plus inspirée d'une dissuasion pure, archéogaulliste, limitée au sanctuaire national, et en ironisant sur « les discours généreux qui inondent la scène publique [3] » au sujet de la défense européenne. Celle-ci est réaffirmée à long terme à la fois comme un objectif souhaitable et comme une conséquence naturelle de l'Europe politique, elle-même appelée par le succès éventuel de l'Europe économique. Mais elle n'inspire ni les décisions opérationnelles immédiates concernant la défense, ni un projet stratégique à moyen terme. Au contraire, un coup d'arrêt est donné aux tentatives du gouvernement Chirac en direction de la Grande-Bretagne, de l'Union de l'Europe occidentale (UEO) et d'un engagement inconditionnel envers la sécurité de l'Allemagne.

Concernant l'Alliance atlantique, si, au début de l'année, l'accent était mis sur les attaques contre sa doctrine stratégique, il se déplace, en octobre, vers l'affirmation de son rôle irremplaçable. Les armes préstratégiques, notamment le Hadès, qui semblaient devoir être sacrifiées sur l'autel du sentiment antinucléaire allemand, sont reconfirmées sans que l'on comprenne dans quel contexte stratégique et diplomatique. Imprévisibilité tactique, conservatisme à moyen terme, et vision quelque peu désincarnée à long terme semblent coexister, pour la plus grande perplexité des observateurs, étrangers ou spécialisés, et dans la plus grande indifférence du public.

---

1. CSA, *Les Français et les dépenses militaires,* Sondage des 22 et 23 novembre 1988, p. 3-5.
2. SOFRES, *Les Français et les problèmes de la politique extérieure,* avril 1987, ronéot., p. 6.
3. « Allocution devant les auditeurs de l'IDHEN », *Défense nationale,* décembre 1988, p. 23.

On retrouve quelque chose de chacun de ces éléments dans la dimension qui est clairement prioritaire pour le second septennat : celle de l'ouverture à l'Est. Cette fois, François Mitterrand est vraiment en phase avec l'opinion française. Si celle-ci continue à être moins enthousiaste à l'égard de Gorbatchev que ses homologues britannique, et surtout allemand et italien, elle est, elle aussi, de moins en moins insensible à ses ouvertures de politique étrangère (retrait de l'Afghanistan, discours universaliste à l'ONU, réduction unilatérale des troupes en Europe, contribution à l'apaisement des conflits du tiers-monde) et aux progrès de la transparence et du pluralisme en URSS et dans certains pays d'Europe de l'Est. En donnant la priorité au discours de la détente sur celui de la défense, en refusant la politique du pire à l'égard de l'Union soviétique, en affirmant que, « désormais le rapprochement des deux Europes constituait pour nous, Européens, la grande affaire de cette fin du siècle », en souhaitant « qu'on s'habitue à considérer la division actuelle entre les deux parties de l'Europe comme une affaire de circonstance[1] », Mitterrand ne fait que mettre les pendules à l'heure et la politique de la France en accord à la fois avec celle de ses partenaires, avec les tendances de l'opinion française et internationale, avec l'évolution de la réalité historique elle-même et, qui plus est, à la fois avec la tradition socialiste et avec la tradition gaulliste. Pourquoi faut-il, cependant, que là aussi le virage ait donné l'impression d'avoir été peut-être mal conçu et mal exécuté, et certainement mal expliqué et mal négocié, à tous les sens du terme ?

De de Gaulle à Mitterrand

Certes, François Mitterrand peut se consoler en songeant qu'incompréhensions et critiques, accompagnant un pari hasardeux et précédant un échec à court terme, ont été bien plus spectaculaires encore face au projet d'« Europe de l'Atlantique à l'Oural » du général de Gaulle. Après tout, le tournant mitterrandien ne fait effectivement que reproduire celui de Gaulle. Après avoir incarné la ligne dure, en compagnie d'Adenauer, refusé de négocier sous la menace lors de la crise de Berlin en 1958 et du sommet de Paris en 1960, et soutenu les États-Unis lors de la crise de Cuba, le Général n'avait-il pas ouvert la voie « de la détente, de l'entente et de la coopération » avec l'Est à partir de 1965 ? Ne l'avait-il pas illustrée par une série de voyages à Moscou en 1966, à Varsovie en 1967, à Bucarest en 1968, jusqu'à ce que mai 1968 le rappelle à Paris et l'invasion de Prague aux réalités de la domination soviétique en Europe de l'Est ? Qu'il s'agisse d'inspiration

1. « L'état du monde selon Mitterrand », *Libération*, 23 novembre 1988, p. 5.

ou d'analogies, Mitterrand ne refait-il pas le même chemin ? Après avoir sonné l'alerte devant les SS20, fait subir une « cure de désintoxication » aux relations franco-soviétiques et incité la République fédérale à rejeter le pacifisme et à accepter les euromissiles américains, après avoir insisté, comme de Gaulle vingt ans auparavant, sur la coopération franco-allemande en matière de défense, ne considère-t-il pas qu'ayant suffisamment fait preuve de fermeté il est temps de passer à l'ouverture, en saisissant les chances offertes par la politique soviétique pour surmonter la division de l'Europe ? Et ne cherche-t-il pas à illustrer cette nouvelle démarche en entreprenant sa propre série de voyages à l'Est, en commençant par Moscou et en annonçant qu'il visitera tous les pays communistes d'Europe, sauf la Roumanie ?

En bien ou en mal, les différences sont, cependant, aussi importantes que les ressemblances. A l'Ouest, à la fois la faiblesse et la force de de Gaulle tenaient à ce qu'il était seul à parler au nom de l'Europe, alors que nos voisins considéraient son entreprise avec méfiance. Cette fois, au contraire, ce qui règne sur la route de l'Est, c'est moins le vide que le trop-plein. Non seulement le rôle de pionnier de la détente n'est plus à prendre, mais la République fédérale et les États-Unis, voire l'Italie et – comble d'ironie ! – la Grande-Bretagne de Mme Thatcher elle-même nous précèdent dans une voie où leurs intérêts et leurs cartes, ce qu'ils recherchent et ce qu'ils peuvent offrir, s'imposent parfois avec plus d'évidence que dans le cas de la France. Celle-ci est clairement à la recherche d'un rôle dans la nouvelle phase des relations Est-Ouest.

A l'Est, les conditions sont certainement plus favorables qu'en 1965-68. Outre l'isolement de la France et l'absence d'une Europe unie capable de faire contrepoids à l'Union soviétique, c'est le caractère totalitaire de celle-ci et de la conception qu'elle se faisait de son empire est-européen qui condamnait l'entreprise gaulliste à l'échec. Aujourd'hui, les difficultés de cet empire, la « nouvelle pensée » soviétique et la croissante autonomie des pays d'Europe de l'Est offrent pour la première fois une perspective réaliste de « surmonter Yalta ». Encore faut-il, une fois de plus, voir les choses telles qu'elles sont et, notamment, constater que la majorité de ces pays (Tchécoslovaquie, Bulgarie, RDA, sans parler de la Roumanie et de l'Albanie) s'opposent aux vents du changement, qu'ils viennent de l'Est ou de l'Ouest. Or, par un mélange de malchance et d'analyse insuffisante, l'ouverture mitterrandienne s'est faite, à l'automne 1988, au nom d'un constat global d'évolution favorable qui, peut-être valable à long terme, était d'autant plus cruellement démenti à court terme que les premiers pays choisis pour les visites présidentielles (Tchécoslovaquie, Bulgarie, RDA) étaient précisément ceux qui constituaient le front du refus au changement.

D'où la troisième différence : de Gaulle faisait une distinction entre les pays de l'Est. Il s'intéressait davantage (à notre avis, à tort) au nationalisme roumain qu'à la réforme tchécoslovaque. Cela l'amenait à avoir une stratégie (qui devait d'ailleurs échouer mais qui n'en était pas moins une stratégie), pour tenter à la fois d'aboutir à un accord avec Moscou et d'encourager l'autonomie de l'Europe centrale : dans la succession qui allait de la reconnaissance de la Chine à la sortie de l'organisation militaire intégrée de l'OTAN, puis à la série de voyages à l'Est, commençant par Moscou et continuant par la Pologne, allié fidèle, avant la Roumanie frondeuse, rien n'était laissé au hasard. Au contraire, chez Mitterrand, on a l'impression de trouver d'une part une vision globale à long terme, parente de celle de de Gaulle, mais plus réaliste, puisqu'elle tient compte et des « lenteurs de l'histoire » et de l'importance de l'intégration communautaire à l'Ouest pour l'ouverture à l'Est, et d'autre part une série d'improvisations plutôt qu'une stratégie.

Voyages et politique

La décision surprenante de visiter tous les pays de l'Est au cours de l'année 1988-89 est défendue au nom de l'idée que la situation intérieure, censée justifier l'abstention antérieure, y a changé[1], ce qui n'est le cas (en tout cas en bien) que pour l'URSS, la Pologne et la Hongrie. Mais les propos mêmes du chef de l'État ne cherchent guère à dissimuler qu'il s'agit avant tout de rattraper un retard ou un déficit de présence sur le plan économique (par rapport, en particulier, à la République fédérale et à l'Italie) et sur le plan politique par rapport à la même République fédérale, dont on craint le tête-à-tête avec Moscou et l'hégémonie traditionnelle en Europe du Sud-Est, et à Mme Thatcher, dont les relations avec M. Gorbatchev et la popularité en Pologne, auprès de l'opposition comme des dirigeants, font l'objet d'un dépit avoué.

Quant au message propre de la France, au-delà d'une volonté affichée de présence sur tous les plans et d'un rappel de l'anniversaire et des principes de 1789, il semble presque aussi difficile à discerner que sa stratégie. Entre les deux politiques cohérentes et relativement bien accueillies à l'Est, celle de M. Genscher et celle de Mme Thatcher, la France a semblé surtout préoccupée de rappeler son existence (en passant sur quelques blessures d'amour-propre) et de marquer sa différence, sans donner l'impression d'avoir une idée très claire de celle-ci. D'où une impression quelque peu déconcertante de navigation à vue.

Ainsi, à la veille des voyages présidentiels, la France change de position sur la tenue à Moscou d'une conférence sur les droits de l'homme.

1. *Ibid.*

Voulait-elle plaire à ses futurs hôtes ou soutenir ses partenaires allemands ? Toujours est-il que l'obstination de plusieurs alliés occidentaux a permis, en tenant bon quelques mois de plus, d'obtenir des Soviétiques des concessions supplémentaires précieuses.

Le voyage de Moscou (déjà contestable en son principe, puisque M. Gorbatchev, dont c'était le tour, avait un calendrier trop chargé pour Paris mais non pour New York et Londres) n'a rien fait, ni dans son déroulement ni dans ses résultats, pour conforter la position de la France.

Au contraire, les résultats du voyage de Prague, commencé sous d'encore plus fâcheux auspices dans un pays en pleine régression politique, ont surpris favorablement par l'éloge public du printemps dubcékien, par la conversation très ouverte avec les représentants de l'opposition, Vaclav Havel en tête, par la possibilité d'une manifestation non réprimée de la Charte 77, clairement due à la présence de François Mitterrand. La « quinzaine de l'Est » s'est achevée de manière impressionnante, en décembre, avec l'accueil à Paris de Walesa et de Sakharov, lors des cérémonies célébrant l'anniversaire de la Déclaration universelle des droits de l'homme.

Serait-ce là la spécificité du message français ? Entre les concessions genschériennes et les sermons thatchériens, la place de la France peut-elle se borner à la spécialité des conférences et commémorations ? Heureusement pas. Si les rencontres de Prague et de Paris ont eu un bilan globalement positif, c'est parce que, dans un dialogue direct avec les représentants des sociétés de l'Est, François Mitterrand a su éviter, l'espace d'une semaine, le péché mignon de la politique extérieure française : la dualité d'une rhétorique qui s'inspire de la tradition des droits de l'homme et d'une diplomatie qui s'inspire de la tradition de la raison d'État et se singularise par son ignorance des sociétés et sa timidité envers les régimes tyranniques.

Hélas ! Cette dualité devait reprendre ses droits peu après. En Bulgarie, où les quelques courageux défenseurs des droits de l'homme sont arrêtés à la veille de la visite présidentielle et relâchés en partie seulement pendant celle-ci, François Mitterrand, dans la rencontre devenue rituelle avec les dissidents, ne reçoit que les membres du Club de soutien à la *glasnost* et à la *perestroïka* toléré par les autorités (mais dont certains n'en devront pas moins payer pour cette entrevue en étant congédiés de leur travail, sans que le courroux présidentiel face à cet affront s'exprime d'une manière perceptible par l'opinion publique), à l'exclusion de ceux de l'Association pour la défense des droits de l'homme, persécutés. La petite phrase présidentielle sacrilège, elle aussi rituelle, ne proteste pas contre cette persécution, mais se borne à affirmer que l'héritage des principes de 89 « forme un bloc indissociable [1] ».

1. *Le Monde,* 20 janvier 1989.

Au même moment, même timidité à Vienne, devant la Conférence sur la sécurité et la coopération en Europe (CSCE). Alors qu'en Tchécoslovaquie, à peine la visite du Président français terminée, la répression reprenait et atteignait des sommets inégalés depuis des années, alors que son interlocuteur, Vaclav Havel, était maintenu en prison et menacé d'un procès qui allait aboutir quelques semaines plus tard à une condamnation à neuf mois de prison pour avoir troublé l'ordre public en déposant des fleurs sur la tombe de Jan Palach, la voix de la France, comme pour l'ubuesque « systématisation » roumaine[1], ne se faisait entendre qu'avec d'infinies précautions et sous forme d'allusions impersonnelles. Alors que Geoffrey Howe et Hans-Dietrich Genscher, pour une fois d'accord, montraient du doigt les coupables tchécoslovaques et est-allemands, le discours de Roland Dumas était tellement incolore et édulcoré qu'aucun journal, même français, n'a cru bon de le mentionner. Il contenait pourtant une phrase mémorable : « Nous avons, nous Français, de grandes ambitions pour l'Europe. Nous osons à peine les formuler, pour n'effaroucher personne[2]. » Il faut croire que la célèbre formule de Danton, « De l'audace, encore de l'audace, toujours de l'audace », ne fait pas partie de cet héritage qui constitue « un bloc indissociable ».

Certes les dénonciations vertueuses de l'Est ne coûtent pas plus cher que les appels péremptoires à la défense européenne. On ne saurait reprocher *a priori* au gouvernement français de se refuser à ces facilités. Mais on aimerait connaître les raisons d'efficacité qui l'amènent à se singulariser par sa discrétion. Certes, la route de la réconciliation paneuropéenne comme celle de l'unité ouest-européenne est nécessairement faite de patience et de compromis. Pourquoi ne pas suivre Roland Dumas quand, dans la suite de son discours, il propose : « Conservons ces ambitions dans nos cœurs et travaillons, sur la base du document de Vienne, à développer cette nécessaire confiance qui permettra de nouveaux développements de notre coopération et un avenir que nous ne pouvons pas encore imaginer[3] » ? Encore faudrait-il que la confiance à développer soit celle des opinions publiques, à l'Est et à l'Ouest, autant que celle des gouvernements, et que la conscience des limites de notre imagination ne nous dispense pas de faire un effort pour la développer, elle aussi, tant sur le plan des objectifs que sur celui des instruments.

1. A propos de celle-ci, cependant, Michel Rocard a su trouver enfin le ton juste devant la Commission des droits de l'homme de l'ONU. Cf. « Le pavé de Michel Rocard », *Le Monde*, 8 février 1989. Il reste que c'est à la Grande-Bretagne que revient l'honneur d'avoir fait usage du mécanisme de la CSCE pour demander des comptes au gouvernement tchécoslovaque et les procès de Prague. Peut-être la France se considère-t-elle comme tenue à une certaine réserve dans l'usage de ce mécanisme par sa qualité d'hôte de la prochaine réunion sur les droits de l'homme. Mais cela n'explique pas tout !

2. « Intervention prononcée par le ministre d'État devant la CSCE » (Vienne, le 19 janvier 1989), *Bulletin d'information* du 20.1.1989, ministère des Affaires étrangères, Information Presse, p. 5.

3. *Ibid.*

Le mystère Mitterrand

Et c'est là qu'intervient le mystère de François Mitterrand. Aucun homme politique n'a une conscience aussi aiguë et subtile de la complexité des rapports entre défense, économie et politique, entre construction européenne et ouverture à l'Est.

Il a cent fois raison de sentir que la dissuasion nucléaire et la défense en général doivent s'adapter à un nouveau contexte psychologique et politique, certainement en Allemagne aujourd'hui, peut-être en France plus tôt qu'on ne le croit.

Il a cent fois raison de penser et de proclamer que l'intégration économique, technologique et culturelle est aujourd'hui le passage obligé des progrès de l'Europe politique et militaire, qu'un succès de l'Europe monétaire, de l'Europe sociale et de l'Europe audiovisuelle serait le moyen le plus immédiat d'accélérer ces derniers, que c'est l'Europe de l'Acte unique qui relance aujourd'hui la problématique, hier assoupie, de l'Europe politique, et que c'est elle qui suscite à la fois les craintes et les rêves des Européens de l'Est et les chances d'une coopération plus efficace avec eux.

Il a cent fois raison, enfin, de penser que cette coopération ne peut que s'inscrire dans le cadre de la détente et ne peut faire l'économie du dialogue avec les gouvernements communistes quels qu'ils soient.

Sur ces trois points on ne peut que prendre sa défense contre les discours bien-pensants traditionnels (qu'il s'agisse des fanatiques de la défense ou des inconditionnels de l'atlantisme, de la supranationalité ou de l'antisoviétisme) et, encore plus, contre les esprits forts dont tout l'art consiste à exagérer des idées banales mais justes et conciliables, jusqu'à les rendre absurdes et contradictoires [1].

Si cependant la politique de Mitterrand donne une impression parfois de vacuité et parfois de mystère, c'est que des conditions nécessaires ne sont pas des conditions suffisantes, et que des directions souhaitables ne sont pas des politiques. Ni l'automatisme de l'intégration économique et du marché unique, ni celui de la détente et des contacts à l'Est ne permettent de repousser à demain l'élaboration d'une véri-

1. Il s'agit évidemment d'Alain Minc. Celui-ci dénonce le mythe du marché unique parce qu'il ne résout pas les problèmes politiques qu'il pose, alors qu'il est précisément le seul, à la fois par la mobilisation et par les difficultés qu'il suscite, à permettre de s'y atteler. Surtout, après avoir poussé à l'extrême les idées, banales au moins depuis 1981, de dérive allemande à l'Est par pacifisme et obsession de la réunification, il se propose d'y répondre en poussant également à l'extrême l'idée, également banale depuis 1982-84, d'une union politique franco-allemande et d'une garantie nucléaire accordée par la France à la RFA. Si le diagnostic était valable ne serait-ce qu'en partie, le remède serait, bien sûr, totalement inopérant, puisqu'une Allemagne centre-européenne et antinucléaire accueillerait les embrassades nucléaires de la France avec un mélange d'ironie et d'horreur. Ce qui n'empêche pas que la France n'aurait effectivement rien à perdre, comme nous le répétons, avec d'autres, au moins depuis 1984, à affirmer l'identification de sa sécurité à celle de l'Allemagne par un geste du type « *Ich bin ein Berliner* ».

table stratégie politique. Celle-ci ne saurait faire l'économie d'une réflexion conceptuelle qui repenserait les rapports des niveaux national, européen et atlantique (ainsi d'ailleurs que des niveaux conventionnel, tactique ou préstratégique, et nucléaire stratégique) en matière de défense, les rapports entre la Communauté et ses voisins et soupirants à l'Est en matière de coopération économique, les rapports entre la diplomatie intergouvernementale et l'action sur les sociétés en matière politique. Elle ne saurait faire l'économie d'un discours franc et mobilisateur sur les finalités politiques, même lointaines, de la construction européenne et de la détente. Et elle saurait encore moins se dispenser d'assumer le suivi, par exemple en secouant, par une impulsion politique, l'inexcusable passivité de notre politique culturelle envers les pays de l'Est, ou en orientant la coopération économique avec eux vers les secteurs (privé ou coopératif) qui peuvent favoriser le pluralisme plutôt que la puissance militaire.

Mais tous ces efforts n'auront de sens que s'ils sont poursuivis collectivement. Et c'est ici que le rôle de la France peut être décisif pour la détente comme pour la défense. C'est précisément le fait de n'être engagée directement ni dans le débat de la modernisation nucléaire de l'OTAN ni dans les problèmes immédiats de minorités ou de frontières qui pèsent, par exemple, sur les rapports de la RFA et de ses voisins à l'Est, qui devrait donner à la France un rôle clé dans l'élaboration d'une politique européenne.

Entre Mme Thatcher et M. Genscher ou, plus généralement, entre les puissances nucléaires et non nucléaires de l'Alliance atlantique, elle pourrait jouer un rôle de conciliation plutôt que d'osciller entre les querelles théologiques et le silence. Entre l'Europe de l'Est et l'Union soviétique et, surtout, entre les sociétés de l'Est et leurs régimes, elle pourrait favoriser une évolution pacifique en contribuant à la fois à des discussions sur les tensions internes de la région et les moyens de les surmonter, et à une orientation des rapports économiques de la Communauté avec l'autre Europe qui évite les illusions et les erreurs de la première détente.

Plutôt que le rôle de précurseur, de suiveur ou de frein, celui qui conviendrait à la France aujourd'hui consisterait, ni tout à fait arbitre ni tout à fait pilote, à proposer à l'Europe une politique enfin cohérente[1].

Pierre Hassner

1. Certains paragraphes de cet article, et notamment sa conclusion, reprennent des passages de « La France face à la nouvelle détente », *l'Express,* 13 janvier 1989 et de « La France et l'avenir de l'Europe », *Enjeux internationaux,* 1, Paris, Fondation du futur, 1989.

La France
et le nouvel ordre humanitaire international

Mario Bettati [1]

En vingt ans le nombre des organisations non gouvernementales (ONG) qui interviennent dans la coopération et l'assistance aux pays du tiers-monde s'est considérablement accru. Cette évolution témoigne à la fois de la sensibilité de l'opinion publique aux problèmes du sous-développement, de la malnutrition, des droits de l'homme ou de l'action humanitaire ; et de la mobilisation des individus qui organisent l'action, tantôt en se substituant aux États, tantôt en complément de ceux-ci, tantôt en concurrents de leurs initiatives. Certaines de ces organisations jouent un rôle décisif dans l'aide fournie aux victimes des catastrophes naturelles et des catastrophes politiques.

Le retentissement planétaire de ces élans de solidarité attire les médias, à leur tour nourris des événements qu'ils révèlent ou qu'ils génèrent. Événements qui mettent aussi en évidence les difficultés que rencontrent les ONG dans l'exercice de leurs activités. Le Dr Augoyard, ce jeune pédiatre français venu soigner les enfants d'Afghanistan victimes de la guerre, fut fait prisonnier pour avoir exercé la pédiatrie... Les secours pourtant disponibles n'ont pas pu parvenir au Cambodge, à Timor, au Burundi... Les obstacles sont bien souvent l'œuvre des autorités locales ou gouvernementales qui, derrière le rempart solidement édifié de leur souveraineté, répugnent à accepter une intervention extérieure qu'elles ne contrôlent pas entièrement. L'opinion publique admet mal de tels obstacles. Au nom d'une morale de l'extrême urgence dont les médecins français – en mission au chevet

1. Professeur à l'université de Paris II, doyen honoraire de la faculté de droit de Paris-Sud. Chargé par le secrétaire d'État à l'Action humanitaire de rédiger le projet français de résolution sur l'assistance humanitaire analysé ici et d'en suivre la négociation à New York.

des détresses du monde – ont illustré la prégnante efficacité, des intellectuels, des politiques, des militants de l'action humanitaire ont progressivement exprimé un désir de droit : droit des victimes à être secourues, droit des associations caritatives à apporter les secours.

Il est vrai qu'une telle norme juridique n'existe pas en tant que telle, dans le droit international positif. On en trouve des échantillons, tissés de façon fractionnée ou sectorielle, ici et là. Il existe ainsi les conventions de Londres de 1914, 1929, 1948, 1960 et 1974, relatives au sauvetage des naufragés en mer ; les conventions de Genève de la Croix-Rouge, conclues en 1949 et complétées en 1977, en faveur des victimes des conflits armés, la convention de Genève de 1951 sur les réfugiés... Il existe même des conventions sur le sauvetage des astronautes en péril conclues en 1967 et 1968... Mais pour les victimes des catastrophes naturelles ou politiques, rien. Rien que le principe général de souveraineté. Il implique évidemment que l'État, seul compétent sur son territoire, peut toujours faire, le cas échéant et selon son bon plaisir, appel à l'aide humanitaire internationale.

Le droit est – les juristes le savent bien – à la conjonction de l'éthique et du pouvoir. Or, précisément, ce dernier rencontre celle-là. En 1987, au cours du colloque sur *Droit et morale humanitaire* [1], et en 1988 avec la nomination de Bernard Kouchner au gouvernement français. En quelques mois, une idée forgée par des intellectuels se trouve consacrée par l'assemblée générale des Nations unies et saluée par de nombreux pays démocratiques comme un remarquable progrès conceptuel dans le champ du droit humanitaire.

Le principe de l'accès aux victimes

Strasbourg, 13 janvier 1989. Les délégués des ministres du Conseil de l'Europe (l'Europe des vingt-et-un) sont réunis pour évaluer la portée de la 43e session de l'assemblée générale de l'ONU en matière de droits de l'homme. Les intervenants estiment d'un commun accord que les débats de New York se sont déroulés sous le signe de la décrispation entre l'Est et l'Ouest. Ils regrettent un peu que la régionalisation de l'évocation des situations relatives aux droits de l'homme dans les différents pays compromette l'objectivité et l'universalisme des projets de résolution. De fait, la résolution relative au Salvador a été préparée par un groupe de rédaction uniquement composé de délégations latino-américaines. Il est bien modéré. Ceci explique cela.

En revanche, le représentant de la RFA et celui du Danemark se félicitent publiquement de l'adoption, par consensus, du projet de résolution présenté par la France sur l'assistance humanitaire aux vic-

1. Cf. Mario Bettati, Bernard Kouchner *et al.*, *Le devoir d'ingérence*, Denoël, Paris, 1987.

times des catastrophes naturelles et situations d'urgences du même ordre. Particulièrement chaleureux, le délégué danois estime que la France a « établi une nouvelle échelle de valeurs » dans le domaine du droit humanitaire. Ce texte proclame, en effet, pour la première fois dans l'histoire du droit international, un principe selon lequel, dans de telles circonstances, « l'accès aux victimes est indispensable » pour faciliter la mise en œuvre de l'assistance. En d'autres termes, la souveraineté de l'État doit tolérer des altérations, des limitations pour cause de personnes en danger.

Ce texte, dont l'initiative revient au secrétaire d'État à l'Action humanitaire, consacre l'œuvre accomplie par les organisations caritatives à travers le monde. Coparrainé par trente-deux autres pays qui se sont associés à la France, son contenu, largement innovateur, a donné lieu à des consultations très intenses avec l'ensemble des États membres des Nations unies. Les négociations les plus délicates ont eu lieu avec certains pays du tiers-monde, notamment l'Éthiopie, le Soudan, l'Égypte et le Brésil, qui craignaient que ce texte international n'empiète sur l'exercice de leur souveraineté.

Issue de l'expérience des *french doctors* – conceptualisée lors du colloque qui rassemblait à Paris, en janvier 1987, un nombre important et représentatif de praticiens de l'urgence humanitaire, de responsables politiques et d'intellectuels français ou étrangers – la résolution est le fruit d'un long travail diplomatique qui a mis à contribution les plus hautes autorités de l'État. M. François Mitterrand, qui avait ouvert le colloque de 1987 et y avait exprimé son intérêt pour les nouvelles règles juridiques universelles proposées, avait depuis, à plusieurs reprises, publiquement exprimé sa conviction qu'il faudrait un jour consacrer dans le droit international public, *un droit d'assistance humanitaire*[1].

Le vœu du chef de l'État et de Michel Rocard de favoriser ce dessein – au demeurant soutenu par une très large part de l'opinion et de la classe politique françaises – se traduit d'abord par le décret d'attribution de Bernard Kouchner qui lui confie précisément la mission de promouvoir le nouveau concept normatif. Pour autant, le projet, sans doute générateur de consensus national[2], s'il suscite un intérêt de curiosité dans le monde, provoque aussi des réactions de prudence, sinon de réserve, sur le plan interétatique. L'adoption de la résolution, le 8 décembre 1988, après plus d'un mois de discussions, est du même coup perçue dans les milieux diplomatiques et par les organisations

1. Le chef de l'État s'est notamment exprimé sur ce point lors du transfert des cendres de René Cassin au Panthéon, le 5 octobre 1987 (*Le Monde* du 7.10.87) ; à l'occasion de la conférence des Prix Nobel, à Paris, la même semaine ; dans son discours à l'Assemblée générale de l'ONU le 29 septembre 1988, et dans son allocution pour le quarantième anniversaire de la Déclaration universelle des droits de l'homme, le 10 décembre 1988, au Palais de Chaillot.

2. Jacques Chirac, qui avait également participé au colloque de 1987, avait apporté son soutien à l'idée.

caritatives comme une manière d'événement auquel on ne croyait plus beaucoup.

Alors est-ce une manifestation de la *perestroïka* ? Certes la nouvelle ligne de Moscou n'est pas étrangère à la réalisation du consensus sur le texte français, dont l'adoption eut été impensable il y a dix ans. Changement radical dans la morale et le droit international ? Sans doute aussi. Le *New York Times,* très critique sur l'ensemble de la session de l'assemblée générale, a salué le projet français, le 6 décembre, comme le seul point de progrès dans le triste paysage d'une ONU plus volontiers « faiseuse-de-mots » que « faiseuse-de-droit ». Il est vrai que le texte innove en ce que pour la première fois l'organisation, véritable sanctuaire de la souveraineté, pose dans un même document des principes destinés à une application concrète et qu'on peut résumer ainsi : *l'urgence internationale impose le libre accès aux victimes, notamment pour les ONG humanitaires.*

Un texte innovateur

Autour de l'*urgence* s'articule tout le système du texte. Elle fonde et justifie les dispositions « révolutionnaires » – selon l'expression d'un des délégués soviétiques au Nations unies favorable à l'initiative française – contenues dans la résolution.

Le raisonnement de l'ONU part d'une évidence : les catastrophes naturelles et les situations d'urgence du même ordre ont des conséquences graves sur les plans économique et social pour tous les pays touchés. Par conséquent, laisser leurs victimes sans assistance humanitaire « représente une menace à la vie humaine et une atteinte à la dignité de l'homme » (préambule, § 8). Même si l'on doit reconnaître que la communauté internationale apporte une contribution importante au soutien et à la protection de ces victimes, « dont la santé et la vie peuvent être gravement menacées » (*ibid.,* § 7), il reste à perfectionner les dispositifs existants.

En raison de cette menace, l'urgence commande la rapidité d'intervention et le document exprime le souhait que la communauté internationale puisse « répondre rapidement et efficacement aux appels à l'assistance humanitaire d'urgence lancés notamment par le secrétaire général » des Nations unies (*ibid.,* § 5). Ces dernières se déclarent convaincues que « la rapidité permet d'éviter que le nombre de ces victimes ne s'accroisse tragiquement » (*ibid.,* § 10). On sait que les organisations caritatives regrettent souvent d'arriver trop tard... lorsqu'elles peuvent arriver.

Le libre accès aux victimes est précisément la partie la plus « révolutionnaire » de ce texte. Un principe jamais affirmé jusqu'alors va découler du « considérant » selon lequel l'ONU se déclare « préoccupée par les difficultés que peuvent rencontrer les victimes... pour recevoir une assistance humanitaire » (*ibid.*, § 9). La réponse des Nations unies est désormais claire : l'accès aux victimes ne saurait être entravé ni par l'État touché, ni par les États voisins.

Les difficultés que rencontrent les porteurs de secours pour atteindre les victimes sont fréquemment les obstacles naturels, mais aussi les hommes : les autorités locales, nationales, des insurgés ou des mouvements incontrôlés. De surcroît, les secours et les souffrances humaines sont parfois utilisés pour promouvoir des objectifs politiques. La Commission indépendante avait déjà acquis la conviction que le respect des prérogatives souveraines des États « ne doit pas être assuré au détriment des problèmes humanitaires[1] ». Reprenant l'idée chère aux Médecins du monde, aux Médecins sans frontières et à l'Aide médicale internationale, selon laquelle n'existent pas de bonnes et de mauvaises victimes, l'ONU invite précisément les États qui ont besoin d'une telle assistance à en faciliter la mise en œuvre, notamment par « l'apport de nourriture, de médicaments ou de soins médicaux, pour lesquels l'accès aux victimes est indispensable » (*préambule*, § 10, et dispositif, § 4).

Selon le nouveau document humanitaire, le libre accès oblige aussi bien l'État concerné que les États limitrophes, sollicités de participer étroitement aux efforts internationaux de coopération avec les pays touchés, « en vue d'autoriser le transit de l'assistance humanitaire » (*ibid.*, § 6). Il s'agit évidemment d'un simple droit de passage, qui correspond sans doute partiellement à l'idée émise notamment par la Commission indépendante sur les questions humanitaires internationales que présidaient Sadruddin Aga Khan et Hassan Bin Talal, de pouvoir, le cas échéant, utiliser des couloirs d'urgence pour atteindre rapidement les victimes[2].

Concours de circonstances ? Le jour même où la résolution est adoptée à New York, M. Gloukov, directeur des affaires humanitaires et des droits de l'homme au ministère soviétique des Affaires étrangères, est reçu à Paris par le secrétaire d'État français chargé de l'Action humanitaire. Objet de la rencontre : l'assistance que la France peut apporter aux victimes du tremblement de terre qui vient de détruire une partie de l'Arménie... L'URSS annonce – c'est une première dans son histoire – qu'elle ouvre ses frontières aux sauveteurs venus (sans visa) des pays occidentaux. Les Français sont les premiers sur les lieux. La résolution de l'ONU est appliquée le jour même de son adoption. L'URSS s'est jointe, à New York, aux membres des Nations unies qui l'ont unanimement acceptée[3]. La France, ses asso-

1. *Le défi d'être humain*, Berger-Levrault, Paris, 1988, p. 230.
2. *Ibid.*
3. La résolution a été adoptée par consensus, c'est-à-dire à l'unanimité tacite, ou encore sans procéder à un vote formel par appel nominal.

ciations bénévoles, ses pompiers, ses médecins, coordonnés, soutenus par le gouvernement, débarquent au cours de la première phase des secours 514 hommes dont 57 médecins, 55 chiens (entraînés à trouver des victimes sous les décombres), 53 tonnes de matériel, pour un montant de 12 millions de F. La seconde phase apporte essentiellement du matériel (48 avions acheminent 200 tonnes, un train, un bateau : « la Paimpolaise », un convoi de 17 camions des PTT...).

La solidarité est gouvernementale et privée. Les associations ont rassemblé fonds et matériels dans des délais exceptionnellement brefs. L'exemplarité n'est pas nouvelle. Aussi est-il naturel que *le rôle des ONG* soit également consacré par les 160 États membres de l'ONU. Le phénomène est, on l'a dit, à la fois ample et relativement récent. Leur nombre a été multiplié par 100 depuis le début des années 1970, alors que celui des organisations intergouvernementales n'a été multiplié que par 10. Leur position à l'égard des États n'est pas toujours aisée.

Les délégués des gouvernements demeurent d'ailleurs soucieux de respecter la prérogative qui découle d'une lecture normale de la souveraineté, et la résolution réaffirme le rôle premier qui revient aux États affectés « dans l'initiative, l'organisation, la coordination et la mise en œuvre de l'assistance humanitaire sur leurs territoires respectifs » (dispositif, § 2). Mais elle fait aussi – reconnaissant en cela la longue pratique antérieure – une place toute particulière aux organisations intergouvernementales et surtout non gouvernementales, tout en les rappelant à leur déontologie fondamentale.

La résolution de New York affirme d'abord (préambule, § 11) qu'à côté de l'action des gouvernements et des organisations intergouvernementales, « la rapidité et l'efficacité de cette assistance reposent souvent sur le concours et l'aide d'organisations locales et d'organisations non gouvernementales agissant dans un but strictement humanitaire ». Elle souligne l'importance de leur contribution dans ce domaine (dispositif, § 3). En conséquence, elle lance un appel à tous les États pour qu'ils apportent leur appui à ces mêmes organisations dans leur action, là où elle s'avère nécessaire (*ibid.,* § 5).

Les modalités d'action des divers porteurs de secours, et notamment des ONG, y sont soumises à une double série de principes. Les uns, généraux, répondent à la nécessité de prévenir la confusion, la dispersion, voire les contre-performances dans l'octroi et la distribution de l'assistance. Danger rarement écarté lors d'un afflux massif de secours dans une zone désorganisée par un séisme (Mexico, Leninakan). Ils invitent ces organisations à coopérer le plus étroitement possible aux mécanismes de coordination de l'aide, par l'intermédiaire de l'administration locale si elle est en mesure de le faire, de l'UNDRO (Bureau du coordonnateur des Nations unies) ou de tout organisme mis en place par le secrétaire général (dispositif, § 7). Les autres, directement inspirés par la déontologie du Comité international de la Croix

Rouge, rappellent en effet que, dans de telles situations d'urgence, les principes d'humanité, de neutralité et d'impartialité devraient faire l'objet d'une considération particulière pour tous ceux qui dispensent une assistance humanitaire (préambule, § 12).

Ce texte ne fonde pas dès demain l'exercice d'un véritable *droit d'assistance humanitaire* obligatoire, contraignant, dont pourraient se prévaloir les porteurs de secours en toutes circonstances et à l'égard de toutes les souverainetés. Le secrétaire général de l'ONU y est prié de recueillir les vues des gouvernements, des organisations internationales et des ONG sur la possibilité de renforcer l'efficacité des mécanismes internationaux et d'accroître la rapidité des secours dans les meilleures conditions pour les victimes. De cette consultation, dont les résultats seront examinés par l'Assemblée générale en 1990, devraient émaner des propositions destinées à déployer la portée pratique de la résolution de 1988. Elle devrait être complétée par des textes plus contraignants ; vraisemblablement une déclaration solennelle, suivie d'un projet de convention. Elle constitue néanmoins, dès aujourd'hui, un progrès conceptuel remarquable en ce qu'elle exprime la conviction politique de la communauté internationale qu'il ne lui est plus possible de demeurer, sous prétexte de souveraineté, activement ou passivement génératrice d'obstacles à l'aide humanitaire sans se rendre coupable de non-assistance à personnes en danger de mort.

Mario Bettati

4. Élections en série

La grève des urnes

Gérard Grunberg [1]

Pourquoi les Français ont-ils fait la grève des urnes en 1988 ? Ont-ils voulu prendre leurs distances à l'égard du système politique ? Est-ce là le symptôme d'une crise grave de la participation politique ?

De nombreux commentateurs ont ainsi interprété les records d'abstention qui se sont succédé au cours de l'année : 34 % aux législatives de juin, 51 % aux cantonales de septembre, 63 % au référendum de novembre. Records auxquels il convient d'ajouter ceux des trois élections législatives partielles de décembre (plus de 60 % dans chaque cas).

Pour Alain Duhamel, ce « désastre civique » est l'aboutissement d'un long processus aux causes multiples [2] : chômage, rigueur, cruautés d'une modernisation génératrice d'angoisses et d'insatisfactions politiques, toute-puissance du pouvoir exécutif, culture politique à la fois colbertienne, jacobine et social-démocrate. D'où une passivité croissante des citoyens et un repli individualiste sur la sphère du privé.

Cette hypothèse d'une crise grave de la participation politique des Français mérite d'être considérée sérieusement. La succession de taux d'abstention particulièrement élevés paraît lui donner une certaine crédibilité. Mais ces taux d'abstention sont-ils à ce point atypiques qu'il faille, au-delà des explications classiques que donne la sociologie électorale au phénomène de l'abstention, y voir nécessairement le

1. Directeur de recherche au CNRS, Gérard Grunberg est actuellement chargé de mission au cabinet du Premier ministre. Il s'exprime ici à titre personnel.

2. Alain Duhamel, « Une démocratie de citoyens passifs », *Le Monde,* 13-14 novembre 1988.

signe d'une crise profonde du rapport des Français à la politique qui dépasserait la seule question de la participation électorale ?

Trois questions

1) Peut-on noter au cours de la période précédente une tendance à l'augmentation régulière de l'abstention ? La réponse est négative.

Tableau 1
Abstention sous la Ve République

Année	Référendums	Présidentielles 1er & 2e tour	Législatives 1er tour	Européennes	Cantonales 1er tour	Municipales 1er tour
1958	15 (1 *)		23 (2)			
1959						25
1960						
1961	24 (1)				44 (2)	
1962	24 (1) - 23 (2)		31 (3)			
1963						
1964					43	
1965		15/15 (2)				22 (1)
1966						
1967			19 (1)		43 (2)	
1968			20			
1969	19 (1)	22/31 (2)				
1970					38	
1971						25
1972	40					
1973			19 (1)		47 (2)	
1974		15/12				
1975						
1976					35	
1977						21
1978			17			
1979				39 (2)	35 (1)	
1980						
1981		19/14 (1)	29 (2)			
1982					32	
1983						22
1984				43		
1985					34	
1986			22			
1987						
1988	63 (4)	19/16 (1)	34 (2)		51 (3)	

* Les chiffres entre parenthèses indiquent le rang du scrutin dans l'année.

Pour les élections présidentielles et municipales, l'abstention demeure stable et relativement faible depuis le début de la Ve République.

Pour les élections législatives et cantonales, l'amplitude de variation de l'abstention est forte mais le mouvement est irrégulier. Pour les élections européennes et les référendums, les points d'observation au cours de la période récente ne sont pas assez nombreux pour permettre une analyse pertinente.

Ainsi, la faible participation constatée en 1988 ne constitue pas l'aboutissement d'un processus continu de baisse de la participation électorale.

2) Les taux d'abstention enregistrés en 1988, pour importants qu'ils soient, sont-ils aberrants ?

Remarquons d'abord que le scrutin présidentiel qui ouvre la « saison électorale » de 1988 ne se caractérise nullement par des taux d'abstention plus élevés que la moyenne, ni au premier, ni au second tour : même niveau qu'en 1981 et 4 % de plus qu'en 1974 au premier tour, 2 % de plus qu'en 1981 et 4 % de plus qu'en 1974 au second. Au mieux 3 ou 4 % de plus qu'aux consultations de ce type marquées par l'affrontement de projets politiques antagoniques, celles de 1965 et 1974.

Les élections législatives de 1988 enregistrent en revanche une abstention très sensiblement supérieure à celles de 1986 (34 % au lieu de 22 %). Ce niveau très élevé est-il pour autant exceptionnel pour des élections législatives ? Assurément non. Il est supérieur de 5 % à celui de 1981 et de 3 points seulement à celui de 1962. Mêmes constatations pour les élections cantonales : 16 % de plus qu'aux élections précédentes de 1985, mais 4 % seulement de plus qu'en 1973. A ces deux élections le progrès de l'abstention est réel, mais limité par rapport à d'autres consultations du même type.

3) Les enseignements de la sociologie électorale permettent-ils d'interpréter les taux d'abstention particulièrement élevés des élections législatives et cantonales et du référendum de 1988 ? Oui, dans une très large mesure [1].

Il est possible de distinguer parmi les élections législatives, selon que celles-ci ont lieu ou non à la suite d'un référendum à coloration plébiscitaire ou d'une élection présidentielle. Lorsque ce n'est pas le cas, le niveau de l'abstention est généralement un peu supérieur à celui de l'élection présidentielle précédente : environ 3 %. Mais lorsque les élections législatives suivent immédiatement une consultation à fort enjeu politique national, l'abstention est sensiblement plus importante que celle enregistrée à l'occasion de celle-ci (+ 8 % en 1958 et en 1962 après un référendum et une dissolution, + 11 % en 1981 et + 15 % en 1988 après une élection présidentielle et une dissolution).

Pourquoi une telle progression ? Une première explication communément avancée fait référence à la lassitude de l'électeur provoquée par la succession rapide des scrutins. Pour valable qu'elle puisse être, surtout s'agissant de la partie la moins politisée de l'électorat qui peut avoir le sentiment d'avoir déjà exprimé ses choix politiques essentiels lors du scrutin précédent, une telle explication n'est probablement pas suffisante.

---

1. Je m'inspire ici et plus loin de l'ouvrage classique d'Alain Lancelot, *L'abstentionnisme électoral en France*, Presses de la FNSP, Paris, 1968, p. 290.

Trancher entre des sollicitations contradictoires

La succession des scrutins ne génère pas seulement la lassitude, mais aussi, dans certains cas, la difficulté à évaluer l'enjeu, à saisir une situation nouvelle, à trancher entre des sollicitations contradictoires. Un référendum plébiscitaire ou une élection présidentielle suivis d'une dissolution contraignent l'électeur, lors des élections législatives suivantes, à réévaluer ses choix partisans à la lumière de ceux que lui-même mais aussi l'ensemble des électeurs ont effectué quelques semaines auparavant.

Sollicitations contradictoires par exemple pour les électeurs communistes qui ont voté *oui* au référendum de 1958 alors que leur parti de référence appelait à voter *non ;* ou pour les électeurs de la droite antigaulliste qui ont voté *oui* au référendum d'octobre 1962. L'abstention lors des élections législatives peut être alors un refuge commode pour éviter de trancher entre ces diverses sollicitations. De même, en 1988, ceux des électeurs qui ont réélu François Mitterrand à cause de leur attachement particulier aux thèmes de l'ouverture et de la non-dissolution immédiate et qui ont été brusquement appelés à se rendre de nouveau aux urnes après une dissolution ont pu être tentés de s'abstenir.

Des sollicitations contradictoires mais aussi un sentiment de découragement expliquent sans doute pour partie la forte abstention des élections législatives de 1981. Des électeurs de droite favorables à la prééminence du Président, et confrontés à l'élection d'un président socialiste ont pu trouver dans l'abstention un moyen d'éviter de choisir.

Difficulté également à saisir la logique politique de la consultation. Le soutien au président réélu en 1988 implique-t-il nécessairement le retour d'une chambre rose horizon ? Les Français rejettent alors en majorité l'idée d'une prééminence socialiste à l'Assemblée nationale, contre laquelle le Président lui-même les met en garde.

En juin 1988 sont ainsi présents de nombreux éléments susceptibles de favoriser l'abstention : élection présidentielle très récente, dissolution non annoncée, sollicitations contradictoires.

Une distinction peut également être faite parmi les élections cantonales. Certaines sont sans enjeu politique national. Soit parce que le pouvoir en place est trop solide et l'opposition trop faible et divisée pour pouvoir faire de ces élections un test de la légitimité du gouvernement. C'est le cas des élections de 1961 et 1964. Soit parce que ces élections interviennent peu de temps après des élections législatives générales, quand il est encore trop tôt pour que l'opposition puisse espérer pouvoir faire « censurer » le gouvernement par des électeurs déçus. C'est le cas des élections de 1967, de 1973 et de 1988. Dans ces deux situations, le taux d'abstention est très élevé, oscillant entre 43 et 51 %.

Les autres élections cantonales ont les caractéristiques des élections intermédiaires[1]. Leur enjeu politique dépasse largement le cadre des conseils généraux. Leur date d'échéance, plusieurs mois après les plus récentes élections présidentielles ou législatives, permet à l'opposition de transformer ces élections locales en test politique national. Ainsi en fut-il en 1976 et en 1979, lorsque l'opposition de gauche sut mobiliser l'électorat contre le gouvernement de droite ; de même, en 1982 et 1985, lorsque la droite, désormais dans l'opposition, réussit le même processus contre la gauche au pouvoir. Dans tous ces cas, l'abstention fut nettement moins élevée : entre 32 et 35 %.

Dans cette perspective, l'abstention des élections cantonales de 1988 apparaît moins aberrante. En effet, non seulement il s'agit d'élections ayant lieu trois mois seulement après des élections législatives, mais également quatre mois après une élection présidentielle. En outre, l'opposition de droite, doublement défaite, divisée et impuissante, est dans l'incapacité de lancer immédiatement un troisième défi à la gauche. Enfin, le gouvernement décide quant à lui de laisser à ces élections leur caractère de consultations locales. Bref, ces élections cantonales passent pratiquement inaperçues.

Dans ces conditions, les électeurs, appelés à se rendre aux urnes pour la cinquième fois en quelques mois, ont refusé pour une moitié d'entre eux de répondre à cette nouvelle sollicitation.

Les handicaps cumulés du référendum de novembre 1988

Le référendum de 1988 constituerait-il alors un cas à part dans cette poussée à l'abstention constatée en 1988 ?

Le référendum de 1972 sur l'élargissement du Marché commun avait déjà montré que, sans engagement net de responsabilité du président de la République et sans enjeu clair et fort perçu par les électeurs, l'abstention pouvait être élevée. Le niveau de l'abstention enregistré à ce référendum (40 %) tranchait avec les niveaux atteints lors des référendums à caractère plébiscitaire décidés par le général de Gaulle (entre 15 et 24 %). Ce taux d'abstention était alors apparu comme une défaite pour le président Pompidou, d'autant que le parti socialiste avait appelé à l'abstention, et le maniement du référendum s'est révélé plus délicat que prévu dès lors que le Président ne le transformait pas en plébiscite. Le référendum est tombé en désuétude après cette tentative décevante pour son auteur.

---

1. Voir Jean-Luc Parodi, « Dans la logique des élections intermédiaires », *Revue politique et parlementaire,* n° 903, avril 1983, p. 42-71.

Seize ans plus tard, l'abstention atteint 63 % lors du référendum sur la Nouvelle-Calédonie. Record absolu pour une consultation électorale générale. Est-ce enfin là le signe tangible et décisif de la crise de la participation politique annoncée par les commentateurs ? Ce n'est pas évident. Il a manqué à ce référendum la plupart des éléments qui ordinairement poussent les électeurs à se rendre aux urnes.

Un enjeu ressenti comme non décisif

Le référendum de 1988, comme celui de 1972, ne renvoie à aucun enjeu politique central. Les élections du printemps ont tranché la question de la dévolution du pouvoir au niveau national. Ni le Président, ni le gouvernement n'ont engagé leur responsabilité politique sur le projet de loi référendaire. Moins de la moitié des électeurs se disent alors intéressés par la consultation. Est-ce à dire que tout référendum dépourvu d'une dimension plébiscitaire est nécessairement voué à n'intéresser que la partie la plus politisée de l'électorat ? C'est possible. Certaines questions pourraient par elles-mêmes mobiliser les électeurs si ceux-ci étaient invités à les trancher par la voie du référendum. Selon un sondage de la SOFRES effectué en septembre 1988 (*Figaro Magazine,* 24 septembre), parmi une dizaine de mesures prises dans le passé qui auraient mérité l'organisation d'un référendum, neuf recueillent moins d'un quart de réponses positives. Mais la dixième, la suppression de la peine de mort, atteint 64 % !

Point d'enjeu perçu comme capital, mais point non plus d'enjeu immédiat. L'IFOP, à l'occasion d'une enquête non publiée effectuée au début de l'été, alors que la Nouvelle-Calédonie, après l'affaire d'Ouvéa, puis les accords de Matignon, était encore sous les projecteurs de l'actualité, pronostiquait une abstention de 47 %. Celle-ci, mesurée par le même institut et de la même manière en octobre, était évaluée à 63 %. La Nouvelle-Calédonie était alors sortie de l'actualité. La paix semblait revenue sur le « caillou ». La moitié des électeurs estimaient au même moment que le référendum ne servait à rien puisque les accords avaient déjà été signés.

Enjeu non décisif, enjeu non immédiat, mais également enjeu dépourvu de clarté pour une grande partie des électeurs : la plupart savaient à peine où se situait cette « poussière d'empire », le projet soumis était complexe et la confusion possible sur les enjeux respectifs des deux référendums (celui de 1988 et celui, en Nouvelle-Calédonie, de 1998).

Dès lors les électeurs les moins politisés renonçaient à prendre parti. Quelques jours avant le référendum, 53 % des personnes interrogées estimaient qu'il s'agissait là d'un sujet trop compliqué et qu'elles n'étaient pas assez compétentes pour donner leur avis (SOFRES, sondage non publié). Alors que le taux d'abstention prévu était d'environ 60 % pour l'ensemble, il était de 83 % chez les électeurs déclarant ne pas s'intéresser du tout à la politique.

L'absence d'une controverse politique

Peu mobilisés spontanément par la question posée, les électeurs auraient pu cependant être sollicités par ceux dont c'est la fonction : partis politiques et journalistes. Il aurait fallu alors que se crée une controverse politique et que la Nouvelle-Calédonie soit inscrite en bonne place dans l'agenda des médias[1].

Il n'en fut rien. Les partis politiques, pour des raisons diverses, ne consacrèrent qu'une faible énergie à la campagne référendaire. Les partis de la droite non extrême qui avaient approuvé les accords ne voulurent pas donner leur appui au gouvernement en faisant clairement campagne pour le *oui.* Qu'il appelle à l'abstention comme le RPR ou au vote *oui* comme les partis de l'UDF, aucun, à l'exception du CDS, ne fit véritablement campagne. Il en fut de même, pour des raisons comparables, pour le PCF qui appelait à voter *oui.* Quant au parti socialiste, préoccupé déjà par les futures municipales, il donna l'impression, malgré ses efforts, que ce référendum était davantage l'affaire de François Mitterrand et de Michel Rocard que la sienne. A l'exception du Front national, aucun parti ne combattit clairement le projet.

Les médias eux-mêmes, confrontés à cette situation et essentiellement préoccupés par les conflits sociaux, ne consacraient qu'une faible place au référendum. Ainsi les éléments nécessaires à la production d'une controverse politique de grande ampleur dans le pays n'étaient pas réunis. A ceci s'ajoutait le fait que l'absence d'incertitude sur le résultat était patente. Les sondages ne cessaient d'annoncer une victoire écrasante du *oui.*

La querelle de légitimité

A l'absence d'enjeux et de controverses susceptibles de mobiliser largement les électeurs s'ajoutait la querelle sur la légitimité de l'utilisation du référendum pour résoudre la question néo-calédonienne.

Soucieux de trouver des arguments pour expliquer son appel à l'abstention alors qu'il avait approuvé les grandes lignes des accords de Matignon, le RPR, suivi en cela par une grande partie de l'UDF, invoquait l'illégitimité de la pratique référendaire et entreprenait de montrer que certaines dispositions du projet était inconstitutionnelles

1. Voir Jean-Louis Missika et Dorine Bregman, « La campagne : la sélection des controverses politiques », in Élisabeth Dupoirier et Gérard Grunberg, *La drôle de défaite de la gauche,* Paris, PUF, 1986, p. 97-116.

(amnistie et définition du corps électoral habilité à se prononcer en 1998 sur l'avenir du territoire). Plus largement, il laissait entendre qu'en votant *oui,* les électeurs favoriseraient en fait le processus conduisant à l'indépendance de la Nouvelle-Calédonie.

En déplaçant ainsi la controverse vers la question de la légitimité du référendum, l'opposition favorisa sans conteste l'abstention d'une partie de son électorat. Tandis que 42 % des électeurs de gauche s'apprêtaient fin octobre à aller voter, c'était le cas pour seulement 30 % des électeurs du RPR et de l'UDF (SOFRES, non publié).

Un dernier élément devait contribuer à décourager les électeurs : la succession des scrutins en quelques mois. Le référendum de novembre était pour une grande partie des électeurs le septième tour de scrutin depuis le mois d'avril !

L'absence d'une forte mobilisation électorale aux consultations de 1988 doit, au terme de cette première analyse, être relativisée de deux manières. D'abord, en rejetant l'hypothèse d'une crise grave et générale de la participation politique dont cette faible mobilisation électorale serait le symptôme. La comparaison avec la situation des États-Unis est ici infondée : l'élection présidentielle, qui est la consultation centrale dans le système politique français, conserve un taux de participation très élevé et stable. Ensuite, en soulignant un trait commun aux trois autres consultations générales de l'année 1988 : aucune ne réunissait l'ensemble des caractéristiques nationales susceptibles de provoquer une forte participation des électeurs.

Dans ces conditions, la tendance à la non-participation n'a pu être freinée que là où les systèmes politiques locaux étaient encore en mesure par eux-mêmes de favoriser la mobilisation, c'est-à-dire dans des circonscriptions de petite dimension où les réseaux de relations interpersonnelles fonctionnaient de manière satisfaisante et là où il s'agissait de choisir parmi des candidats ayant une forte notoriété – élections cantonales et, dans une moindre mesure, législatives.

Ainsi, la comparaison des taux d'abstention en 1988 dans deux groupes de départements, les premiers très urbains, les seconds très ruraux, montre clairement qu'aux élections législatives et surtout aux élections cantonales, la participation a été bien supérieure dans les départements ruraux à ce qu'elle a été dans les départements urbains (tableau 2).

En revanche, on note peu de différences entre ces deux groupes de départements pour des consultations qui se déroulent dans une circonscription unique. Dans ce cas, seuls l'importance de l'enjeu politique, la place et l'accent mis par les médias ont influé sur le degré de mobilisation. La participation a été très forte lors de l'élection présidentielle dans les départements urbains comme dans les départements ruraux. Symétriquement, elle a été très faible à l'occasion du référendum dans les unes comme dans les autres.

Il apparaît ainsi que dans la société française où l'urbanisation est croissante et où le rapport entre les élus et les électeurs est de plus en plus distant, le rôle des grands médias est indispensable pour assurer la rencontre entre les partis, les candidats et les enjeux d'un côté, les électeurs de l'autre.

En réalité, seule une diminution sensible de la participation à l'élection présidentielle (ou aux élections législatives non provoquées immédiatement après une élection présidentielle), marquerait un véritable changement du rapport des Français à la politique.

Tableau 2
Abstention aux consultations de 1988
dans quelques départements

	Présidentielle (1)	Législative (1)	Cantonale (1)	Référendum
Bouches-du-Rhône	20	35	63	65
Rhône	20	38	59	64
Seine-St-Denis	22	40	63	66
Val-de-Marne	20	36	60	63
Val d'Oise	19	37	59	64
Aveyron	15	27	35	58
Corrèze	18	21	34	58
Dordogne	15	26	32	56
Lot	12	24	31	52
Lozère	15	25	32	62
Moyenne nationale	19	34	51	63

Les Français ne votent pas chaque fois que l'occasion leur en est donnée. Leur rapport à la politique ne se joue pas sur le fait d'aller voter en général. Chaque élection est un phénomène particulier : le niveau de la participation doit être apprécié en fonction de l'enjeu et de la signification perçus par les électeurs. Les consultations de 1988 confirment ainsi que l'acte de voter ne va pas de soi : l'électeur doit d'abord être convaincu de l'utilité de son vote.

André Siegfried a montré jadis que les élections de mobilisation étaient les élections d'affrontement. Les électeurs, en effet, se mobilisent plus aisément pour voter « contre » que pour voter « pour ». La caractéristique générale des scrutins qui ont eu lieu depuis le 8 mai 1988 est qu'ils se sont déroulés dans un climat d'apaisement politique relatif. La participation en a pâti. Mais un tel climat n'est pas nécessairement durable.

Gérard Grunberg

Convergences médiatiques
Les présidentielles franco-américaines

Olivier Duhamel [1]

Deux grands pays développés ont à leur tête un président élu par le peuple : les États-Unis d'Amérique et la France. L'un et l'autre ont connu une élection présidentielle en 1988, occasion inespérée pour proposer quelques réflexions comparatives.

Nous savons depuis trop longtemps que les États-Unis ne sont pas la France pour négliger que ces différences laissent des traces sur la compétition présidentielle, à commencer par la sélection des candidats. Le poids de l'État, dans un vieux pays catholique et centralisé, explique qu'ici l'accès à la présidentiabilité soit réservé à des hommes politiques chevronnés, ayant montré de longue date leur compétence étatique. François Léotard ne put même pas être candidat à la candidature en France ; il aurait participé au marathon américain. La faiblesse et l'immensité de l'État, dans un jeune pays, plus protestant et fédéral, explique que là-bas la recherche des présidentiables soit ouverte à tout parlementaire ou gouverneur capable de réunir un peu d'argent, avant que la campagne elle-même ne permette aux principaux protagonistes de se détacher. Résultat, en France nul n'ignorait, plus de deux ans avant l'élection, que Barre, Chirac, et Mitterrand s'il le voulait, seraient les trois grands candidats ; aux États-Unis, jusqu'à neuf mois du scrutin – très exactement jusqu'au *super tuesday* du 8 mars qui connut seize élections primaires le même jour – personne ne savait qui seraient les candidats démocrate et républicain. Et les démocrates choisirent finalement un fils d'émigré, grec et catholique. Un peu comme si en France un beur était le candidat RPR, UDF ou

1. Professeur à l'université de Paris I, directeur de la revue *Pouvoirs*.

socialiste – on mesure la distance qui nous sépare encore du continent américain. Bref, chez nous tout est fermé et réglé de longue date dans le cénacle, chez eux tout est ouvert et le reste jusqu'aux derniers mois.

Les différences demeurent importantes, et pas seulement institutionnelles, dans les procédés utilisés pour cette sélection. Les médias américains peuvent se livrer à une investigation sans merci, face à laquelle toute frontière entre public et privé s'abolit. Imagine-t-on en France que des journalistes se cachent dans les buissons pour surveiller les nuits d'un prétendant à l'Élysée, diffusent les photos du jeune mannequin qu'ils ont vu passer, demandent en conférence de presse au candidat s'il a déjà commis le péché d'adultère, jusqu'à ce que *le Monde* annonce qu'il va publier les résultats d'une enquête attestant une autre liaison et n'y renonce que parce que le candidat jette finalement l'éponge ? Telle fut pourtant la mésaventure de Gary Hart en mai 1987. De ce côté de l'Atlantique, les bruissements sur favorites et bâtards restent de longue date l'apanage de la Cour et des salons. Ainsi se perpétuent là-bas les excès de l'irrespect démocratique et ici les excès du respect monarchique, au lieu que les uns et les autres apprennent à ne se mêler du privé que lorsqu'il touche à la chose publique.

Que l'élection américaine soit décomposée en deux phases, choix des candidats par les primaires ou caucus désignant les délégués à la Convention, élection au scrutin majoritaire (indirect) à un tour, tandis que la française ne connaît pas de sélection organisée des candidats mais se déroule à deux tours, voilà qui induit évidemment d'autres écarts. Sur le résultat, puisqu'avec un Le Pen sur sa droite, George Bush aurait eu plus de mal à être élu ; face à un seul candidat, et après des primaires l'ayant fait descendre plus tôt de la stratosphère élyséenne, François Mitterrand aurait eu un triomphe moins assuré. Sur la participation, la multiplication des scrutins préalables et le caractère indirect de l'élection contribuant probablement à ce qu'un Américain sur deux n'utilise pas son droit de vote, tandis que 81,6 % des Français inscrits ont voté à la présidentielle. Sur la campagne, puisqu'il faut chez nous en conduire deux, l'une pour arriver parmi les deux premiers, l'autre pour l'emporter au deuxième tour. Bénéficiant du privilège du sortant et de la faiblesse communiste, François Mitterrand put se contenter de conduire une campagne de deuxième tour, mais Raymond Barre échoua pour avoir fait le même choix, et Jacques Chirac ne se remit pas d'avoir dû tout miser sur une campagne de premier tour.

Encore ne mentionne-t-on ici que quelques-uns des effets contrastés de deux mécanismes électoraux différents. Ajoutons au moins qu'ils pèsent sur la structuration des forces politiques, permettant à la bipolarisation française de conserver les subtilités de son dédoublement, tandis que le système américain est, de longue date, bipartisan.

Mais, précisément, les évolutions en cours dans notre pays atténuent ces disparités. Déclin communiste et hégémonie socialiste à gauche, qui, présidentialisation du parti aidant, rapprochent les socialistes des démocrates. Déclin gaulliste et convergences UDF-RPR à droite, qui, défaites présidentielles aidant, renforcent les chances que soit réalisé le vœu balladurien de création d'un grand parti républicain. A long terme, sur le modèle américain, le lepénisme pourrait éclater entre une tendance ultra-conservatrice qui s'intégrerait dans ce grand parti et des groupes xénophobes qui se distingueraient surtout dans la société ; le communisme pourrait éclater entre une tendance rénovatrice-populiste qui viendrait constituer l'aile jacksonienne du PS et un groupe néo-stalinien qui préserverait la maison en voie de groupuscularisation – à l'exemple américain. Ces recompositions ne sont pas pour demain, mais si l'on songe à l'écart originel, il est déjà remarquable que l'on puisse en repérer la potentialité.

Il n'est jusqu'au poids de l'État sur la présidentielle qui cesse d'opposer radicalement France et États-Unis. Deux anciens premier ministres viennent de connaître l'échec : Matignon n'est plus forcément un atout. Un vice-président vient de connaître le succès : la vice-présidence n'est plus forcément un handicap. 34 % des électeurs américains dirent avoir voté pour leur candidat parce qu'il avait « plus d'expérience », 27 % parce qu'il était « plus compétent », cette majorité, se prononçant en fonction des capacités de gestion plutôt que sur la vision de l'avenir, joua massivement pour Bush, comme elle joua en France pour Mitterrand [1].

Quant aux médias, ils apprennent jusqu'où aller trop loin aux États-Unis – le retour de Hart en campagne ne relança aucune investigation sur ses frasques –, ils se départent de la révérence servile en France – le « bébête show » tint une place considérable dans la campagne et attesta une impertinence naguère réservée aux chansonniers.

Une même démocratie télévisée

Ainsi s'atténuent les divergences. De surcroît, au fur et à mesure que la France s'habitue à l'élection présidentielle et que les Français remplacent leurs querelles historico-idéologiques par le zapping télévisuel entre chaînes concurrentes et identiques, les convergences se renforcent.

Les campagnes des candidats se ressemblent, parce que les contraintes de la démocratie présidentielle télévisée sont largement les mêmes des deux côtés de l'Atlantique. Le duel final oblige au « ras-

1. Pour les États-Unis, voir John Keeler et Desmond King, « Les élections américaines de 1988 », *Pouvoirs*, n° 49, PUF, avril 1989. Pour la France, voir SOFRES, *L'état de l'opinion, 1989*, Seuil, 1989, p. 101.

semblement ». Autrement dit, indépendamment même de la télévision, il conduit les candidats désireux d'être élus à gommer les aspérités de leur programme et à préférer une rhétorique de l'union. Exemple : à qui attribuer le texte qui suit ?

« *En commençant, cette lettre j'écrivais que je vous parlerais, comme autour de la table, en famille. Ce dernier mot n'est pas tombé par hasard sous ma plume. Je suis né, j'ai vécu ma jeunesse au sein d'une famille nombreuse. Les leçons que j'en ai reçu restent mes plus sûres références. Nous habitions une petite ville, loin des fureurs du monde, mais elles sont venues jusqu'à nous. Le temps a passé. Les valeurs apprises sans qu'on me les eût enseignées autrement que par une certaine façon de penser et de vivre, je ne m'en suis pas séparé. Tout le monde n'a pas cette chance. C'est peut-être à la mienne que je dois cette certitude : la France sera forte de ses familles et s'épanouira dans ses enfants.* »

Ce familialisme provincial nous fut offert par François Mitterrand mais, n'était la forme épistolaire, on aurait pu l'attribuer à Raymond Barre ou, n'était le style travaillé, à Jacques Chirac. Remplacez France par Amérique, procédez à quelques ajustements linguistiques, et Bush pourrait en être l'auteur non moins que Dukakis.

L'élection présidentielle limite ainsi l'étendue des dissensus affichés. Plus exactement, elle conduit les candidats à radicaliser les programmes de l'adversaire et à modérer le leur. François Mitterrand explique que la droite veut détruire la Sécurité sociale, ce qui est très excessif. George Bush que Dukakis est l'ami des criminels, ce qui l'est encore plus. Et Mitterrand, loin de revenir sur les privatisations, « arrêtera le ballet », Bush loin de supprimer les programmes sociaux, fera des économies de gestion. Ainsi, au choix direct entre les projets affichés, se substitue l'affrontement entre les intentions prêtées aux rivaux. C'est d'ailleurs ce que François Mitterrand a remarquablement compris, et Jacques Chirac beaucoup moins bien, en commençant par une campagne de promesses pour continuer par la dénonciation du flou de son adversaire, lors même que cette imprécision était rassurante. C'est aussi ce que les conseillers de Bush ont parfaitement saisi en se concentrant sur une campagne négative, dénonçant le libéralisme extrémiste de Dukakis, lequel s'épuisa dans sa campagne centriste, comme si ne comptait que ce que l'on disait.

Cette tendance produite par l'élection présidentielle est accentuée par la télévision. Les candidats doivent à tout prix capter l'attention pour obtenir les quelques secondes décisives de communication politique gratuite dans le journal télévisé du soir. Ils ne peuvent le faire qu'avec quelque chose de spectaculaire, de bref, de percutant. Nul n'ignore que l'on suscite davantage l'attention en disant du mal d'autrui que du bien de soi-même. A cette vérité psychologique tristement éternelle s'ajoute que la campagne télévisée doit, pour maintenir l'intérêt, se plier aux règles du feuilleton ou, si l'on préfère, du match sportif – en vérité, des deux : d'une sorte de championnat qui s'étale sur plusieurs semaines et doit comporter ses épisodes pour ne pas lasser. D'où l'importance des coups. Que l'on songe aux reprises dont fut l'objet la fracassante entrée en campagne de François Mitterrand dénonçant les bandes et les factions. Ce candidat pouvait d'autant mieux frapper qu'il était, lui, protégé par sa fonction – seul Charles Pasqua osa, d'ailleurs brièvement, s'en prendre à son âge.

Il importe peu que les attaques soient fondées, pourvu qu'elles soient vraisemblables. Dukakis n'était guère responsable de la pollution des eaux du port de Boston, puisque c'est l'administration Reagan qui n'avait pas accordé les fonds du programme fédéral nécessaires en l'espèce. Qu'à cela ne tienne, Dukakis, gouverneur du Massachusetts, pourra vraisemblablement être tenu pour responsable. Et ce point fera partie du feuilleton, Bush répliquant par exemple pendant l'un des deux débats avec son adversaire : « Votre réponse est à peu près aussi claire que les eaux du port de Boston. » L'inexactitude de l'attaque est d'autant moins gênante que la réfutation est complexe. Comment expliquer par exemple au grand public, en quelques secondes, que si Dukakis a opposé son veto à une loi votée par le Congrès du Massachusetts rendant obligatoire le serment d'allégeance au drapeau tous les matins dans toutes les écoles, ce fut pour se conformer à la jurisprudence sur l'inconstitutionnalité d'une telle loi et non par mépris à l'encontre du patriotisme américain ? Comment contrer la campagne de spots publicitaires racontant l'histoire de Willie Horton, criminel noir ayant bénéficié d'un programme de permission de sorties mis au point sous l'autorité de Dukakis et s'étant échappé pour violer une femme ? Hailes, *handler* de Bush, s'était juré de faire connaître le nom de Horton par tous les Américains. Il y parvint.

Dans ce combat pour disqualifier l'adversaire, les Américains ont encore un peu d'avance (si l'on peut dire) sur nous, notamment parce que la publicité politique y est autorisée à la télévision. Mais, sur un mode mineur, le même processus est à l'œuvre dans nos campagnes télévisées. Indépendamment des attaques, celles-ci s'alimentent par de l'image : un chanteur qui ouvre la réunion électorale (Trenet ou Barbara d'un côté, Johnny de l'autre), un *freesbe* que l'on rattrape, des écoliers à qui l'on fait la classe, une casquette de marin dont l'on se vêt... toute image un tant soit peu inhabituelle sera bienvenue, même si l'image se retourne parfois contre l'acteur, comme celle de Dukakis perdu dans un char trop grand pour lui. Réussie, l'image sera d'autant plus utilisée qu'elle se relie à un enjeu de la campagne. Rattraper le *freesbe* atteste la forme physique de Mitterrand, sa visite à la classe comptant nombre d'immigrés rappelle son antilepénisme. Barre chantant avec Léotard en Corse ou se couvrant le chef avec les marins-pêcheurs ressemble davantage à une rectification calculée du *look* et sonne faux. Quoi qu'il en soit, les images se relient presque toujours à un enjeu politique. Tant et si bien qu'il serait faux de croire que la médiatisation aboutit à une dépolitisation totale.

En vérité, la médiatisation télévisée transforme les enjeux politiques sans les supprimer. C'est probablement une des raisons de l'importance prise par les problèmes dits de sociétés. A la différence de ceux qui concernent les politiques publiques, ils « parlent » directement « aux gens ». Nul besoin de statistiques et raisonnements élaborés pour rendre perceptible l'opposition entre partisans et adversaires de la peine de mort, de l'avortement, du dépistage obligatoire du sida, de la prière à l'école (aux États-Unis) ou de l'expulsion des immigrés (hors de France). Ces sujets ne sont pas discutés d'une façon rationnelle mais évoqués brièvement, indirectement, de façon répétitive et suggestive. Inutile de débattre des moyens efficaces et légitimes de lutter contre le terrorisme, mieux vaut raconter une histoire insinuante :

« *Moi, je constate une chose : lorsque vous avez été élu président de la République et lorsque vous avez formé votre gouvernement, vous parliez d'Action directe, ce n'est pas moi qui l'ait évoquée – Rouillan et Ménigon étaient en prison, c'est un fait. Ensuite, ils sont sortis, quelque temps après, et vous me dites : je ne les ai pas grâciés, je ne les ai pas amnistiés... Alors, ils ont dû sortir par l'opération du Saint Esprit, c'est possible ! c'est étrange !* »

On se souvient que cette attaque déclencha l'affrontement le plus violent du face-à-face Mitterrand-Chirac, provoquant la contre-attaque sur les conditions du renvoi en Iran de M. Gordgi. Aux États-Unis, le duel ne pouvait se dérouler sur un mode exactement identique, Bush et Dukakis ne sortant pas de deux années de cohabitation au sommet de l'État, mais un temps fort de leurs débats intervint lorsque la peine de mort fut évoquée, non au plan des principes, pas même de l'efficacité, mais sous la forme d'une question à Dukakis sur ses réactions si sa femme était violée et assassinée. Et le candidat « perdit des points » parce qu'il se contenta de dire que cela ne changerait rien à son opposition à la peine de mort au lieu de se lancer dans une tirade mélodramatique sur le désespoir, la soif de vengeance, l'effort sur soi pour laisser la justice agir, l'inutilité tragique de répondre à la mort par la mort, etc.

Dévalorisation du rival et évocation sommaire des questions de société vont évidemment de pair. Le concurrent, qu'il convient de ne pas nommer (« Monsieur le Premier ministre » dira François Mitterrand, « mon opposant » répétera George Bush), est associé à des positions combattues. La campagne ne se fait donc pas seulement sur des questions de personne, elle n'est pas désidéologisée, contrairement à l'opinion répandue, et ce fut même une erreur de Dukakis que de croire qu'il pourrait faire campagne non « sur l'idéologie mais sur la compétence », un succès de Bush d'imposer ses enjeux :

« L'allégeance au drapeau, mon opposant est contre, je suis pour.

La prière chaque matin en classe, mon opposant est contre, je suis pour.

La peine de mort, mon opposant est contre, je suis pour.

La mise hors la loi de l'avortement, mon opposant est contre, je suis pour. »

Du sondage au pronostic

On voit combien est dépassé le lieu commun selon lequel la présidentielle américaine n'opposerait que des personnes et la présidentielle française que des idées. D'autant plus dépassé que l'élection française de 1988 a largement perdu sa dimension programmatique. Jérôme Jaffré a bien montré[1] que le scrutin de 1988 s'opposait sur ce point à celui de 1981. La première élection de Mitterrand s'est déroulée selon la partition habituelle : 69 % des électeurs de droite dirent qu'au « moment de voter, ce qui comptera le plus dans leur décision » sera « la personnalité du candidat, sa compétence et son expérience », tandis que 62 % des électeurs de gauche disent que ce sera « son programme politique ». Sept ans plus tard, à la même question posée par la SOFRES, électeurs de droite et électeurs de gauche ne se distinguent plus, ces derniers ayant abandonné le vote programmatique au profit du vote personnel (68 % choisissent alors cette réponse). L'alternance a avalé l'Atlantique.

La médiatisation produit d'autres éléments de convergence, parmi lesquels l'importance des sondages dans la couverture médiatique de la campagne. Le championnat implique de compter les points. L'impartialité de l'information implique le recours à une évaluation objective. Les sondages sont deux fois rois, et plus précisément un type très particulier de sondages, les enquêtes d'intention de vote. Les instituts de sondages se multiplient aux États-Unis, où chaque grand organe de presse tend à avoir son organisme attitré, en France, où le duopole IFOP-SOFRES a laissé la place à sept instituts mesurant les intentions de vote en 1988 (Renseignements généraux non comptés). Simplisme oblige, les médias clients ne sont pas très demandeurs d'études sur les attentes des électeurs, pourtant plus intéressantes que le énième sondage d'intention de vote. La prévision électorale, abusivement déduite de l'enquête préélectorale, remplace alors l'analyse politique. Le politologue est d'ailleurs sommé d'attester sa compétence sur ce mode, comme le météorologue doit dire le temps qu'il fera (encore ce dernier

1. « France au centre, victoires socialistes », *Pouvoirs*, n° 47, PUF, 1988, p. 173.

ne doit-il prévoir qu'à vingt-quatre heures). L'observateur, journaliste ou expert, n'est même plus arbitre, mais pronostiqueur. Cette évolution prévaut aux États-Unis comme en France. Elle est exacerbée chez nous par l'absence d'élections primaires, qui conduit les sondages à s'y substituer : sondages-primaires, 1er tour-convention, 2e tour-élection, au moins à droite, les choses se sont déroulées ainsi. Pour qu'il en aille autrement, il faudrait instituer un véritable mécanisme de sélection des candidats.

Où l'on en revient aux procédures de l'élection, aux caractéristiques des systèmes politiques concernés. L'une des conséquences de la convergence décrite concerne l'atténuation des différences entre le régime présidentiel américain et le régime semi-présidentiel français. Alors qu'aux États-Unis élection présidentielle et élections parlementaires se sont toujours distinguées, que le vote différencié peut élire en même temps un Président républicain et un Congrès démocrate, nous avions à l'inverse pris l'habitude en France, dissolution et scrutin majoritaire aidant, que le parti du Président soit hégémonique à l'Assemblée. Tel fut le cas pour de Gaulle en 1962, Pompidou en 1968-69, Mitterrand en 1981. Tel ne fut pas le cas en 1988. La déconnection entre présidentielles et législatives est en route, d'autant plus que l'élection du Président ne se fait pas ou plus sur un mandat clair. Admettons cependant que le rapprochement n'ira pas jusqu'à l'assimilation, les différences entre les régimes, les rythmes électoraux, les modes de scrutin, les armes des différents pouvoirs (dissolution et censure ici, irrévocabilité là-bas) produisant encore des effets.

Nous avons seulement voulu montrer que, malgré les différences historiques, géographiques, culturelles, sociologiques et institutionnelles, l'élection présidentielle médiatisée provoquait d'impressionnantes convergences. Loin d'une démonstration exhaustive, l'on s'est contenté de quelques pistes à partir de deux présidentielles concomitantes. Resterait, parmi beaucoup d'autres tâches, à distinguer ce qui est imputable à l'élection populaire du chef et ce qui relève de la communication télévisée. L'étude comparative devrait alors être approfondie et élargie aux démocraties développées qui n'élisent pas directement le chef, par exemple au Royaume-Uni et à la République fédérale d'Allemagne. Alors, et alors seulement, il serait envisageable d'approcher une mesure correcte des effets de la présidentielle, au lieu de les subir dans le réalisme moderniste ou la nostalgie désabusée.

Olivier Duhamel

Le PC sous les décombres

Marc Lazar[1]

> « *Celui qui veut s'en tenir au présent,*
> *à l'actuel, ne comprendra pas l'actuel.* »
> Michelet, *Le peuple.*

Que le communisme français soit en passe de devenir un vrai sujet d'histoire et beaucoup moins un acteur de l'Histoire est sans doute la transformation la plus décisive, et pour lui la plus douloureuse, qu'il ait dû subir dans la décennie des années quatre-vingt. Avec une rapidité déconcertante si l'on songe à l'impact politique et culturel qu'eut si longtemps le communisme sur la France contemporaine, s'est imposée l'idée que sa marginalisation politique rendait nulle et non avenue la fameuse « question communiste » : la plupart des médecins accourus à son chevet au lendemain de sa première crise de 1981, une fois passé l'effet de surprise, ne proclamèrent-ils pas que le patient présentait tous les symptômes du cas désespéré atteint d'un mal incurable ? Ne diagnostiquèrent-ils pas, après ses rechutes de 1983, 1984, 1986 et surtout avril 1988, un coma, une agonie ou la mort imminente ? A l'inverse, quel crédit accorder au malade qui, après son sursaut aux législatives de juin dernier, brandit un bulletin de santé en amélioration qui démentirait ces sombres présages, ou à tous ceux, responsables ou observateurs politiques, qui virent la main de Marchais derrière les grèves de l'automne 1988 ?

Plutôt que d'entonner un hymne funéraire ou un chant de victoire,

1. Chargé de recherche au Centre d'analyse comparative des systèmes politiques-CNRS. Auteur, avec Stéphane Courtois, de *Le communisme*, Paris, Ed. MA, 1987 Membre des comités de rédaction d'*Esprit* et de la revue *Communisme*, éditée par l'Age d'homme.

il s'avère nécessaire de restituer dans une perspective historique la situation présente du PCF. Une situation dont l'intérêt provient de ce que se désagrège la façade et se fissurent les fondations de la puissante bâtisse qu'il édifia. Une situation qui n'est pas à proprement parler inédite : d'autres forces politiques rencontrèrent semblables déboires – la SFIO des années soixante par exemple, ou le parti radical qui, lui, ne s'en remit pas – et le PCF lui-même manqua de sombrer à la fin des années vingt et au début des années trente, ou entre 1939 et 1941. Mais une situation qui est originale parce que, à l'exemple de l'œuvre de l'érosion différentielle en géologie, elle met à jour l'irréductible singularité de l'architecture communiste et la nature de ses matériaux, bref parce qu'elle révèle la spécificité du communisme en France. De ce fait, on retrouve là un terrain d'application pour le postulat de travail cher à Marc Bloch : comprendre le présent par le passé, comprendre le passé par le présent.

L'état du PCF

Au départ, une question simple : où en est le PCF ? Et une réponse en cinq volets : le PCF est en déclin, se municipalise, se ruralise, vieillit et se syndicalise.

Que le PCF soit en déclin ne fait point de doute, malgré les dénégations du principal intéressé. En attestent les chiffres. Ceux des adhérents d'abord, tels qu'ils ont pu être reconstitués par Philippe Buton : ils seraient tombés à 330 000 en 1987, près de deux fois moins que les proclamations officielles qui, elles aussi, admettent un fléchissement notable [1]. Ce qui représenterait une perte sèche de 190 000 adhérents par rapport à 1978, meilleure année de recrutement depuis 1949. En d'autres termes, le PCF, même s'il demeure le parti doté de la plus importante capacité militante, aurait perdu plus du tiers de ses effectifs en moins de dix ans. C'est une semblable évolution, on le sait, que le PCF enregistre au fil des échéances électorales : aux présidentielles de l'an dernier, son candidat, André Lajoinie, avec 6,7 % des suffrages exprimés et 5,4 % des inscrits, faisait le plus mauvais résultat électoral de toute l'histoire de son parti. Certes, celui-ci récupéra quelque peu aux législatives qui suivirent la réélection de François Mitterrand, où il obtint au premier tour 11,3 % des exprimés, 7,2 % des inscrits, soit un peu mieux que lors du précédent scrutin de 1986, par rapport auquel il gagne moins de... 25 000 électeurs ; guère de quoi pavoiser [2].

1. Cf. Philippe Buton, « Les effectifs du parti communiste français (1920-1984) », *Communisme*, n° 7, p. 9-30, et « Le parti communiste français depuis 1985 : une organisation en crise », *ibid*, n° 18-19, à paraître.

2. Pour des analyses électorales détaillées du vote communiste, voir Stéphane Courtois, « L'agonie du communisme français », in (sous la direction de Philippe Habert et Colette Ysmal) *L'élection présidentielle de 1988*, Paris, *Le Figaro*- Etudes politiques, 1988, p. 22-23, et « Parti

Ces deux scrutins de 1988, à la suite des autres, ont mis en valeur quelques traits saillants du communisme français. L'infime reprise des législatives confirme sa municipalisation. Non pas que les municipalités échappent au *trend* général du déclin, ainsi que l'illustrèrent les élections municipales de 1983, au cours desquelles le PCF subit « le plus grave échec de son histoire, la consultation d'octobre 1947 mise à part[1] ». Mais parce que, en ces temps de reflux, elles constituent de véritables refuges. Ainsi, aux législatives de juin 1988, le PCF manœuvra habilement en présentant nombre de maires à la députation, ce qui lui permit de récupérer des suffrages dans certains départements industrialisés – la banlieue parisienne, le Nord, la Somme, la Seine-Maritime – et de renouveler un groupe parlementaire diminué (cf. tableau ci-dessous)[2]. L'érosion généralisée du communisme bute donc sur certaines zones de résistance plus dures et tenaces.

	Nombre de députés	Dont maires	Députés réélus	Nombre de maires parmi les réélus	Députés nouveaux	Nombre de maires parmi les nouveaux
1978	86	44	50	30	36	14
1981	44	23	41	21	3	2
1986	35	8	20	5	15	3
1988	27	13	14	2	13	11

Autre môle de résistance, les régions rurales rouges. Clairement apparue en 1986, la tendance s'est confirmée en 1988 ; aux ultimes législatives, sur les sept départements où le « parti de la classe ouvrière » réunit 20 % ou plus de 20 % des suffrages exprimés, cinq sont essentiellement ruraux : les deux premiers, l'Allier et la Haute-Vienne (28,1 %), le troisième, le Cher (23,1 %), les deux derniers, le Gard (20,3 %), et la Corrèze (20 %)[3]. Autant de départements, par ail-

communiste : les dernières cartouches ? » in (sous la direction de Philippe Habert et Colette Ysmal), *Les élections législatives de 1988*, Paris, *Le Figaro*-Études politiques, 1988, p. 26-29; François Platone, « PCF : la nécrose », in *Le Monde*, dossiers et documents, *L'élection présidentielle*, Paris, *Le Monde*, 1988, p. 45-46. Voir également, Gérard Le Gall, « Printemps 1988 : retour à une gauche majoritaire », *Revue politique et parlementaire*, n° 936, juillet-août 1988, p. 14-24 ; Jérome Jaffré, « France au centre, victoires socialistes », *Pouvoirs*, n° 47, 1988, p. 157-181, et Colette Ysmal, « Scrutins à surprises », *Projet*, n° 212, juillet-août 1988, p. 17-35.

1. Jérôme Jaffré, « Les élections municipales de 1983 : les trois changements du paysage politique », *Pouvoir*, n° 27, 1983, p. 151. Le PCF ne perdit pas moins de quinze villes, cependant que dans ses vieux bastions sa majorité s'effritait sensiblement.

2. Sur une autre forme de « manœuvre », en l'occurrence la fraude électorale, voir notamment les nombreux articles d'Olivier Biffaud dans *Le Monde*, ceux de Guy Coq, « Une histoire de fraude », *Esprit*, septembre 1988, p. 103-106, et de Hervé Lerolle, « Les coutumes électorales du PCF : le cas d'Ivry-sur-Seine », *Communisme*, n° 18-19, à paraître.

3. Sur le vote communiste de 1986, voir François Platone, « Parti communiste : sombre dimanche, triste époque », in (sous la direction d'Élisabeth Dupoirier et Gérard Grunberg), *Mars 1986 : la drôle de défaite de la gauche*, Paris, PUF, 1986, p. 189-210.

leurs, vivant au rythme d'une économie souvent archaïque, avec des populations peu mobiles et veillissantes.

Le vieillissement du PCF, voilà un autre de ses traits distinctifs et inquiétants. Toutes les études faites à la sortie des urnes montrent en effet le poids grandissant des gens âgés chez les électeurs communistes. Le PCF, tant dans sa composition que dans son électorat, risque de se transformer en un parti de retraités, d'autant que nombre d'ouvriers bénéficient de mesures de retraite anticipée. L'évolution du PCF est comparable à celle qui frappe tous les partis communistes de l'Europe occidentale, sans exception aucune et pose en termes brûlants le problème du renouvellement des générations. Le PCF paye la dégradation générale de son image auprès d'une jeunesse que le communisme indiffère.

Enfin, la campagne présidentielle de 1988 a vu la CGT s'engager, de manière encore plus nette qu'en 1981, en faveur du candidat communiste. Bien que la Confédération se soit gardée de lancer un appel explicite à voter André Lajoinie, elle a, à plusieurs reprises, souligné ses convergences avec lui. Attitude qui provoqua des remous internes mais qui atteste que le PCF, plus que jamais, compte sur la CGT, fût-elle anémiée, pour préserver son influence. A l'instar du communisme espagnol, le PCF se syndicalise, ce qui se traduit par l'attention accrue, et presque exclusive, qu'il accorde aux questions sociales, au détriment de son activité proprement politique. Toutefois ce comportement n'empêche pas le PS de capter plus de suffrages ouvriers que le PCF, dont l'électorat se déprolétarise (36 % d'ouvriers aux législatives de 1988 contre 49 % en 1978), cependant que la proportion des employés et des cadres moyens (25 % en 1988, 19 % en 1978) croît à un rythme inférieur à celui des inactifs et des retraités (31 % en 1988, 20 % en 1978)[1].

Dans le miroir du PCF

Ces cinq caractéristiques ne définissent pas simplement un état des lieux : comme la célèbre définition du roman de Stendhal, elles sont un miroir qui, longeant la route de l'histoire du PCF, lui renvoie une image renversée, déformée et vieillie de sa genèse et de sa puissance d'antan. Ce qui résiste à l'érosion – les forteresses éventrées du Nord de la France, de la banlieue parisienne, des flancs nord et ouest du Massif central, les résidus de ses conquêtes le long du littoral méditerranéen, les municipalités, le syndicat, les retraités, pour l'essentiel ouvriers – sont les lieux et les protagonistes historiques de son implantation[2]. Dès les années vingt, en effet, le PCF s'établit dans ces cam-

1. Cf. le tableau récapitulatif des sondages post-électoraux de la SOFRES dans l'article cité de Gérard Le Gall, p. 18.
2. Cf. Frédéric Bon, Jean-Paul Cheylan, *La France qui vote*, Paris, Pluriel, 1988, p. 51-90.

pagnes républicaines et socialistes du Sud-Ouest ou du pourtour du Massif central et essaime dans le Nord-Pas-de-Calais et en Lorraine ; puis, essentiellement à partir de 1934-1935 et surtout en 1936, il réalise sa véritable percée dans une classe ouvrière renouvelée, traumatisée par la crise économique, sensibilisée au combat antifasciste, conquiert des municipalités, et pénètre, par le biais du syndicat et grâce à ses militants recrutés au moment de la bolchévisation, dans certaines entreprises, en particulier celles de la métallurgie parisienne ou des mines du Nord de la France [1]. A cette époque se produit cette rencontre historique entre des fractions de la société radicalisées, en quête d'identité, aspirant au changement, et un parti politique présent avec ses militants dans ces lieux décisifs des affrontements sociaux et politiques que furent la rue et les entreprises ; un parti à la fois réinséré dans la réalité politique nationale à l'issue de son tournant de 1934-1935, et encore extérieur par son idéologie radicalement différente, ses liens internationaux, sa structure organisationnelle, sa stratégie élaborée dans le cadre de l'Internationale communiste. Précisément, être à la fois « dedans » et « dehors », « ici » et « ailleurs », dans la lutte quotidienne et dans l'utopie réalisée en URSS et érigée en modèle pour la France, se présenter comme le parti de la classe ouvrière, de la nation et des « lendemains qui chantent », semble avoir convenu parfaitement à ces catégories ouvrières et paysannes, tentées par l'intégration politique tout en la redoutant, ressentant vivement un fort sentiment d'exclusion et souhaitant que leur soit reconnu un rôle social.

Disposant d'une armature solide, le PCF survécut à l'épreuve de la guerre et connut à la Libération une formidable extension et un approfondissement de son influence. De ces terres conquises dans et après la Résistance, il transforma certaines en bastions – le Languedoc-Roussillon par exemple –, mais en perdit d'autres : la Bretagne, une partie de la vallée du Rhône, où son implantation était plus fragile. Frappé une première fois par de Gaulle en 1958, il connaît une période de stabilisation entre 1962 et 1978, avant de se replier, depuis 1981, tel une armée en déroute, sur ses bases de départ, les plus solides, car il les constitua en véritables territoires socio-politiques au sein desquels il rendait des services divers et multiples, encadrait les populations, organisait leur sociabilité, produisait des mythes, inventait – pour reprendre l'expression d'Eric Hobsbawn [2] – des traditions, ou en revivifiait d'autres préexistantes, et enfin s'appuyait sur des hommes susceptibles de mettre en œuvre sa politique, de symboliser sa présence, d'incarner un avenir rayonnant.

---

1. Sur ce sujet, cf. « Sociétés ouvrières et communisme français », *Communisme,* n° 15-16, 1988, et en particulier, l'article stimulant de Stéphane Courtois, « Construction et déconstruction du communisme français », p. 52-74.

2. Eric Hobsbawn and Terence Ranger (edited by), *The Invention of Tradition,* Cambridge, Cambridge University Press, 1984, 320 p.

Architecte ingénieux ayant réussi à rassembler des éléments épars et des matériaux disparates de la société française autour de quelques poutres maîtresses – le parti, l'URSS, la classe ouvrière, la France, la révolution, etc. –, le PCF ne put ni ne sut s'adapter aux transformations socio-économiques et culturelles qui rendirent obsolètes ses propres valeurs politiques. Il ne le put ni ne le sut, d'abord, parce que, jusqu'au milieu des années soixante, avec Maurice Thorez, il ne le voulut pas, persuadé qu'il pouvait bloquer cette évolution, qu'il disposait de la capacité de nier idéologiquement une réalité – celle du changement qui affectait en premier lieu la classe ouvrière – dont, peut-être, il pressentait qu'elle le condamnait à terme [1]. Ensuite, parce que, lancé dans un *aggiornamento* prudent sous l'impulsion de Waldeck Rochet, puis lors des premières années du règne de Georges Marchais, il comprit que cette opération, par définition, ne comportait aucune limite, et qu'en conséquence il risquait de partager le sort de son homologue italien, glissant indéfiniment sur une pente savonneuse, sans réussir, pour le moment, à retrouver ses marques. Incapable de contenir la poussée socialiste, il choisit le retour à l'orthodoxie qui, d'un côté, préserve l'identité et la culture politique de l'appareil et de « l'être communiste » dans ce qu'ils ont de plus traditionnel et, de l'autre, le condamne au dépérissement, à l'asphyxie.

Si le communisme français, tel qu'il s'est construit, a indéniablement correspondu à un moment de l'histoire économique, sociale et politique de ce pays, en ce qu'il traduisit des aspirations d'une partie de la population, lui donna une identité, une cohérence, alimenta son imaginaire, de nos jours il se délite non seulement parce que ses clientèles traditionnelles se réduisent ou se fragmentent, mais parce que sa fidélité à ses valeurs, à son idéologie le met en décalage complet avec les besoins de larges fractions de la société.

Une conjoncture plus favorable ?

« Où va le PCF ? », est-on alors en droit de se demander. Peut-il envisager, comme il l'espère, une *reconquista* à partir de ses positions de force, fussent-elles affaiblies, à savoir ses dernières municipalités et la CGT ?

Le PCF dispose de deux atouts principaux. Le premier provient de la marge de manœuvre que les drôles d'élections législatives de juin dernier lui ont ouverte et des difficultés rencontrées par le PS. Privés d'une majorité absolue de députés, le Premier ministre et le parti socialiste sont contraints de rechercher des compromis avec les communistes qui, de ce fait, héritent de la possibilité de peser sur les

1. Sur ce thème, voir Marc Lazar, « Les partis communistes de l'Europe occidentale face aux mutations de la classe ouvrière », *Communisme*, n° 17, p. 30-46.

décisions politiques et tentent d'accentuer les contradictions de la politique socialiste, hésitant entre la référence à une mythique union de la gauche et une hypothétique ouverture au centre. De même, pour les municipales, le PCF a engagé un bras de fer avec le parti présidentiel : il met au goût du jour une tactique connue dans l'histoire des partis communistes, celle du front unique qui consista, selon l'une de ses interprétations, à proposer l'unité d'action aux sociaux-démocrates pour mieux dénoncer leurs « trahisons ».

Le second atout du PCF réside dans son activité au cœur des luttes sociales où il est décidé à faire feu de tout bois ; par la CGT avant tout, mais aussi en soutenant toutes les formes d'organisation que pourront se donner les grévistes – les fameuses coordinations qu'il fustigeait une dizaine d'année auparavant –, et enfin en tant que parti. Le PCF joue à fond cette carte, se présentant comme le défenseur de tous les travailleurs, et en particulier, de ces « prolétaires de l'État » *(Le Point)*.

Par contre, depuis l'été 1988, le PCF semble avoir renoncé à l'atout Gorbatchev. En décembre 1987, au 26ᵉ congrès de son parti, Georges Marchais expliquait à propos de l'entreprise en cours en URSS : « Nous avons conscience [...] des immenses possibilités qu'elle recèle pour tous les révolutionnaires du monde entier », puisque « le socialisme se donne les moyens de faire la démonstration qu'il est bien une organisation sociale supérieure [...]. C'est un fait nouveau de portée incalculable au service des peuples [1] ». Or, à la suite de l'échange aigre-doux entre Moscou et la place du colonel Fabien au lendemain du premier tour des présidentielles [2] et de la 19ᵉ conférence du PCUS (28 juin-1ᵉʳ juillet), les relations entre les deux partis connaissent un refroidissement manifeste ; les articles du correspondant de *l'Humanité* ont perdu de leur enthousiasme des débuts [3], et Georges Marchais, tout en affirmant soutenir totalement la *perestroïka*, souligne fréquemment les difficultés de sa mise en œuvre et insiste sur son caractère limité à l'URSS [4]. Le PCF paraît sceptique et dubitatif face aux dernières initiatives intérieures de Gorbatchev ; l'issue étant pour le moins incertaine, il applique le vieil adage « *Wait and see* ». En outre, une part de la politique extérieure et de la stratégie internationale des Soviétiques aboutit à un redimensionnement du rôle du parti français et le met en porte-à-faux ; ainsi, par exemple, pour réussir son offensive de charme en direction de la communauté européenne, Moscou

1. Georges Marchais, « Le chemin de l'avenir en France. Rapport au 26ᵉ congrès du PCF », *Cahiers du communisme*, décembre 1987-janvier 1988, p. 26.

2. Le 3 mai 1988, Alexandre Bovine écrivait un commentaire critique sur les résultats du PCF dans les *Izvestia*. *L'Humanité* du 4 mai en publia des extraits et la réponse de Claude Cabannes.

3. Selon *L'Express* du 23 décembre 1988, Bernard Frederick, correspondant de *l'Humanité* à Moscou, qui avait au début montré sa sympathie pour Gorbatchev, devait être « doublé » par Jean Georges. En fait, c'est Serge Leyrac, membre de la rédaction en chef de *l'Humanité*, qui est nommé le 20 février correspondant permanent au côté de B. Frederick.

4. Cf. sa déclaration au Portugal, à l'occasion du congrès du PCP : « [..] ce qui se passe en Union soviétique ne peut constituer un modèle pour les autres partis communistes : c'est spécifique à l'Union soviétique », *l'Humanité*, 2 décembre 1988.

préfère le PC italien, proche de ces partis sociaux-démocrates qui l'intéressent au premier chef, à son partenaire loyal et dévoué, mais affaibli et isolé.

Il n'en demeure pas moins que ces atouts sont peu fiables. Quoi qu'il en soit des divergences entre communistes français et soviétiques, l'amélioration de l'image de l'URSS ne signifie pas que se reforme un mythe mobilisateur. D'autant que la critique gorbatchévienne des tares du système soviétique ne contribue pas à la popularité du socialisme. Par ailleurs, aiguiser le mécontentement ne se traduit pas automatiquement par une progression politique. A ce propos, les élections de 1989 seront un test important – et décisif dans le cas des municipales [1] – afin de déterminer si le PCF engrange des bénéfices de son engagement dans les luttes sociales et de sa dénonciation virulente de la construction européenne. En outre, le PCF ne peut se cantonner à être un parti de la protestation sociale, pesant parfois sur le jeu politique au gré des votes au Parlement ou des divisions des socialistes ; ce qui ne serait pas négligeable pour n'importe lequel de la plupart des PC d'Europe occidentale est inacceptable dans le cas français. Car ce parti a un autre passé, une autre histoire. Et se contenter de si peu, laisser entrevoir que derrière l'écran des tactiques politiques, aussi subtiles soient-elles, existe le grand vide stratégique, ce serait admettre la fin de la singularité française et reconnaître son échec. Ce que nie avec véhémence la direction.

Une direction qui a opté pour une seule solution, celle que lui impose la logique de l'appareil à laquelle elle a toujours obéi et autour de laquelle elle s'est constituée : fidélité à l'identité révolutionnaire internationale, nationale et de classe, préservation de l'outil stratégique, le parti, au détriment de tout le reste. Ce faisant, le PCF retire de ses décombre quelques survivants, consolide ici ou là un pan de mur, mais se prive de construire un nouvel édifice.

Marc Lazar

---

1. L'analyse du résultat du PCF à ces élections et de la question des municipalités communistes sera le thème du séminaire organisé le 6 juin à l'université de Paris X-Nanterre au Centre d'études, d'histoire et de sociologie du communisme, par la revue *Communisme*.

L'Europe des métropoles

Entretien avec Guillaume Malaurie [1]

Michel Marian : Le projet publié par le PS à l'occasion des municipales appelle à une deuxième étape de la décentralisation, en préconisant des regroupements intercommunaux et une réduction du nombre des régions pour aboutir à une carte des collectivités locales mieux adaptée aux échéances européennes. Cet horizon européen est-il indispensable pour saisir les problèmes de nos villes et de nos régions ?

Guillaume Malaurie : Oui, cette liaison est justifiée. La défaite du siège strasbourgeois au Parlement européen exerce un choc salutaire qui nous contraint à muscler nos collectivités locales. Au niveau des communes, la multiplicité des instruments d'association (SIVOM, districts, communautés urbaines...) crée un maquis administratif où les énergies s'épuisent. Pour les régions, il est tout aussi clair qu'une Alsace de 1,6 million d'habitants n'est pas à armes égales avec un Bade-Wurtemberg six fois plus peuplé, pour prendre deux exemples parmi les régions les plus dynamiques.

Michel Marian : N'y a-t-il pas une contradiction à souhaiter des régions fortes, capables de mobiliser un sentiment d'appartenance et à vouloir les redécouper arbitrairement du centre, en faire des blocs anonymes aux noms de points cardinaux du genre Grand-Sud, qu'il faudra d'ailleurs abandonner ensuite, puisque ces repères ne sont qu'hexagonaux ?

Guillaume Malaurie : Il est vrai qu'il y a des pôles de forte identité

1. Journaliste à *l'Express*.

provinciale, mais ils sont moins nombreux en France qu'ailleurs, étant donné notre histoire nationale. Beaucoup de régions sont peu cohérentes ou écartelées, comme la Picardie. Il faut rappeler que l'actuel découpage, issu des années 50, a été calqué sur la carte des connexions téléphoniques ! Là où l'identité historique est faible, l'efficacité économique renforce le sentiment d'appartenance. Plutôt que de proposer une nouvelle règle uniforme (par exemple : pas de région de moins de 4 millions d'habitants), on devrait s'inspirer de la méthode souple des Espagnols. Dans leur loi de 1978, ils ont distingué les régions de premier rang, les plus affirmées (Catalogne, Pays basque, Galice), disposant du maximum de compétences, et les autres qui, si un « accord profond » est réalisé au bout de quelques années, peuvent accroître leurs attributions. Bref, un statut évolutif.

Michel Marian : La classe politique peut-elle accepter de réduire le nombre des mandats ?

Guillaume Malaurie : Le débat traverse tous les partis. Le rapport Guichard de 1986 a mis l'accent sur notre faiblesse urbaine. Méhaignerie, à la même époque, a découvert que le trafic européen contournait la France, ce qui l'a poussé à décider un ambitieux plan autoroutier pour le centre et le littoral ouest. La DATAR n'avait pensé l'aménagement du territoire qu'en termes hexagonaux, jusqu'au milieu des années 80.

Au PS, le Lyonnais Gérard Collomb anime un courant d'élus soucieux d'avancer dans cette voie malgré l'atteinte aux situations acquises. C'est la confrontation avec l'Europe qui a déclenché cette prise de conscience. Toutes les régions allemandes ont au moins trois représentants permanents qui font du *lobbying* à Bruxelles. Lors de la négociation sur les programmes intégrés méditerranéens, les cinq régions du sud de la France ont dû se regrouper pour se faire entendre. On pourrait prendre exemple sur les Allemands pour surmonter les résistances des élus aux regroupements : ils ont réalisé l'intercommunalité dans les années 70 en lui donnant l'onction de référendums régionaux et en réabsorbant les maires des petites communes dans les nouvelles collectivités élues. En France, il faudra bien réformer le système des communautés urbaines pour mieux les étendre.

Michel Marian : Le point d'ancrage de la région, son principal support d'identification, n'est-il pas de plus en plus une métropole capitale ?

Guillaume Malaurie : Malgré sa croissance plus rapide, le budget régional reste encore celui d'un petit département. Le véritable gouvernement, le lieu où se coordonnent tous les pouvoirs, est celui de la ville. Lille a une force d'attraction qui va au-delà de sa région légale, en Picardie et en Belgique. Pourquoi les Belges viennent-ils à Lille ? Pour les couturiers français, et la grande librairie « Le Furet du Nord ». Attention cependant : décréter des principautés jacobines imitant Paris n'a guère de sens dans un pays de villes moyennes. L'heure est aux réseaux urbains, aux fratries de villes.

Michel Marian : L'abaissement des frontières, qui n'est pas leur disparition, donne aux villes transfrontalières un nouvel espace d'échanges et de rayonnement.

Guillaume Malaurie : Ou plutôt leur redonne. Autour de Lille, c'est tout l'ancien pays flamand qui réémerge. Autour de Strasbourg, le pays rhénan : 35 000 Alsaciens traversent la frontière chaque jour. Lyon multiplie ses relations avec Genève et Milan, Nice avec les Alpes piémontaises. Les Berlin de l'Hexagone redeviennent des villes-centres. Mais avec des fortunes diverses : le binôme Toulouse-Montpellier est très faible comparé à Barcelone, ce qui se traduit par une absence dramatique de contrats de ses entreprises pour les JO de Barcelone.

Michel Marian : Ces villes payent pour avoir été d'un seul côté de la frontière, face à Barcelone la franco-ibérique. Parmi les huit statues de villes qu'on a redécouvertes place de la Concorde manquent Nice, qui n'était pas encore française, et Toulouse, peut-être parce qu'elle l'était depuis si longtemps qu'il n'y avait plus lieu de s'en glorifier.

Guillaume Malaurie : Nos villes, même les plus dynamiques, souffrent toutes d'avoir été « vaubanisées », protégées, et le handicap qu'elles ont à remonter par rapport aux autres métropoles régionales est criant, quel que soit le critère retenu : Milan accueille 64 salons ou foires par an, Francfort 24, Genève 15, Lyon 8 ; l'aéroport de Francfort reçoit 20 millions de passagers, Zurich deux fois moins et Nice cinq fois moins. Tous ces exemples montrent aussi que l'axe lotharingique donne aujourd'hui un bonus : c'est le grand marché au sein du grand marché. Cela dit, il existe d'autres lieux et d'autres types de développement. L'Ouest présente un développement polynucléaire sans métropole hégémonique, autour de Nantes, Rennes, Angers et jusqu'à des villes moyennes comme Vitré ou Cholet. Il est en train de réussir la liquidation de son héritage paysan et la modernisation de ses structures traditionnelles.

Michel Marian : Quel rôle joue l'État vis-à-vis de ces besoins ? On a l'impression qu'il y a le souhait d'un nouvel aménagement du territoire mais sans détermination d'une politique.

Guillaume Malaurie : Le meilleur signe en est que le projet d'un grand ministère de la ville n'ait abouti qu'à une délégation interministérielle. L'État hésite entre deux stratégies : faire de Paris une grande capitale internationale, ou parier sur quelques pôles urbains en position de force. C'est la raison pour laquelle l'aménagement du territoire commence seulement à avoir une vision de l'intégration européenne. Mais qui se réduit trop souvent à des politiques ponctuelles de solidarité mises en place au début des années 80, lors de la rentrée en sommeil de la DATAR (développement social des quartiers, Banlieues 89, pôles de conversion).

Face à ce vide, il n'y a pas encore d'organisation des villes capable de prendre en charge leurs problèmes. Au Danemark ou aux Pays-Bas, les fédérations de villes ne sont pas de simples clubs de discussion, mais des fournisseurs de services, d'audit, de formation. L'Association des maires de France doit compter avec les 32 000 maires ruraux. Ce qui lui donne l'avantage de ne pas tout politiser, mais rogne son pouvoir de négociation. Excepté sur le statut du maire, qui devrait aboutir prochainement. Plus dynamique, l'Association des villes moyennes créée à Cholet, puis reprise par Auroux, maire de Roanne, est plus tranchante sur le regroupement intercommunal, absolument nécessaire quand on pense à la complexité des niveaux de financements à réunir pour boucler le moindre dossier.

Michel Marian : Si l'on met à part les facteurs géopolitiques, quels sont les ressorts internes du dynamisme ? La liaison avec un système associatif vivace ?

Guillaume Malaurie : Il est indéniable que dans les régions de forte tradition catholique, le réseau associatif a mieux tenu et permis une revitalisation des villes. C'est vrai de l'Ouest, où l'on voit partout des associations de soutien au tiers-monde ou à la Pologne, mais aussi des lycées techniques très modernes. Cela se traduit dans la qualité de la vie : une ville comme Vitré pourrait être une banlieue-dortoir de Rennes ; au contraire, les étudiants reviennent le samedi et remplissent les cafés pour écouter du jazz...

Michel Marian : Exactement comme les étudiants milanais retournent le week-end à Pavie ou à Bergame.

Guillaume Malaurie : A Lille aussi le réseau catholique des écoles d'ingénieurs joue un grand rôle. Avec cet avantage du réseau catholique qu'il joue d'une intimité transnationale : le président de la Catho de Lille est président de l'Association internationale des universités catholiques. Mais, qu'il y ait ou non ce ciment communautaire, presque partout la prise de conscience s'est faite que l'État n'assurait plus l'essentiel de l'équipement et que la ville et la région devaient compter sur elles-mêmes : le maire doit coopérer avec la Chambre de commerce, avec le président du Conseil régional, même s'il s'agit de Frèche et de Jacques Blanc. Cette idée du lobby révolutionne le paysage.

Michel Marian : Quels sont les points de passage obligés du développement urbain ? Y a-t-il une panoplie de la croissance ?

Guillaume Malaurie : Il faut se méfier des effets de mode : pour quelques technopoles qui marchent (Rennes-Atalante, Villeneuve d'Ascq près de Lille, Lyon, Strasbourg) parce qu'elles ont réussi à mettre en rapport des entreprises avec des écoles de gestion ou de commerce, beaucoup s'épuisent dans une course aux sièges sociaux perdue d'avance contre le quartier de la Défense, à Paris. De même, la multiplication des universités n'est pas la panacée, sauf quand elles sont très pointues comme le CHU de Lyon en cancérologie. En fait, la demande est une demande de formation d'élites locales et elle passe par des grandes écoles commerciales ou scientifiques : c'est la clé de la réussite de l'ENS de Lyon, qui recrute aujourd'hui localement et a tout de suite réalisé la connexion avec l'institut Mérieux.

J'insisterais surtout sur deux instruments méconnus : la banque et le journal. Pour une Lyonnaise de banque, qui joue un rôle actif de mécénat scientifique et culturel et contribue à unifier la vision qu'a la ville de sa modernité, combien de grandes villes (Strasbourg, Toulouse), n'ont aucune autonomie financière, faute de banque régionale. La situation est bien différente en Allemagne, en Italie...

Michel Marian : Voire en Crête !

Guillaume Malaurie : Quant aux journaux, mis à part *Ouest-France* ou *l'Est républicain*, ils doivent souvent tenir grand compte des notables en place. Plus grave, ils n'ont aucun bureau international à l'heure où les réseaux internationaux sont à réinventer pour les villes. Quand un Florentin débarque à New York, il s'appuie d'abord sur le correspondant de *la Nazione*, qui est son ambassadeur.

Michel Marian : La ville n'est pas seulement un centre de puissance ou un foyer d'audience, elle est de plus en plus un royaume d'apparences. Cette course à la séduction qu'on observe depuis 1983 peut-elle s'essouffler ?

Guillaume Malaurie : On n'en prend pas le chemin. Avant, le maire était interpellé sur le nombre de logements qu'il avait construits, aujourd'hui sur ce qu'il a fait pour le prestige de la ville. *Le Quotidien du maire* lance une enquête sur les maires bâtisseurs : « Un maire, un architecte ». On réinvente les nouveaux beffrois, les campaniles et à Saint-Étienne les ateliers Manufrance. Nantes refait son port. En quelques années, le *lifting* a été total : Lyon a retrouvé toutes ses couleurs italiennes. Mais on crée aussi : un tramway décidé par référendum à Grenoble, un port flottant à Nice, un centre d'affaires confié à un grand architecte hollandais à Lille, une Tour de l'Europe à Hérouville-Saint-Clair, qui déjoue son destin de banlieue caennaise. Perpignan ne sera plus la gare mais un grand centre réalisé par Jean Nouvel, un architecte qui aujourd'hui travaille à tour de bras. Manifestations du devenir-centre des Berlin de l'Hexagone. On injecte de la culture : un musée d'art moderne à Nice, le Capitole de Toulouse ; 20 % du budget de Lyon est consacré à la culture et au moins 15 % dans les autres villes. A tout cela une raison essentielle, que Montpellier avait comprise la première : il faut faire venir la femme de l'ingénieur.

Michel Marian : Le risque n'est-il pas que la façade en rénovation permanente cache les Harlem de la périphérie, que l'activisme du chantier s'accommode de l'indifférence aux charges de solidarité, que les défaillances du Welfare et les évolutions sociales devraient faire peser davantage sur la ville ?

Guillaume Malaurie : Dans certains domaines, la ville n'a qu'un rôle d'appoint par rapport à l'État, ou d'encouragement vis-à-vis de l'initiative individuelle. L'outil le plus efficace de la solidarité reste l'éducation : les collectivités locales peuvent équiper et améliorer l'environnement, mais le moteur reste le personnel d'État qui, lorsqu'il a la vocation de médiateur, de coordinateur, peut sauver un quartier. J'ai vu à Amiens une équipe de collège qui, avec une véritable passion de la laïcité, a inventé un système pédagogique d'intégration des immigrés. Pour la réinsertion, la ville peut jouer un rôle plus essentiel et novateur : ainsi, à Grenoble, les gens sont suivis individuellement et aidés dans leur recherche d'emploi par une sorte de parrain qui crée un autre type de contact que l'assistance sociale.

Michel Marian : L'entraide des lobbies et l'agrément des *liftings* semblent avoir fait disparaître tout enjeu partisan. Est-ce pour cela que la campagne a commencé si doucement ?

Guillaume Malaurie : Il est sûr que les élections de 1989 ne se font pas dans le climat passionnel de celles de 1977 et 1983, et pas seulement pour cause de déclin des passions au niveau central. Les maires sont pris conscience, pour la plupart, du retard et ont dû adopter une politique centriste et ouverte. Le modèle Carignon est valable même pour Mauroy à Lille. Dans ces conditions, les grands maires, ceux qui ont su incarner une ambition qui dépasse leur parti, semblent indéboulonnables, au point que leurs adversaires doivent se rabattre sur des thèmes secondaires comme la propreté réclamée par les challengers de Mauroy. Le débat gauche-droite sur le dosage solidarité-prestige ne jouera que faiblement, d'où la polarisation de l'attention sur les conflits internes à chaque camp. Il peut tout de même faire basculer à gauche des villes comme Roubaix et Tourcoing, encore très fragilisées par la crise, même si leurs maires ont commencé un redressement.

Mais ce sont surtout, à droite ou à gauche, les mairies qui n'ont pas su incarner de projet qui sont menacées : Amiens, Dieppe, Fécamp, Aix, où le paysage urbain se dégrade et qui ne créent plus rien. Le Havre devrait l'être mais la peur du changement risque de surpasser le besoin de changer. Rouen l'immobiliste recherche un destin. Et enfin Marseille, naufragée, vieillissante, face à Nice qui attire les cadres tertiaires de pointe, dont le bazar même s'est transféré à Barcelone depuis la loi Pasqua sur les visas. Marseille que Vigouroux se contente de débarbouiller en perpétuant l'immobilisme de Defferre, à qui Gaudin propose, en guise de projet, une rhétorique compensatrice et attrape-tout, et pour qui Pezet conçoit le choix, trop net pour être dit, de devenir le carrefour des échanges avec le Maghreb. Pour elle, plus que pour toute autre, ce mandat sera crucial.

Michel Marian : A la faveur de la dépolitisation nationale, deux dynamiques locales paraissent libérées : le besoin d'identité collective et la prise en compte de la représentation des minorités au conseil municipal. D'où une campagne du premier tour qui fait obligation d'être le plus consensuel, le plus socioprofessionnel, bref le plus urbain possible ; et une campagne du second tour qui offre la tentation des plus subtiles manœuvres.

Guillaume Malaurie : L'effet Noir symbolise cette campagne : solidaire de l'acquis lyonnais, mais avec une promesse de dynamisme plus visible pour le mandat suivant. Et, discrètement, l'avantage national pour le candidat socialiste à devenir le partenaire-adversaire de Michel Noir.

La Nouvelle-Calédonie
au-delà du référendum

Alain Pierrot [1]

En votant massivement « non », lors du référendum de novembre 1988, les « Caldoches » ont jeté un froid, ils n'ont suivi ni J. Lafleur, ni même le RPR dans l'abstention, mais bel et bien les consignes de l'extrême-droite. Et la forte participation électorale chez eux comme chez les Canaques manifeste avec éclat le clivage ethnique à l'issue d'un scrutin dont on attendait pourtant qu'il scellât leur réconciliation. Quelles sont donc les raisons de ce raidissement et ses conséquences possibles ?

En métropole, on connaît surtout de la Nouvelle-Calédonie les images dramatiques que l'actualité agitée a propulsées au cœur de la dernière élection présidentielle. C'est dire que les simplifications audiovisuelles n'ont guère permis d'aller au-delà du stéréotype du peuple colonisé, sorti de sa brousse et du fond des âges.

Les origines

Les archéologues ont bien établi l'ancienneté de la présence humaine en Nouvelle-Calédonie et une grande continuité dans la culture matérielle depuis plusieurs milliers d'années. Peut-on dire pour autant que « le Kanak fait partie des hommes issus d'une terre que l'insularité a isolée pendant vingt-deux siècles [2] » ? Pour souligner

1. Professeur de philosophie. A précédemment publié dans *Esprit* des articles sur l'immigration, sur la philosophie du langage, et récemment (octobre 1988) « la Nouvelle-Calédonie, l'immigration et l'identité française ».
2. J.-P. Besset, *Le dossier calédonien*, La Découverte, 1988, p. 57.

l'intensité du drame vécu à travers la spoliation coloniale, on a, à juste titre, invoqué l'identification des Canaques à la « terre sacrée ». Mais reprendre tels quels leurs mythes fondateurs pour légitimer un droit « absolu » sur ce territoire relève de la légende nationaliste la plus ordinaire. De même que les Gaulois n'étaient ni les premiers ni les derniers à former le peuple français, il semble qu'en Nouvelle-Calédonie comme ailleurs les mélanges de population aient été la règle aussi loin qu'on puisse remonter dans le temps : « Il nous faut échapper à un insularisme que rien ne justifie et traiter des relations extérieures de ce microcosme. Est-il besoin de préciser aujourd'hui que notre orgueilleuse certitude d'avoir été les premiers ne tient plus devant l'évidence ? Il n'est d'ailleurs que d'interroger les visages[1]. »

Sans la colonisation, parlerait-on aujourd'hui du même peuple canaque ? On peut également en douter. Ce sont les frontières coloniales qui l'ont différencié de ses plus proches voisins. Ainsi les familles établies au Vanuatu sont devenues « étrangères » à leurs parents vivant sur le territoire calédonien. De même, les Polynésiens venus il y a deux siècles de Wallis s'installer à Ouvéa (qui en a gardé la langue « faga » et le nom même de cette île symbole) sont bien de même origine que les « immigrés » wallisiens apparus dans l'actualité politique sous les traits négatifs d'hommes de mains stipendiés par le patronat et le RPCR.

La violence existait aussi, avant l'arrivée des Européens, sous la forme des guerres claniques. On a également évoqué, toujours dans le même souci de défense « maximaliste », l'harmonie communautaire de la société canaque traditionnelle, si différente des angoisses et solitudes de notre société individualiste. A lire M. Leenhardt cependant, quand il fait du suicide de l'épouse trompée un trait typique de la mentalité mélanésienne, on est conduit à penser que ces conflits interindividuels n'ont rien à envier aux nôtres pour leur intensité tragique. Certains défenseurs de la cause du peuple canaque semblent avoir du mal à admettre et l'obscurité de ses origines et la violence, comme s'il fallait absolument établir sa pureté ethnique et morale et donc adhérer aux mythes simplificateurs que sécrètent inévitablement les nationalismes. Il suffit bien qu'ils soient des hommes ordinaires pour avoir droit à la liberté et à la dignité, dénoncer cet angélisme maladroit ne remet aucunement en cause la légitimité des revendications des Canaques sur l'île à laquelle ils se sont identifiés.

La colonisation

Les marins et les missionnaires avaient précédé les militaires de plusieurs décennies. La prise de possession en 1853 fut suivie en 1864

1. J. Guiart, in *Ethnologie régionale*, La Pléiade, Gallimard, 1972, p. 1141.

de l'installation du bagne ; c'est donc comme colonie pénitentiaire que la Nouvelle-Calédonie entra dans l'histoire. Les déportés de la Commune de Paris, entre 1872 et 1878, firent passer la population pénale à près de 5 000, rejoints ensuite par quelques centaines de Kabyles révoltés. C'est alors que les Canaques organisèrent une résistance qui, sous la direction du chef Ataï, tint plusieurs mois en échec l'armée française et ses alliés locaux (dont la tribu de Canala).

Cette révolte de 1878 accrut leur réputation de violence ; les « communards » déportés eux-mêmes, dans leur très grande majorité, prirent parti contre eux. Au lieu d'éprouver à leur égard la sympathie active de Louise Michel, ils se conformaient à l'imagerie raciale de la fin du XIXe siècle. A leurs yeux, les Canaques occupaient la place peu enviable de la brute préhistorique, tout à l'opposé de la douceur de vivre polynésienne. Ces révolutionnaires étaient représentatifs de leurs temps [1], persuadés d'incarner, au même titre que leurs geôliers, la civilisation face à l'animalité : « La race des Kanaks est scientifiquement inférieure à la race blanche et même à beaucoup de races noires », écrit l'un d'entre eux [2].

Contrairement à ces républicains « purs et durs » qui, nonobstant leur passé internationaliste, assignaient aux Mélanésiens une nature inférieure, les missionnaires continuèrent l'évangélisation engagée dès avant la conquête, et furent ainsi les premiers à leur reconnaître une véritable dignité humaine. De cette situation initiale découlent deux conséquences : en premier lieu, l'acculturation est profonde, la christianisation de la culture canaque est aussi ancienne que les premiers témoignages sur elle et l'Église, surtout protestante, a su, sinon s'identifier à leur cause, du moins s'attirer leur confiance. Inversement, la République et son symbole, « l'école laïque », a été durablement située du côté de la domination coloniale. Pour s'en convaincre, il suffit de consulter les manuels de géographie qui, il y a quarante ans, traitaient encore les Canaques de race inférieure « en voie de disparition ».

La communauté canaque a bien risqué l'anéantissement, la population de la Grande Terre passant d'environ 50 000 à moins de 20 000 à la fin de la Première Guerre mondiale. Du point de vue de la colonisation « laïque », les Canaques furent ainsi réduits au statut problématique de « naturels » et promis à une extinction sans conséquence.

Il est difficile de mesurer l'influence ultérieure de cette angoisse de l'anéantissement, mais elle constitue vraisemblablement une blessure durable dans la conscience collective et une source de méfiance extrême vis-à-vis des Blancs. En 1917, Sarazin évoque la dénatalité : « Il est possible que des facteurs psychologiques entrent aussi en ligne

---

1. En 1875, Louis Figuier écrit dans *Les races humaines,* Hachette, p. 557 : « La laideur des Calédoniennes est proverbiale », et évoquant (p. 563) le cannibalisme : « Une joie farouche se peignait sur les visages de ces démons... »

2. Cité par Jean Bruhat, « Les communards contre les Canaques », *Le Monde* 22 février 1981, page XVIII.

de compte et qu'un certain désespoir se soit emparé de la race indigène, en face de la grande supériorité des Blancs qui s'impose partout[1]. » Pendant un siècle deux sociétés ont cohabité dans cette familiarité ambiguë dès lors que l'une domine l'autre sur une base raciale sans que les dominés soient nécessaires aux dominants : on fit appel à la main-d'œuvre asiatique, les Canaques pouvaient ainsi rester dans leurs réserves et leur nombre diminuer comme les superficies.

La présence des troupes américaines pendant trois ans, de 1942 à 1945, « bouleverse l'économie locale. Les fournisseurs de l'armée américaine s'enrichissent. Les troupes recrutent des employés locaux et les paient bien, y compris les Mélanésiens. Ceux-ci sont impressionnés par la puissance et la technique américaines. Les Européens garderont aussi une grande nostalgie de cette " occupation " et on trouve aujourd'hui encore quelques partisans d'une Calédonie américaine[2] ». Elle apprend aux Canaques que des Noirs peuvent être les égaux des Blancs.

Il faut cependant attendre 1957 pour que la loi Defferre généralise le droit de citoyenneté en même temps qu'elle confère au Territoire un premier statut d'autonomie. Les Canaques pénètrent ainsi dans le jeu politique. C'est l'époque où l'Union calédonienne, inspirée par les Églises, rassemble d'abord Caldoches et Canaques : « Deux couleurs, un seul peuple. » Dès leur arrivée au pouvoir, l'année suivante, les gaullistes procèdent à une première dissolution de l'Assemblée territoriale, correspondant comme les suivantes aux vœux de l'oligarchie locale. Malgré le retour à une certaine autonomie en 1976 et la réforme foncière (Dijoud), les Canaques, voyant autour d'eux les territoires les plus proches de l'arc mélanésien accéder à la souveraineté, revendiquent désormais l'indépendance, à laquelle se rallient les protestants de l'Église évangélique en 1979. La bipartition politique s'accélère, transformant chaque scrutin électoral en plébiscite sur l'indépendance.

Les « centristes » de la FNSC (Fédération pour une nouvelle société calédonienne), au lendemain de l'arrivée de la gauche au pouvoir, purent encore jouer un rôle de troisième force ; en changeant d'alliance ils permirent à J.-M. Tjibaou de prendre la tête du gouvernement local et votèrent avec les Indépendantistes l'instauration de l'impôt sur le revenu en 1982.

En 1983, la table ronde réunissant, à l'initiative de G. Lemoine, à Nainville-les-Roches, les parlementaires du Territoire avait abouti à une déclaration que le RPCR avait refusé de signer. Elle reconnaissait le « droit inné et actif à l'indépendance du peuple kanak » et prévoyait

1. « La Nouvelle-Calédonie et les Iles Loyalty ». Bâle, Georg et Cie, et Paris, Fischbacher, 1917, p. 39.
2. A. Christnacht, « La Nouvelle-Calédonie », *La documentation française*, n° 4839, 1987, p. 18.

un scrutin d'autodétermination ouvert « aux autres ethnies dont la légitimité est reconnue par les représentants du peuple kanak ».

En 1984, faute d'avoir obtenu satisfaction sur le corps électoral, les indépendantistes à leur tour rejettent le statut Lemoine d'autonomie « transitoire » et la situation devient insurrectionnelle ; les Blancs quittent la brousse pour se réfugier à Nouméa, les violences culminent le 5 décembre 1984 avec l'assassinat des dix Mélanésiens de Hienghène.

Edgard Pisani propose alors l'« indépendance-association ». Le statut de régionalisation voté pendant l'été 1985 permet la tenue des élections du 29 septembre 1985 qui voient le FLNKS, grâce à la participation massive (80 %), majoritaire dans trois régions sur quatre et le RPCR majoritaire au Congrès. Neuf mois plus tard, cet équilibre institutionnel est de nouveau rompu : retirant aux régions une bonne part de leurs responsabilités qu'il rétrocède au Congrès, le ministère Pons, en même temps, prend diverses mesures financières de « compensation » en faveur des Caldoches. Il renforce ainsi, s'il en était besoin, la conviction chez les uns et les autres que les institutions n'ont d'autre fonction que d'exercer le pouvoir au profit exclusif d'une communauté contre l'autre. Le système électoral devient l'alibi formellement démocratique de cette domination puisque les Canaques ne sont pas encore redevenus électoralement majoritaires. Choisissant la stratégie de la tension, le FLNKS offre au pouvoir l'occasion empoisonnée de manifester sa détermination brutale par le massacre d'Ouvéa, le 5 mai 1988.

La mission du dialogue

Michel Rocard, le 15 mai, envoie à Nouméa le préfet Christian Blanc, naguère collaborateur d'E. Pisani. La désignation des membres de la mission, choisis dans les « grandes familles spirituelles », présentait, outre l'avantage de ne pas s'inscrire immédiatement dans les clivages politiques, celui de tenir compte de l'importance locale des religions et de s'appuyer éventuellement sur leur crédibilité retrouvée du point de vue médiatique en métropole. Le but de la mission était en effet plus d'agir symboliquement et de rétablir le dialogue que d'analyser « objectivement » la situation. A l'heure où l'avion s'envolait de Paris, un attentat dans une HLM de la banlieue de Nouméa habitée par des Canaques, sur les murs du même quartier des inscriptions incitant au meurtre raciste : « La chasse aux Blancs est ouverte », donnaient la mesure de cette ambition.

La montée de la tension avait transformé la vie politique et l'avait réduite à un simple affrontement interethnique, Canaques contre Caldoches. La « racisation » du conflit devenait indéniable de part et d'autre. « Est-ce que j'ai une tête de Français, moi ? », lançait un leader indépendantiste à la télé ; la formule, prise superficiellement, pouvait passer pour une protestation « naturelle » et donc légitime contre l'oppression coloniale, elle faisait pourtant régresser le débat du niveau politique à la confusion funeste de la race et de la nationalité. L'infâme « chansonnette » traitant les Canaques de singes, et dont la diffusion fit scandale pendant la même période, ne constitue que la variante insultante du principe de la différence raciale redevenu principe politique.

Le préfet Christian Blanc, dans ces conditions, ajournant la question de l'indépendance, parvint à persuader les deux parties, entre Hienghène et Nouméa, que l'alternative était entre la violence et le développement. Dans la perspective pacifique, les indépendantistes ont besoin de l'État contre les oligarchies locales, mais le pouvoir gaulliste ayant, sur une période de plus de vingt ans, plusieurs fois mis fin arbitrairement à l'autonomie des institutions locales lorsqu'il le jugeait bon, il leur fallait se prémunir contre les aléas de la politique nationale. Comment y parvenir si ce n'est en recourant à l'instance même qui légitime le pouvoir : le peuple souverain, consulté par référendum ? C'est seulement à ce prix que les indépendantistes se sont engagés dans la voie pacifique. Le référendum a pu paraître insolite en métropole, il se comprend mieux dans le contexte calédonien, soumis depuis tant d'années aux revirements les plus brutaux de la politique parisienne. On peut penser que les principaux protagonistes ne s'y sont ralliés que pour des raisons tactiques et circonstancielles.

Quant au délai de dix ans, s'il présente pour les indépendantistes le risque d'un changement de majorité politique, il paraît indispensable dès lors qu'ils acceptent de faire dépendre l'avenir de l'île de l'issue d'un scrutin. En effet, pour que celui-ci, même avec un corps électoral « gelé », ne soit pas clairement en leur défaveur, il faut laisser la démographie continuer de jouer dans le sens du rééquilibrage. Seconde raison, la leçon des « indépendances » octroyées à la sauvette impose de toute façon de profondes transformations économiques et sociales sur place pour que les lendemains d'un vote d'« émancipation nationale » ne soient pas faits de misère et d'oppression.

On peut comprendre également ce que J. Lafleur a gagné : le scrutin d'autodétermination de 1998 constitue une perspective plus ouverte que l'« indépendance-association » d'Edgard Pisani, d'autant que le Premier ministre a lui-même souhaité le maintien du territoire dans la République française. De plus, la Région Sud est élargie et concentre, sous prédominance caldoche, l'essentiel des ressources et de la démographie.

L'accord prévoyait l'administration directe jusqu'au 14 juillet 1989. Cet acte colonial par excellence se voulait cette fois le moyen le plus rapide du retour au droit et de la mise en place rapide des mesures de développement économique et social en faveur des Canaques. Dans cette perspective, l'échéance du 14 juillet 1989 apparaît alors singulièrement proche.

Les voies du développement économique et culturel

Depuis les premières années de la colonisation jusqu'en 1985, les Canaques n'ont cessé de s'insurger contre la spoliation dont ils furent victimes, opposant la « propriété » coutumière et sacrée du sol aux titres octroyés par l'administration française. Cependant la rétrocession des terres aux clans en 1984 rencontra d'inextricables difficultés, compliquées par les « restitutions » opérées en sens inverse sous le gouvernement suivant en faveur des Caldoches et dont la justice est saisie. Il semble que les indépendantistes ne fassent plus de la récupération de la terre un élément aussi central dans leur stratégie. Leur réflexion porte plutôt sur un système de coopératives agricoles qui intégrerait les rapports marchands, sur l'instauration de rapports entre ville et campagne qui, sans dissoudre les communautés tribales, ne se soumettrait pas strictement à la « coutume ».

Le nickel a eu pour principal effet d'aligner la Nouvelle-Calédonie sur le profil de la monoproduction de matières premières, avec les conséquences habituelles du maintien de ce rapport typiquement colonial (ou néo-colonial) : l'enrichissement impressionnant de quelques grandes familles (les « petits mineurs ») qui constituent une aristocratie féodale toute-puissante. Employant peu de travailleurs et soumise aux aléas du marché mondial, l'industrie du nickel ne constitue pas, en son état actuel, une condition favorable à l'autonomie, on voit davantage les risques d'« asservissement » aux clients japonais.

L'économie repose bien davantage sur les transferts métropolitains : salaires d'une administration pléthorique et surpayée (deux fois les salaires métropolitains jusqu'à l'arrivée de la gauche, un peu moins depuis) ; cette opulence explique que le commerce se concentre presque intégralement à Nouméa et soit la deuxième activité économique ; le secteur tertiaire vit ainsi sur lui-même et s'écroulerait du jour au lendemain sans ces transferts. La dépendance politique actuelle est donc la clé de toute l'économie.

Le développement économique implique la formation des cadres ; la promotion des Canaques par le système de « quotas » adopté dans la loi suscitera-t-elle l'hostilité des Caldoches ? L'effort étant consenti par l'État sans que rien n'empêche les Caldoches de se lancer dans la même voie, on peut penser que cette crainte est excessive. Mais la formation de cadres dans l'immédiat est évidemment liée à plus long terme à la réussite scolaire des Mélanésiens, qui passe aujourd'hui encore pour exceptionnelle. L'école n'a vraiment touché l'ensemble du public scolarisable que depuis vingt ans. La population scolaire représente près du tiers de la population et sur les 32 000 élèves du primaire, 17 000 sont mélanésiens (55 %), dont 10 500 sont scolarisés à l'école publique. Les 6 500 autres élèves mélanésiens constituent la majorité (65 %) des élèves du privé. La « laïque » est toujours l'école des « Blancs », l'école privée, celle des « Noirs ».

Depuis 1985 sont apparues les EPK, « écoles populaires kanakes ». Inspirées par un nationalisme radical et par l'idéologie identitaire, elles n'ont pas pu échapper à la contradiction d'une éducation « communautariste ». Leur échec est patent. Quel sens peut-il y avoir en effet à scolariser « dans la tribu », en donnant pour contenu à l'enseignement la langue et la culture de la tribu, c'est-à-dire à faire, au mieux, ce que cette société a fait pendant des siècles : transmettre sa propre culture... sans l'école ? Il est symptomatique que le maire de Hienghène, J.-M. Tjibaou, ostensiblement, n'y ait pas mis ses propres enfants.

L'école a mis en crise les rapports d'autorité. Les jeunes adolescents reconnaissent de plus en plus difficilement l'autorité coutumière ou bien, au contraire, se raidissent dans une critique identitaire « intégriste », comme certaines formes de « mysticisme exalté » apparues dans les îles en témoignent. On pourrait craindre en effet que la revendication identitaire ne se fourvoie dans un « intégrisme culturel », processus de « contre-acculturation » : retour aux sources, observance rigoriste de la « coutume ». Quelques ethnologues semblent eux aussi avoir parfois éprouvé le désir nostalgique de conserver à leur cher objet d'étude la pure « altérité » qui les motiva initialement.

L'Agence de développement de la culture canaque, par son appellation même, indique une vue moins immobiliste : il est juste et indispensable de reconstituer les « archives » que, pour étouffer l'affirmation et la réappropriation de leur patrimoine culturel par les Canaques, l'on avait sciemment saccagées pendant la période Pons. Mais c'est bien comme condition de leur modernité que la définition de leur passé doit devenir pour les Néo-Calédoniens un objet conscient d'étude et d'enseignement. Le développement signifie surtout que la production culturelle moderne doit en finir avec l'imitation servile des modèles parisiens, que ce soit dans les émissions de RFO ou dans la création architecturale qui, en Nouvelle-Calédonie comme ailleurs outre-mer, ne tient guère compte des spécificités climatiques ou des manières locales de « vivre ensemble ».

Le sort des autres ethnies

Il fut beaucoup question de l'arrêt de l'immigration des Wallisiens avant que l'argument ne soit « désamorcé » par le gel du corps électoral. Reste cependant le problème social. Le délégué du gouvernement en Nouvelle-Calédonie est également chargé de Wallis. On espère, par la persuasion exercée sur les chefs coutumiers à Wallis, pouvoir freiner une émigration qui a déjà conduit à la Nouvelle-Calédonie une communauté wallisienne aussi nombreuse que la population totale restée à Wallis. Même si le flux migratoire, que rien légalement ne peut empêcher, vient à s'interrompre, l'intégration des « immigrés » restera un devoir civique en Nouvelle-Calédonie.

Le vote hostile des Caldoches désavouant la position adoptée par J. Lafleur montre à quel point leur évolution n'est pas acquise : accepteront-ils de voir les Canaques sortir de leur marginalité et les concurrencer directement dans la gestion et la décision ? Si ce plan de développement et de promotion des Mélanésiens est réellement mis en application dans les années à venir, les relations intercommunautaires devraient être profondément modifiées. La rente de situation coloniale n'a guère incité les Caldoches à la compétition intellectuelle ou sociale. Il a suffi jusqu'à présent d'« importer » de métropole les cadres que le niveau de salaires a vite fait de rendre solidaires de ceux qui détiennent le pouvoir réel sur place.

Il se peut qu'en aidant la Nouvelle-Calédonie à se développer réellement, la remise en cause de leurs prérogatives économiques ébranle la conception du monde des Blancs. Si cette communauté s'identifie à la domination, s'il importe avant tout aux « loyalistes » de disposer d'une plage où l'on puisse surfer à longueur d'année, plutôt que de reconnaître l'égale dignité des autres hommes vivant sur le même territoire, ils partiront. Hannah Arendt le disait, les hommes qui s'identifient au colonialisme sont des déracinés. Certains seront peut-être tentés de réaliser le rêve des « Amis de l'Amérique » : constituer la dernière étoile du drapeau américain, ou rallieront le pays des Blancs, l'Australie, dans une ferme du Queensland. Il ne faut pas oublier que les alliances politiques ont dans cette région un caractère tactique et ambigu, la sollicitude du gouvernement australien pour le FLNKS est bien « anticoloniale », mais d'un autre côté la célébration du « bicentenaire » australien en 1987 était celle de la domination blanche sur les « aborigènes ». Il y a dans cette région du Pacifique-Sud des solidarités raciales désirées ou réelles que la diplomatie ne peut pas décemment mettre trop en évidence mais qui, en profondeur, peuvent infléchir les positions des diverses parties en présence.

Si les Caldoches prouvent au contraire qu'ils ont pris racine, ils seront obligés de se rendre nécessaires au développement de leur pays et d'accepter, eux aussi, des rapports de réciprocité avec les Canaques, c'est-à-dire l'instauration de la démocratie en Nouvelle-Calédonie.

Le désenclavement régional

Comme la plupart des DOM-TOM, la Nouvelle-Calédonie a artificiellement peu de contacts avec ses voisins. La télévision elle-même reste « parisienne », alors que le développement des échanges économiques est inséparable de la communication en français et en anglais avec les proches voisins du Vanuatu. Les Canaques ne peuvent que souhaiter voir leur île prendre une importance plus grande dans les échanges régionaux et intercontinentaux de toutes sortes, c'est pourquoi en particulier ils tiennent à garder la seule langue commune qu'est pour eux comme pour nous le français. Il semble bien, en toute hypothèse, que la langue française soit indispensable à leur liberté.

Comment ne pas voir que ce problème est celui de l'ensemble de l'outre-mer français mis « en sommeil » par le maintien de l'économie de « comptoir » ? Lors de la campagne, les partisans du « non » sont régulièrement revenus sur le risque de « contagion », mais si l'on se reporte au scrutin du 6 novembre, les 82 % d'abstentions dans l'ensemble de l'outre-mer témoignent plus de l'« insularité » civique, de l'enclavement profond, que d'une prise de conscience solidaire. La politique coloniale, au-delà des différences ethniques et des disparités de statut, a presque toujours établi une double dépendance, économique et administrative. La classe dominante y a lié son sort aux activités artificielles que permettent les transferts de capitaux métropolitains, grâce à des régimes fiscaux qui asphyxient le développement et coupent les liens d'échange avec les environnements régionaux. Comment l'interdépendance économique européenne pourrait-elle évoluer vers une plus grande intégration, dans les années qui viennent, sans avoir d'incidence sur ce complexe économico-politique archaïque dont les plus nationalistes d'entre nous voudraient faire une chasse gardée au mépris de la rationalité et de la justice ?

L'idée d'indépendance-association d'Edgard Pisani s'accordait avec celle de fédération ou de *commonwealth,* elle pourrait encore donner un contenu à la communauté « mort-née » de la Constitution de 1958. Il faudrait pour cela que, dans les relations économiques et culturelles entre la France, ou l'Europe, d'une part et la Région Sud-Pacifique d'autre part, les solidarités se substituent aux dépendances. Des valeurs culturelles communes : démocratie, langue et histoire « partagée », donneraient aux échanges, malgré l'éloignement et les limitations qu'il impose, une signification plus forte que celle de la seule logique économique.

Comment être libres ?

« A force d'essayer de devenir le modèle proposé par l'école, le modèle proposé par l'Europe, et ne pas pouvoir atteindre le modèle, on finit un jour par se poser la question : mais qui sommes-nous ? d'où venons-nous [1] ? » Il semble bien que les Canaques n'aient pas d'« identité » toute prête à simplement réaffirmer. Ils ne peuvent pas rester « dans » le mode de penser coutumier, même s'ils en gardent l'« esprit » dans ce qu'il a de plus subtil. Les règles de vie traditionnelles explicites sont incompatibles avec le développement économique et une insertion active dans leur environnement régional.

Soumettre systématiquement l'initiative individuelle au jugement de la communauté de base devient vite insupportable : « Je dirais qu'on est beaucoup plus à l'aise quand on est coupé de son groupe. Quand on n'est plus en Calédonie... Si on est à Nouméa, bon, ça va déjà mieux... Si on est à Paris on est à l'aise. Je dirais à l'aise, pas au sens " moral ", mais au sens sociologique [2]. » La liberté individuelle et la liberté collective sont indissociables l'une de l'autre et ces tensions montrent que l'incertitude est totale sur le devenir libre de cette communauté qui est vitalement sommée de modifier en profondeur non seulement ses rapports « externes » » avec le reste du monde, et tout d'abord les Français, mais aussi ses propres règles « internes ».

La question de l'indépendance, bien qu'ajournée, reste posée ; le gouvernement français s'est engagé auprès des Canaques à faire en sorte que le scrutin prenne le sens d'un vrai choix : c'est-à-dire que les pesanteurs sociologiques, pour parler pudiquement, et la situation économique ne contraignent pas d'avance à voter pour le maintien du *statu quo.* Conduire un autre peuple à sa « majorité », si cela pouvait se faire, ce serait réaliser sur le tard l'espoir de Condorcet : « Alors les Européens, se bornant à un commerce libre, trop éclairés sur leurs propres droits pour se jouer de ceux des autres peuples, respecteront cette indépendance qu'ils ont jusqu'ici violée avec tant d'audace [3]. »

Alain Pierrot

1. J.-M. Tjibaou, « Être mélanésien aujourd'hui, *Esprit*, sept. 1981, p. 85.
2. *Ibid.*, p. 92.
3. *Esquisse d'un tableau historique des progrès de l'esprit humain*, Vrin, 1970, p. 207.

JOURNAL

LA CENSURE ÉRIGÉE EN MÉTHODE INTELLECTUELLE

Les propos d'Anne-Marie Duranton-Crabol et de Zeev Sternhell (« La droite française à la conquête des esprits », *Libération,* 2 février) illustrent les paradoxes de l'intransigeance intellectuelle. Les interviewés écrivent sur le fascisme non pas pour le comprendre mais pour l'éradiquer. Chirurgiens, ils ne s'occupent pas de la nature de la tumeur mais de son extension (et comme ils se méfient, ils préfèrent en enlever plus que moins). C'est pourquoi une description du fascisme leur suffit et même une description qui, partant de l'environnement, utilise surtout des traits négatifs : est fasciste *tout ce qui s'oppose* à l'individualisme, l'universalisme, le libéralisme, l'égalité, la lutte des classes.

Cette méthode constitue un certain nombre d'idées en critères de l'antifascisme, celles qui les contredisent étant classées champignons vénéneux. Ce manichéisme ne produit pas beaucoup de clarté. Pour que le monde soit conforme à ce que suppose l'antifascisme absolu, il faudrait que les idées qui suscitent la haine des fascistes soient acceptables pour tous les non-fascistes, donc qu'elles forment un corpus cohérent. Ce n'est évidemment pas le cas. Par exemple, la lutte des classes et l'individualisme libéral ne font pas bon ménage ; en s'opposant, les tenants de l'une ou de l'autre en viennent même à brandir des valeurs et des sentiments que les antifascistes professionnels ont repérés (par exemple dans l'interview à *Libération*) comme typiquement fascistes : la communauté, la défiance vis-à-vis de l'argent... Ainsi, il arrive que des socialistes, quand ils s'en prennent au capitalisme sauvage, disent leur dégoût de l'argent et de l'affairisme ; il arrive aussi que des libéraux reprochent aux socialistes de menacer la communauté nationale. On voit qu'entre fascistes et antifascistes, la séparation n'est pas vraiment étanche. Déception pour l'histoire-censure qui voudrait construire le schéma d'un monde où le fascisme serait aussi exotique que la pluie sur la Lune.

Le tri définitif (le jugement dernier) des idées n'étant pas possible, l'antifascisme sans rivages se contente d'une sévérité arbitrairement distribuée : le fascisme que l'historien décèle chez certains, il pourrait aussi bien le trouver chez d'autres, s'il lui prenait de s'intéresser à eux. Cela ne favorise pas l'intelligence des processus où l'on voit la critique d'une idée ou d'une institution servir à sa régénération. Pour prendre un exemple connu, Sternhell a stigmatisé *Esprit* des années 30 et Uriage pour leurs diatribes contre la IIIe République. Mais, enfermé dans sa tautologie de base (le bien c'est le bien, et il s'oppose au mal), l'historien est bien en peine d'expliquer comment le même courant a pu préparer une seconde fondation de la République en France à la Libération.

Malgré ces insuffisances criantes, Sternhell s'accroche à sa méthode, parce qu'elle satisfait un rêve d'épurateur : si on pouvait dresser une nomenclature des bonnes idées et des mauvaises, on serait hors de danger ! Malheureusement, la leçon du totalitarisme, c'est que le plus grand danger réside justement dans les classements manichéens[1]. L'expérience du siècle prouve qu'avec des idées crapuleuses (le nazisme) comme avec des idées sublimes (le socialisme absolu), on peut arriver aux pires résultats. Cela n'entraîne pas que toutes les idées se valent et qu'il faudrait ne pas en avoir, mais cela montre que le plus trompeur est de croire que les idées bonnes n'ont que de bons effets, et réciproquement. On est ainsi conduit, en effet, à mettre au-dessus de tout débat possible (et à constituer en dogme) une conception définie du bien universel. Ainsi hypostasiées, les meilleures idées deviennent obscures, comme toute formule isolée de celles qui lui sont contraires, et surtout elles justifient la proscription et la violence. Il n'y a pas seulement des idées bonnes et des idées mauvaises, il y a aussi (surtout) un mauvais usage des idées, qui est de les prendre comme des propositions pures, rondes, sans ambiguïté, alors qu'elles ne trouvent vie et sens que dans un dialogue, une interpénétration critique.

La démagogie morale (que nos historiens ont héritée de la « nouvelle philosophie ») perpétue le slogan maoïste des « idées justes » échappant à la discussion, mises à part d'idées damnées, dont il n'y aurait rien à apprendre et qui seraient en dessous de toute discussion.

1. Hannah Arendt l'a clairement montré. Il n'y a pas d'idées totalitaires en elles-mêmes mais des idées dont se sont emparés des mouvements totalitaires (*Le système totalitaire*, Le Seuil, 1972, p. 218).

Il est éclairant que dans la même interview, Anne-Marie Duranton-Crabol s'inquiète de la « légèreté », de « l'insouciance » d'intellectuels qui envisagent de débattre éventuellement avec des gens de la « nouvelle droite ». Et l'historienne de reprendre les interdits stalinoïdes : il a cité Machin ! il a discuté avec Chose ! Pourtant le bon usage des idées n'est pas celui qu'inspire la crainte de l'impureté, mais la curiosité et une défiance méthodique envers ses propres convictions.

Répétons-le devant les censeurs : en principe (sauf urgence politique ou perspective d'une confrontation inutile) nous devons échanger des idées avec tout le monde et nous rendre, si nous le pouvons, partout où il y a à apprendre et à comprendre.

Paul Thibaud

MITTERRAND ET LES « AFFAIRES »

« On a donné la Vaudoise à 99 % pour 40 000 avec 3 recoupements. » C'est en ces termes cryptés que les RG ont confirmé au *Monde*, le 20 janvier, l'existence du fameux « rapport » impliquant Pelat, qui a permis au quotidien de relancer l'affaire Péchiney vers l'Élysée. Cette apogée sémantique a le mérite d'éclairer la nature de la jouissance qui a secoué l'opinion de longues semaines au contact d'une affaire bien mineure en comparaison d'un épineux dossier comme celui de l'éducation. Plaisir de s'« initier » au code, de déchiffrer les arcanes des OPA, coups de bourse, montages de holdings, paradis fiscaux, achats clandestins d'actions et transferts de fonds via la Suisse ou le Luxembourg, à travers une anti-*success story* qui est aussi l'envers des suppléments économiques et autres guides pratiques sur la meilleure façon de placer nos centimes.

Au moment où certains s'étaient pris à croire qu'il n'y a plus d'élite que médiatique, d'influence que télévisuelle, d'autorité qu'éclatante de visibilité, la surprise n'a pas été mince de découvrir les relations de quelques hommes discrets au carrefour de pouvoirs et de milliards authentiques. Ce piment de finance internationale a épicé l'affaire, lui a donné son goût d'époque, comme la promotion immobilière a marqué de son cachet le début des années 70. De même que les scandales de la construction, au-delà du rappel de la règle de droit, avaient exprimé de nouvelles aspirations écologiques à un contrôle de la croissance et une humanisation de l'urbanisme, les affaires récentes illustrent un souci nouveau de moralisation, ou au moins de régulation sérieuse de la spéculation financière.

La vitesse de la mue culturelle de la France n'a pas fini de nous étonner : à peine le profit a-t-il été débarrassé de l'assimilation au mal qu'il doit se plier à des règles de transparence. Les faiseurs d'argent n'auront pu qu'un instant cumuler le bénéfice nouveau de la glorification du chef d'entreprise avec le privilège ancien d'opacité qui, en pays catholique, préserve des règles communes ceux qui manient la richesse ou le pouvoir. La « protestantisation » du pays, décrite par Alain Duhamel en 1985 se remarque aussi à l'approbation quasi générale du travail de la presse, à J.-P. Chevènement près.

Reste à savoir si, comme les scandales immobiliers avaient sonné le glas de l'État-UDR, ces affaires annoncent la fin d'une époque politique. Il semble que l'affaiblissement de François Mitterrand vienne de deux comptes qui se soldent simultanément : celui de sa relation personnelle à la politique et celui de la Constitution.

Homme de réseaux et d'amitiés, il ne peut qu'être touché par le délit de mauvaises fréquentations imputé par Mauroy à... Boulbil ; si le Florentin qui a su duper tous ses rivaux se retrouve « chagriné » par son compagnon de promenade quotidien, c'est que son intelligence peut être prise en défaut, ou que l'intelligence est une qualité politique à relativiser. Superbe tacticien, il a pu, d'un mot, vitrifier la CNCL pour, quelques mois plus tard, quand l'opinion ne s'intéresse qu'à la COB, nommer un féal à la tête du CSA, mais ce sens de l'opportunité finit par entamer la crédibilité de sa parole. Président incontournable, il a pu se passer d'objectifs de campagne et annoncer le gel des privatisations comme des nationalisations, pour inventer ensuite le contrôle public par l'utilisation des capitaux privés (à moins que ce ne soit le contraire), mais au risque de créer des déçus de la France unie.

Or ces doutes sur ce qu'on doit attendre d'un homme politique et ces désillusions sur la politique menée se produisent dans un climat marqué par une inquiétude plus structurelle. La tentation absolutiste a condamné le gaullisme, la dérive monarchique a fait chuter Giscard. La gauche a longtemps été protégée de semblables accusations parce que son pouvoir semblait de parenthèse et que le joyeux désordre du PS offrait un contrepoids minimum au Château. Mais à partir du moment où la présence de la gauche dans les meubles devient naturelle et que les divisions du PS paraissent n'être plus que des rivalités de clans, la disparition de tout contre-pouvoir symbolique met à nu la concentration de pouvoir accordée par les textes et la pratique à l'Élysée. La situation hors contrôle où se trouve Mitterrand depuis qu'il est le premier président à être deux fois élu au suffrage universel alimente cette inquiétude au moins autant à gauche qu'à droite.

L'ironie des choses veut que l'hôte de l'Élysée soit l'un des premiers à avoir perçu ce mouvement de l'opinion et à avoir essayé d'y répondre avec le thème d'une présidence distanciée. Mais, soit à cause d'une désinvolture qui l'a empêché de mesurer la profondeur de cette attente, soit du fait de trop d'habitudes prises autour de lui, les remontées sont restées trop voyantes et les interférences trop nombreuses. Déjà l'on ne se satisfait plus de la volonté du Prince de ne pas abuser de son pouvoir, et l'on s'achemine vers l'exigence ouverte de contre-pouvoirs définis. L'hymne à la COB et la charge de Rocard contre « les entourages » invisibles dans la Constitution ne sont que des hors-d'œuvre. Mais dans l'intervalle le Président reste la cible privilégiée de l'air du temps, le premier fusible d'un pouvoir trop compact.

Face à cette chronique d'un grand deuil annoncé, les socialistes semblent moins atteints. Ils peuvent d'abord trouver une consolation dans la symétrie des gênes produites par les deux affaires. Péchiney fait mal à gauche, en ramenant à la portion congrue les 6 milliards de l'Éducation nationale, mais n'ouvre pas d'espace à une autre politique économique, quelles que soient les incantations robespierristes de Max Gallo. La Société générale fait mal à droite, et c'est le sens de l'éclat de Fauroux, contre l'utilisation de la Caisse des dépôts, pour l'État impartial et le droit des patrons efficaces à travailler en paix. Mais rien ne prouve que Fauroux a perdu sa guerre. Surtout, l'embarras politique des socialistes ne va pas, dans l'opinion, jusqu'à entraîner une responsabilité politique collective. Non que celle-là juge les affaires sans gravité, non qu'elle renvoie gauche et droite dos à dos, mais parce qu'elle a tendance à évaluer les mérites et les fautes de façon plus individualisée.

Ses exigences morales vont même croissant : au respect de l'adversaire et au sens civique sont en train de s'ajouter une conception plus stricte de l'intégrité, voire des mœurs. Montesquieu contre de Gaulle et le président Wilson (ou Mendès) contre Machiavel. Un programme de libéralisme politique pour un homme vertueux : tel pourrait être le changement d'époque que laissent présager les affaires.

Mithridate Dupont

L'UTOPIE DU NIVEAU MINIMUM GARANTI

Il y a un mystère avec le gouvernement Rocard : on s'imaginait que l'héritage le plus sûr de la deuxième gauche était dans une distance critique avec les thèmes classiques de la gauche jacobine et dans une capacité d'invention sur le terrain social. Or, si Michel Rocard manifeste effectivement une heureuse originalité dans sa manière transparente de gérer à chaud les situations conflictuelles (exercice dans lequel on ne l'attendait guère), on ne peut que rester perplexe devant le manque d'imagination et le conformisme idéologique avec lequel certaines grandes questions sont abordées.

Tout a été dit ici même sur le revenu minimum [1] (encore que l'on doive souligner que le dispositif d'évaluation inclus dans la loi constitue potentiellement une avancée majeure). Ce que l'on sait du dossier crédit-formation suscite également quelques interrogations. Au départ, à n'en pas douter, une bonne idée : celle de « deuxième chance ». La lutte contre l'échec scolaire ne passe pas seulement par une réforme de l'école, mais par la possibilité offerte à ceux qui manifesteraient une vraie motivation de reprendre au cours de leur vie active un cursus de formation pour accroître leur

1. Cf. *Esprit*, mai 1988 ; novembre 1988 ; et l'ensemble sur « L'extrême pauvreté et le RMI », décembre 1988.

niveau de formation et annuler les conséquences d'une jeunesse ratée. Par rapport à cette bonne idée initiale, le projet est menacé de plusieurs dérives qui risquent d'en faire un « monstre », à mi-chemin entre un simple habillage de la prolongation quasi obligatoire de la scolarité et un ravalement du traitement social du chômage.

La première dérive porte vers la définition d'un droit de nature trop générale : la gauche ne sait pas résister à la tentation d'ajouter à tout propos de nouveaux paragraphes à la Déclaration des droits de l'homme et du citoyen. En l'occurrence, il fallait choisir entre un dispositif novateur et coûteux, et donc nécessairement sélectif, qui aurait vraiment mérité le nom de « seconde chance », et une procédure massive de « retraitement » de l'échec scolaire. Dans son état actuel, le projet prévoit que la totalité des jeunes sortis de l'école sans diplôme et qui n'auraient pas trouvé un emploi dans un délai donné (un ou deux ans), se verraient proposer un « parcours » de formation professionnelle, à base de stages ou éventuellement de retour dans le système scolaire, d'une durée pouvant atteindre deux ans. Pour une part, ceci ne ferait qu'accomplir définitivement la volonté, de plus en plus nettement affirmée par plusieurs gouvernements successifs, de ne pas laisser les jeunes pointer au chômage avant 18 ans. La novation est ici dans la notion de « parcours », débutant par un bilan des connaissances antérieures, et se concluant quoi qu'il arrive par une validation des acquis. On passerait ainsi imperceptiblement de la scolarité obligatoire à la quasi-obligation (voulue comme un droit !) de voir son « niveau » mesuré et catalogué dans une nomenclature hiérarchisée à prétention universelle. En dehors du discours désagréablement normatif qui l'accompagne, la restriction du droit aux jeunes sans diplômes écarte du dispositif une bonne partie de ceux à qui il aurait été le plus profitable : jeunes adultes, de formation moyenne ou inadaptée, se découvrant progressivement une vocation professionnelle forte.

On ne peut d'ailleurs qu'être frappé par la similitude de cette démarche maladroitement égalitariste avec celle qui a prévalu dans le cas du revenu minimum. *Mutatis mutandis,* on est en train de créer une nouvelle « allocation différentielle », comme si, en matière de formation, de revenu ou d'insertion, la seule solution était de mettre en route une sorte de voiture balai qui solde définitivement le compte des inégalités sociales les plus criantes. En fait, le parallélisme entre les deux mesures va très loin : dans les deux cas, plutôt que de s'attaquer frontalement aux mécanismes d'exclusion qui agissent au sein du système de protection sociale ou du système éducatif, on crée de toutes pièces, en marge de ce qui existe, un nouveau droit censé corriger les conséquences des imperfections et dysfonctionnements des structures existantes.

La deuxième dérive consisterait à réduire la formation à l'acquisition de connaissances ayant vocation à être sanctionnées par un diplôme. Plus encore que pour les trop fameux « 80 % de bacheliers en l'an 2000 », il est urgent de mettre en doute cette manière de quantifier les objectifs du système éducatif. En l'occurrence il s'agit ni plus ni moins que de consacrer le « niveau V » (CAP ou équivalent) comme une sorte de minimum vital de formation en dessous duquel on ne peut être par définition qu'un paria de la société. Mai 68 est bien loin ! Il ne faut certes pas se payer de mots et sous-estimer la difficulté d'objectiver, de rétribuer une formation autrement que par une évaluation impartiale, idéalement un diplôme reconnu nationalement. Mais à tout le moins, on est en droit d'espérer que l'institution du crédit-formation sera mise à profit pour poser à nouveau cette vieille question et tenter d'y apporter des solutions originales.

La troisième dérive conduirait à faire du crédit-formation l'axe principal d'une stratégie de lutte contre le chômage des jeunes. Le raisonnement est bien connu : on part du constat parfaitement exact que les jeunes sans qualification ont nettement plus de difficulté que les autres pour trouver du travail, et on en déduit un peu vite que la lutte contre le chômage des jeunes passe principalement par la lutte contre l'échec scolaire. Ce faisant, on fait semblant d'ignorer que l'institution scolaire a été délibérément conçue comme un filtre social, un moyen de sélection. Comme dans cette fameuse histoire belge dans laquelle, sur la base de statistiques irréfutables, on instaure la pratique obligatoire du karaté pour réduire la mortalité des incendies dans les lieux publics.

Par ailleurs, si une action spécifique en faveur des jeunes les plus menacés d'exclusion est évidemment nécessaire, elle ne relève pas de la formation au sens classique du terme. L'expérience récente de la lutte contre le chômage conduit à une meilleure compréhension des rapports entre les difficultés d'insertion professionnelle et les lacunes de la formation initiale. C'est l'idée largement partagée que dans un certain nombre de cas la formation a pour préalable un début d'insertion économique qui a justifié le fort développement de l'apprentissage et des formations en alternance. Comme le montre notamment Patrice Sauvage dans son livre *Insertion des jeunes et modernisation* (Economica), la gravité du chômage des jeunes en France renvoie plus à la rigidité de la gestion de la main-d'œuvre dans les grandes entreprises employant du personnel peu qualifié, et dans une certaine mesure aux garanties dont bénéficient les salariés en place, qu'aux mauvaises performances du système scolaire.

Ce tableau peut déjà paraître sévère, mais on doit y ajouter deux éléments supplémentaires de confusion : les objectifs d'éradication de l'échec scolaire dans le cadre de la formation initiale annoncés simultanément par Lionel Jospin (la même cible que le crédit-formation avec une logique et des moyens différents !), et la reprise prévisible de la croissance du chômage en 1989, qui conduira tôt ou tard à une relance de la politique de « stagisation » des chômeurs. La concomitance du projet Jospin et du crédit-formation risque de faire passer insensiblement du concept de « stage parking » à celui « d'école parking », déjà latent dans le fameux « dispositif Catala » de 1987 de prolongation artificielle de la scolarité par un sas à base d'entretiens et autres stages d'orientation. Rien à voir avec l'idée de « seconde chance ».

Il est donc urgent pour le Premier ministre de ramener l'idée de crédit-formation à des dimensions plus modestes et plus raisonnables, sous peine de faire naître de faux espoirs et, finalement, de porter atteinte à la crédibilité de l'ensemble de ses projets sociaux et éducatifs.

Louis Bouret

LE VOYAGE À TOKYO

Le président du Reich, Hindenburg, vient de décéder d'une maladie abondamment couverte par les médias du monde entier. S'inclinant devant la puissance de l'Allemagne contemporaine, le président de l'État d'Israël, Haïm Herzog, a décidé, après un débat pour la forme au sein du cabinet, de se rendre aux obsèques officielles de l'homme qui, en janvier 1933, nomma Adolf Hitler chancelier. Sans aucun débat, le président français François Mitterrand, ancien résistant, a décidé d'aller présenter ses respects au défunt président.

Politique fiction ? Pas si sûr ! Car enfin, a-t-on oublié que Hiro-Hito, tout au long de sa longue carrière précédant la capitulation de l'Empire du Soleil levant en 1945, a couvert tous les agissements du parti militariste arrivé au pouvoir au début des années 30 ? De la fondation du Manzhouguo à l'invasion de la Chine, de l'attaque sur Pearl Harbor à la conquête de l'Asie du Sud-Est au cours de laquelle les troupes impériales se distinguèrent par leur cruauté, tout fut fait au nom du Mikado.

Depuis qu'il a été sauvé par Mac Arthur à la libération, l'Empereur est certes devenu un monarque constitutionnel sans grand pouvoir, qui a présidé au miracle japonais.

Mais que diable, en cette année du bicentenaire de la Révolution française, qu'un président philosophe qui se réclame sans cesse de la mémoire historique aille sans broncher s'incliner devant la puissance d'un Japon qui n'a jamais fait le moindre retour en arrière sur cette période dramatique de son histoire, est proprement scandaleux. Pourquoi, alors que l'on a fait tout un scandale autour de l'élection de Kurt Waldheim, va-t-on rendre hommage à l'un des derniers grands criminels de guerre de notre époque ? En Grande-Bretagne et en Nouvelle-Zélande, les marques de respect des autorités locales ont soulevé un tollé dans l'opinion publique. Mais nos compagnons de la Libération, nos médaillés de la Résistance, nos associations de déportés se sont fait remarquer... par leur silence. Serait-ce parce que les morts, lorsqu'ils ont la peau jaune, pèsent moins lourd ?

La révérence marquée par les principaux dirigeants du monde occidental au dernier représentant vivant de la direction militariste japonaise apparaît comme un coup de poignard dans le dos de ceux qui, au Japon même, cherchent à lancer un mouvement de réflexion autocritique sur l'histoire du Japon contemporain.

Après les voyages en Tchécoslovaquie et en Iran, à des moments pour le moins mal choisis, ce voyage à Tokyo de notre président de la République montre que les considérations philosophiques ne pèsent guère devant les impératifs de la Raison d'État !

Jean-Philippe Béja

IGOR ET LA DÉMOCRATIE

Nous l'appellerons Igor. Il est économiste à Moscou et travaille à l'Académie des sciences de l'URSS. C'est un de ces jeunes spécialistes de haut niveau qui, bon an mal an, sont formés dans la patrie des Soviets. Il quitte son pays pour la première fois. Je le rencontre en Pologne où il fait partie d'une délégation officielle invitée par des intellectuels polonais. Jusque-là, rien de vraiment palpitant. Des Russes officiels en Pologne, beaucoup pensent qu'il y en a trop. Sauf... Sauf à considérer que cette délégation est celle d'un club non gouvernemental, d'une de ces toutes nouvelles associations récemment légalisées en URSS. Igor est membre fondateur du club « *Perestroïka* démocratique », officiellement enregistré depuis quelques mois.

« *Perestroïka* démocratique » est un club interdisciplinaire et rassemble, nous dit Igor, des sociologues, des juristes, des économistes, des historiens, des informaticiens, etc. Club de discussion, on y parle, dissèque, critique publiquement des projets de Gorbatchev et du Parti. Des conférences-débats, annoncées dans les universités de Moscou et à l'Académie des sciences, se tiennent deux fois par mois et rassemblent entre 500 et 1 000 personnes. Un conférencier présente une problématique et développe sa thèse. Lui succèdent un ou deux contradicteurs pour de courts exposés. Puis la parole est à la salle.

De quoi parlent-ils ? De la démocratie en URSS, de la manière de réformer l'industrie ou l'agriculture, de la sauvegarde de l'environnement, du pluralisme, de la motivation des travailleurs dans les usines. Bref, de tous les sujets clés de la société soviétique contemporaine.

Le club, nous dit Igor, ne suit aucune ligne politique précise et ne dépend d'aucun des multiples courants ou clans du parti. Les gens qui s'y rassemblent viennent de tous les horizons : il y a des membres du Parti – ceux qui sont là pour rapporter ce qui s'y dit à la hiérarchie, comme ceux qui y viennent sans arrière-pensée –, il y a les sans-parti et ceux qui se réclament des courants les plus divers, du libéralisme à l'écologie en passant par la social-démocratie, il y a ceux qui viennent pour voir ou simplement pour goûter aux délices tout frais du débat. Le club est essentiellement fondé sur des valeurs morales : l'antiracisme, l'anti-extrémisme, le pluralisme, le rejet du monopole de la vérité. C'est tellement vrai, que son aile la plus radicale, celle qui réclamait un engagement politique précis et marqué, a fait scission pour fonder un nouveau club (qui, lui, n'a pas été reconnu officiellement).

Le but du club, poursuit Igor, est la construction d'alternatives concrètes et réelles. Il s'agit de peser sur le processus en cours, de faire des propositions. Ainsi, le club a été récemment le lieu d'une vive et longue discussion du projet de loi légalisant de nouvelles organisations et associations. Ont participé au débat les rédacteurs du projet de loi, envoyés par le Soviet suprême, et qui avaient pour mission principale de recueillir les réactions de la salle. Le pouvoir cherche ainsi à prendre le pouls de « l'opinion publique » puisque celle-ci ne s'exprime pas à travers les structures partisanes ou étatiques.

La *perestroïka* est-elle irréversible ? Jusqu'où ira Gorbatchev ? Où en est la question des nationalités ? Y aura-t-il encore une Union soviétique dans trente ans ? Igor et ses amis restent prudents.

Pour eux, Gorbatchev n'est certainement pas un démocrate, c'est avant tout le chef du Parti et de la Nomenklatura qui cherche à les faire suffisamment évoluer pour les sauver de la mort. Malgré les apparences, le Parti ne contrôle pas grand-chose. Le système économique est chaotique et profondément obsolète, la croissance faible, les gâchis énormes, l'approvisionnement de la population comme des usines, indigent. L'environnement est saccagé, la confiance dans le Parti nulle, le renouveau religieux manifeste, les nationalités en pleine effervescence, le socialisme mondial en crise et en régression (Afghanistan, Mozambique, Angola, Nicaragua, Cambodge, etc.).

Renouveler ou mourir, tel est le dilemme gorbatchévien. La *perestroïka,* la restructuration du système est urgente. Gorbatchev peut échouer. Igor pense que tôt ou tard il sera remplacé et qu'un retour complet en arrière est impossible. Le club cherche, lui, à renforcer et stabiliser la *perestroïka.* Quant aux nationalités, les discussions n'ont fait qu'effleurer le problème, de peur d'allumer des incendies.

L'effervescence du Caucase et des Pays baltes peut conduire à plusieurs scénarios. De la conjugaison du nationalisme extrême et de l'hystérie du pouvoir central menant tôt ou tard à l'éclatement de l'Union, à la refonte d'un véritable État confédéral basé sur la souveraineté et l'égalité des peuples qui le composent, tout est envisageable, rien ne paraît encore exclu. Lequel de ces scénarios l'emportera ? Igor ne peut ou ne veut pas le dire.

Aujourd'hui, conclut-il, il importe surtout de formuler de nouveaux mécanismes et de nouvelles infrastructures socio-économiques afin de créer un système performant qui améliore sensiblement le niveau de vie des gens sans sacrifier l'environnement. La tâche est immense et les défis complexes. Le bouillonnement du club doit y contribuer. Mais il attend aussi des contacts, des idées, des propositions de ceux qui, à l'étranger, sont intéressés par cette aventure qui ne fait que commencer. Dans d'autres villes, à travers toute l'URSS, d'autres clubs naissent, vivent et découvrent, à travers la *perestroïka*, les délices de la démocratie.

C.E. Triomphe

DÉRÉGLEMENTATION AUX ÉTATS-UNIS

Daniel Oliver préside la Federal Trade Commission (FTC) à Washington. Fondée en 1914, cette agence de régulation indépendante a pour mission de veiller au respect des règles de la concurrence en matière de commerce[1]*. En tant que telle, elle a été au premier rang des acteurs de la politique de dérégulation conduite par Ronald Reagan.*

Avocat au Barreau de New York depuis 1967, Daniel Oliver a été nommé président de la FTC en avril 1986 par le président Reagan. Il avait auparavant été directeur de la National Review *(1973-1976) avant d'occuper divers postes dans l'administration fédérale. Auteur d'un rapport intitulé « La libéralisation : apprendre les uns des autres », à destination des Européens, il défend ici le bilan économique du président Reagan. À lire ses réponses, on verra que le doute n'atteint guère sa conception globale du libéralisme économique.*

– En tant que président de la Federal Trade Commission, vous avez été associé de très près à la politique économique de Ronald Reagan. Quel bilan tirez-vous à la fin du mandat ?

– La politique économique du président Reagan a été un réel succès. Il a réduit les impôts, diminué les réglementations, libéré l'économie américaine. Il est parvenu à limiter la pression fiscale tout en augmentant les ressources de l'État, en redynamisant l'économie : réduction de l'inflation et du chômage, croissance des revenus... Les États-Unis sont aujourd'hui une nation très dynamique d'un point de vue économique.

– Dans votre texte, vous analysez aussi les limites et parfois même les échecs de cette politique. Vous soulignez notamment l'insuffisance en matière de contrôle des dépenses publiques et de limitation du déficit budgétaire.

– Oui, dans ces deux domaines et même dans celui de la dérégulation qui est un réel succès (concernant par exemple les transports aériens) nous aurions pu faire plus et mieux. Pour ce qui concerne les dépenses publiques, il est vrai qu'elles ont augmenté, mais quand bien même le président Reagan aurait voulu les limiter, le Congrès s'y serait opposé. D'autant plus que la règle du « service courant » est une formidable arme entre les mains des groupes

1. On trouvera des références à son rôle, aux diverses attaques dont elle fut l'objet tant de la part des associations de consommateurs que du Congrès, mais aussi au renforcement de ses pouvoirs in Michèle Ruffat, *Le contre-pouvoir consommateur aux États-Unis*, Paris, PUF, Coll. « Recherches politiques », 1987, notamment chap. 4.

d'intérêts. Globalement, la procédure budgétaire est d'une telle complexité que personne ne la maîtrise réellement. Mais on admet généralement comme règle implicite l'idée d'une hausse automatique du budget et si vous annoncez vouloir supprimer cette hausse automatique, les groupes d'intérêts et certains hommes politiques vous accusent de couper dans le budget. Et même si cela vous permet de dépenser plus d'argent que l'année précédente, on vous accuse de faire un mauvais budget. Cela rend particulièrement difficile politiquement la pratique des coupes budgétaires.

– *Face à cette difficulté, vous proposez le recours à la technique du « gel flexible des dépenses ». Quelle est-elle et quels sont ses avantages ?*

– L'idée est développée par l'association People for a Sound Economy et a été reprise par le vice-président Bush. Alors que depuis 1981 l'administration Reagan propose des coupes budgétaires mais se trouve systématiquement devant l'opposition du Congrès, elle consiste à proposer un gel global des dépenses à leur niveau courant (y compris sans ajustements compte tenu de l'inflation). Ce qui revient à dire qu'à l'intérieur du budget global certains postes peuvent augmenter, mais seulement si l'accroissement ici est compensé par des économies ailleurs.

Avec une telle procédure, les États-Unis devraient pouvoir supprimer leur déficit budgétaire en cinq ans environ. Une telle stratégie est évidemment difficile, parce qu'elle impose des négociations très dures, mais elle présente un double intérêt. Économiquement, elle permet une réduction du déficit bien plus substantielle que par le biais des coupes proposées jusqu'à présent. Et surtout, politiquement, elle fait figure de mesure plus modérée que la pratique des coupes : elle impose des sacrifices minima à chacun et maximise le résultat.

– *Au cœur de votre analyse des échecs rencontrés et des possibilités de les dépasser, on trouve toujours l'idée de l'influence des groupes d'intérêts particuliers. Quels sont ses groupes ? Au-delà du problème économique, n'y a-t-il pas un problème politique ? Ces groupements d'intérêts corporatifs sont aussi parfois vos plus forts soutiens politiques. N'est-ce pas aussi un problème structurel du système politique américain, qui laisse une forte emprise à la négociation entre groupes d'intérêts[1] ?*

– Ces groupes d'intérêts sont effectivement de toutes natures et ce ne sont même pas principalement les syndicats ouvriers, aujourd'hui très affaiblis. Mais plutôt les représentants d'intérêts économiques : les agriculteurs, les entreprises et notamment les grandes corporations... Si vous regardez l'annuaire téléphonique à Washington, vous verrez des centaines et des centaines d'associations qui montent inlassablement à l'assaut du Capitole pour faire pression sur le Congrès ou le gouvernement, pour les empêcher de faire ceci, leur demander de faire cela, obtenir une réglementation sur tel sujet, supprimer une législation sur tel autre. Enfin, il est vrai que la structure même du système politique américain favorise l'emprise des groupes d'intérêts, qui s'activent non seulement face à Washington, mais aussi au niveau des gouvernements des États.

La grande difficulté est de parvenir à résister à cette pression, d'autant plus que – vous avez raison de le souligner – elle émane souvent de groupes qui, pour des raisons politiques, ont l'oreille du parti au pouvoir. Mais le rôle de la commission, grâce à son indépendance, est préci-

1. Phénomène parfaitement mis en lumière par Theodore J. Lowi dans *La deuxième République des États-Unis, la fin du libéralisme*, Trad. Paris, PUF, Coll. « Recherches politiques », 1987.

sément de réduire leur influence. Une fois nommé par le Président, personne ne peut plus rien contre moi : les cinq commissaires qui travaillent avec moi et la centaine de collaborateurs (juristes, économistes...) qui nous entourent s'efforcent de faire prévaloir un seul point de vue, celui des consommateurs. D'ailleurs, il est clair que je suis très mal vu à Washington pour cette raison : je crois que mon rôle est de défendre les consommateurs, pas les firmes, de leur permettre d'avoir accès le plus librement possible aux produits les moins chers possible et non de veiller à la santé des entreprises. De ce point de vue, je pense que toute politique protectionniste, de tarification ou de quotas, est une atteinte à la liberté du citoyen.

– D'où votre critique des tendances protectionnistes qui perdurent aux États-Unis. Mais au-delà des strictes considérations économiques, comment envisagez-vous le problème de la justice sociale, celui notamment du traitement d'un problème aujourd'hui important aux États-Unis, celui de la pauvreté ?

– Ces questions ne me semblent pas devoir être traitées en termes économiques, elles ne relèvent pas des politiques économiques. De ce point de vue une seule chose importe : créer les conditions économiques pour créer des emplois, faire en sorte que chacun ait un emploi. Pour le reste, le problème des pauvres aux États-Unis est principalement lié à celui des structures familiales. Les pauvres sont majoritairement des enfants, noirs, de familles monoparentales. La solution est à chercher plus dans les politiques familiales que dans la politique économique elle-même. Alors que la tendance des Démocrates est de créer à chaque problème nouveau des institutions nouvelles, je pense qu'il faut poser la question des aides de manière individualisée : aides aux familles, aux mères célibataires par exemple, mais sans entretenir de nouvelles bureaucraties.

– En réfléchissant aux leçons du reaganisme vous essayez de tirer un certain nombre de conclusions pour l'Europe en construction. Peu de gens aux États-Unis ont pris conscience de cette nouveauté : êtes-vous optimiste face à l'Europe ?

– Je suis très optimiste. Certains Américains pensent que 1992 est une menace parce que le grand marché risque de sécréter un nouveau protectionnisme contre les produits américains. Pour ma part, je crois que l'Europe va ouvrir les marchés au niveau international. Sans doute y aura-t-il encore pendant un temps des problèmes entre l'Europe et les États-Unis (en matière agricole par exemple), mais je pense que le libre échange finira par l'emporter. J'ajoute qu'à l'intérieur de la communauté, l'Europe va entraîner un mouvement en faveur de la libéralisation économique. Sous la contrainte positive de la construction européenne, les États vont devoir déréglementer certains secteurs, réduire les taxes, harmoniser leurs politiques.

– Comment, pour conclure, vous définiriez-vous intellectuellement ? Vous retrouveriez-vous par exemple sur les positions presque anarchistes d'un Nozick ?

– Fondamentalement comme un partisan du libre marché et de la liberté, d'un État qui n'intervienne pas dans la vie économique (le meilleur gouvernement est le moins de gouvernement). Mais je ne suis pas anarchiste : je pense que l'État doit avoir un rôle, mais le marché fait mieux des choses meilleures.

Propos recueillis par Pierre Bouretz.
Paris, janvier 1989.

LE RETOUR D'ADOLFO SUÁREZ EN ESPAGNE

La grève générale du 14 décembre a fait prendre aux socialistes la mesure d'un mécontentement social qu'ils avaient de toute évidence sous-estimé. Le chiffre de 8 millions de grévistes (90 % de la population active) traduit de manière éloquente la désaffection des travailleurs espagnols à l'égard d'une politique dont la logique libérale, malgré d'indéniables succès, les a rudement malmenés. Cette usure se traduit dans les sondages par un déplacement important des voix socialistes vers les autres partis ou par l'abstentionnisme avec, comme corollaire, la perte de la majorité absolue par le PSOE. Dans ces conditions, il semble que l'on s'achemine vers des élections anticipées qui seules permettront au gouvernement de reprendre l'initiative.

Dans ce climat d'incertitude, la droite tente de retrouver une crédibilité perdue depuis longtemps. Le IXe congrès de l'Alianza popular (AP), tenu du 20 au 22 janvier, s'est achevé par le lancement d'une opération politique en vue de rassembler autour du Partido popular, nouvel avatar d'AP, un électorat conservateur jugé majoritaire. Mais s'il est vrai que le moment politique paraît particulièrement propice à l'émergence de cette *majorité naturelle* que le fondateur d'AP, l'ancien ministre franquiste Fraga Iribarne, a toujours appelée de ses vœux, il n'en demeure pas moins que l'on discerne encore mal comment la remarquable capacité d'autodestruction dont la droite espagnole a fait preuve jusqu'à présent aurait été exorcisée par la magie d'un congrès.

La stratégie de la droite repose sur l'analyse que l'électorat espagnol est majoritairement conservateur. Qu'il suffise de rappeler la modération dont il fait preuve depuis l'avènement de la démocratie. Dès les premières élections de l'après-franquisme les électeurs ont désavoué tous ceux qui redoutaient de voir le Parti communiste occuper une position hégémonique à gauche. Avec 9 % des voix, le PCE se situait loin derrière un PSOE qui frôlait les 30 % des voix et qui était déjà bien avancé dans sa rupture avec le marxisme. Ce désaveu valait aussi pour les transfuges du franquisme, partisans d'une démocratie musclée, que Fraga avait rassemblés dans son Alianza popular. Les 8 % des voix obtenues par l'AP la situaient bien en deçà des espoirs qu'avait placés en elle son fondateur.

Finalement, ce sera l'Union de centro democrático du premier ministre Adolfo Suárez qui, avec près de 35 % des voix, obtiendra la majorité relative au Parlement. Coalition hétéroclite regroupant des sociaux-démocrates, des démocrates-chrétiens, des libéraux et des indépendants, presque tous ayant un passé franquiste plus ou moins lointain, l'UCD s'est voulue le symbole d'une droite moderne et pragmatique qui ne reculait pas devant la démocratisation de la société espagnole. Elle a su rassembler la majeure partie d'un électorat modéré peu différent, en somme, de l'électorat conservateur sous la IIe République : catholique, rural et majoritairement implanté dans les régions du Centre et de l'Ouest. C'est cet électorat, dont l'antifranquisme avait été des plus discrets, qui par deux fois, en 1977 et 1979, lui a donné la majorité au Parlement.

Malgré ces succès initiaux, l'UCD n'a pas su s'installer durablement au sein du système de partis. Dans un premier temps, Adolfo Suárez, fort du contrôle qu'il exerçait sur l'appareil étatique et de la confiance que lui témoignait ce qu'il est convenu d'appeler la *droite économique,* n'a eu aucun mal à contrôler des partis dont la base, selon l'expression d'un de leurs dirigeants, aurait pu tenir dans un taxi. Mais une fois passée l'urgence de la réforme politique, son autorité s'est trouvée contestée par des barons trop longtemps écartés du pouvoir, puis par une aile conservatrice qu'inquiétait la gauchisation de l'UCD.

A partir de 1980, une série d'échecs à des scrutins régionaux donnent le signal d'une fronde dirigée contre le leadership d'Adolfo Suárez, contraint de démissionner en janvier 1981. Ces conflits internes se poursuivront tout au long des années 1981 et 1982. Les nouvelles alliances qui se dessinent alors conduiront finalement à la disparition de l'UCD, après son effondrement aux élections de 1982. De nombreux transfuges démocrates-chrétiens et libéraux adhèrent alors à la stratégie bipartisane défendue par Fraga, ainsi que par la droite économique qui a joué un rôle non négligeable dans cette affaire. Pour ces stratèges, l'avenir passait par la formation d'un grand parti ou d'une coalition de centre-droit en mesure de rassembler l'électorat conservateur face à un PSOE affranchi de toute menace sérieuse sur sa gauche.

Une nouvelle coalition voit donc le jour en 1982, dont on espère qu'elle permettra enfin l'émergence de cette majorité naturelle devenue une formule incantatoire dans la bouche de Fraga. Mais elle échouera face à un PSOE qui parvient à attirer les suffrages de toute une partie de l'électorat de feu l'UCD. De surcroît, le Centre democrático y social d'Adolfo Suárez, avec 9 % des voix aux élections de 1986, affiche l'ambition de devenir un parti charnière entre la droite et la gauche. Après le nouvel échec des élections de 1986, où elle n'obtient que 26 % des voix, la coalition éclate ; et Fraga, dont le passé franquiste semble soudain bien encombrant, perd la confiance de ses bailleurs de fonds. Il ne lui reste plus qu'à annoncer sa démission *irrévocable* de la présidence de l'AP en décembre 1986, déclenchant ainsi une guerre de succession qui met à nu les rivalités de personnes qui n'ont cessé d'affaiblir la droite espagnole.

Mais après deux ans d'absence, voici que le vieux leader revient pour reprendre les rênes d'un parti que son successeur, le peu charismatique Hernández Mancha, n'avait pas réussi à sortir de l'ornière. Pas plus que son prédécesseur, Mancha, n'était parvenu à rassembler la droite autour d'un projet politique crédible. Fraga y parviendra-t-il cette fois-ci ? Le moment, nous l'avons dit, semble propice. Qui plus est, cette nouvelle tentative en vue de rassembler le centre-droit se caractérise par l'incorporation au nouveau Partido popular d'un important groupe de démocrates-chrétiens menés par Marcelino Oreja, ancien ministre des Affaires étrangères d'Adolfo Suárez. Laissant à Fraga le soin de mettre au pas un parti où les ambitions déçues affichent déjà leur manque d'enthousiasme, Oreja aura pour mission de conduire la liste du Partido popular aux futures élections européennes, en attendant les élections législatives. Au-delà de ces échéances, il devra chercher un terrain d'entente avec les autres forces politiques du centre et en particulier avec le CDS d'Adolfo Suárez. Le fait que lui-même et une partie des hommes qui viennent d'adhérer au Partido popular aient fait partie de l'équipe de Suárez peut être un atout dans la recherche d'un accord post-électoral avec le CDS.

On le devine, les élections européennes vont avoir en Espagne une signification toute particulière. Pour le gouvernement, elles permettront de mesurer *in vivo* l'impact électoral du conflit avec les syndicats [1]. Pour la droite, elles représentent un test

1. Cf. « Grève générale. La force du syndicalisme espagnol », *Esprit*, février 1989, p. 126.

concernant la crédibilité qu'elle croit avoir retrouvée. Mais il y a de fortes chances pour que ces élections démontrent autant l'incapacité du PSOE que celle du Partido popular à gouverner seuls. Dans cette hypothèse, il se pourrait bien que dans les mois qui viennent Adolfo Suárez soit amené à jouer à nouveau un rôle de premier plan.

Francisco Campuzano-Carvajal

LE MEXIQUE A LA CROISÉE DES CHEMINS

Le Mexique apparaît aujourd'hui comme un pays dont le chef de l'État n'a pas été élu démocratiquement, sans être pour autant ni un dictateur militaire, ni un tyran totalitaire. À la différence de la plupart de ses homologues latino-américains, le président de la République des États-Unis du Mexique, Carlos Salinas de Gortari, n'est parvenu au pouvoir qu'à l'issue d'un scrutin pour le moins douteux.

Les élections du 6 juillet 1988 marquent incontestablement deux nouveautés capitales dans l'histoire du Mexique postrévolutionnaire. Pour la première fois après un demi-siècle d'hégémonie, le Parti révolutionnaire institutionnel a dû recourir à la fraude pour imposer la victoire de son candidat aux élections présidentielles. Mais il a admis dans le même temps, et là encore pour la première fois, de perdre la majorité absolue à la Chambre : il a accepté que des députés de l'opposition ne soient plus élus seulement en tant que députés « de parti » au plan national et à la proportionnelle, mais au scrutin majoritaire direct dans leur circonscription, et enfin que quatre opposants siègent au Sénat.

Il est tentant de voir dans ces derniers événements un tournant historique majeur, un premier pas vers l'avènement de la démocratie qu'appelaient de leurs vœux les étudiants massacrés à Tlatelolco en 1968, une suite logique de « l'ouverture politique » de la présidence Echeverria (1970-1976) et de « la réforme politique » de Lopez Portillo (1976-1982). A suivre cette interprétation, l'élection frauduleuse de Carlos Salinas de Gortari serait moins significative que le respect du scrutin lors de l'élection de députés de l'opposition au suffrage direct.

D'autres indices viennent à l'appui de cette thèse : les résultats électoraux révèlent un enrichissement de la logique démocratique. Carlos Salinas de Gortari (PRI) obtint 50,60 % des suffrages exprimés, Cuauthemoc Cardenas (Front démocratique national) 31,12 % et Manuel Clouthier (Parti d'action nationale) 17,70 %. Au bipartisme traditionnel PRI/PAN – « famille révolutionnaire »/héritiers des conservateurs du XIXe siècle – succéderait un pluripartisme lié à l'apparition d'un nouveau courant – le néo-cardénisme du FDN – issu d'une scission du PRI. Enfin, la tolérance de l'État devant les manifestations, aussi bien dans les rues de Mexico qu'à l'Assemblée, serait encore un signe de la libéralisation du régime.

Au regard des faits, il apparaît cependant difficile de penser que ces divers facteurs puissent s'interpréter sous le seul signe de la transition de l'autoritarisme à la démocratie. L'utilisation de l'« alchimie électorale » – ôter des voix à l'opposition pour faire triompher le candidat officiel – ne peut être tenue pour un fait secondaire, elle manifeste au contraire l'effondrement de tout un régime politique.

Depuis 1929, le pays est gouverné par un parti fondé par la fraction des révolutionnaires qui s'est emparée du pouvoir à la suite des luttes entre les leaders de la révolution au lendemain de la chute de Porfirio Diaz (1910). Les carranzistes ont ensuite créé un État bureaucratique et centralisé, à partir duquel ils ont négocié en position dominante avec le capital privé et les secteurs ouvriers et paysans, dont ils ont tour à tour garanti les intérêts. Cette triple intégration réussie, les militaires des armées révolutionnaires ont peu à peu cédé le pas à une double bureaucratie, de l'État et du PRI. Enfin, avec le temps, les négociations entre le Parti, le Capital et le Travail, qui présidaient à toutes les grandes décisions économiques et politiques de l'État, ont disparu au profit d'une cooptation qui va jusqu'à laisser au seul chef de l'État le soin de désigner son successeur.

Selon Octavio Paz[1], si cette hypertrophie du pouvoir exécutif n'a pas conduit à la création d'un régime de parti unique, et encore moins à l'instauration d'un pouvoir totalitaire, elle a en revanche transformé l'État en un véritable « ogre philantropique ». C'est celui-ci qui a assuré la paix civile dans un pays dévasté par les suites de la révolution, ainsi que le développement économique et l'ascension sociale de très nombreux Mexicains. La contrepartie de ce clientélisme d'État a été un fonctionnement populiste. « Au président en charge échoit l'énorme responsabilité d'interpréter ce que veut et ce dont a besoin le peuple[2]. » On ne saurait mieux dire le nécessaire et constant va-et-vient entre la société et l'État qui est la caractéristique des expériences populistes latino-américaines. Mais à la différence de celles-ci, où ce mouvement finit par fragiliser le leader populiste et entraîner son éviction au profit d'une remise en ordre autoritaire, ici le mouvement de pendule entre l'État et le peuple a été parfaitement maîtrisé et transformé en un véritable chassé-croisé grâce au principe de non-réélection. Le président sortant figure l'État, tandis que le candidat représente la société. Grâce à la généralisation de ce principe, ce rituel n'a pas seulement fonctionné au niveau présidentiel, mais aussi lors de la désignation des gouverneurs, des députés, des sénateurs et des maires.

Comme le prouvent amplement les résultats et les péripéties qui ont accompagné les dernières élections, ce mode de gouvernement est aujourd'hui exsangue. Le président élu n'est plus cet « empereur sexennal[3] » que furent tous ses prédécesseurs. La politique économique du président De la Madrid (1983-1988), dont Salinas de Gortari avait été l'instigateur en tant que ministre du Plan et du Budget, a sapé le consensus *comprador* sur lequel reposait le pouvoir du PRI et empêché la mécanique populiste de fonctionner à son profit. On ne peut à la fois réduire les dépenses du secteur public et lutter contre la corruption tout en conservant l'appui des employés de l'État. Plus encore, malgré son refus de recourir à des procédés frauduleux pour remporter le scrutin, il a été mis devant le fait accompli, ce qui fait de lui l'otage des artisans de sa victoire de dernière minute, lesquels ont toujours vu d'un très mauvais œil ses options modernisatrices[4].

Ainsi, le Mexique paraît pris dans un double changement : l'effondrement du régime « priiste » et la montée en force d'une opposition plurielle et protéiforme. Le premier dessine les limites du pouvoir *de*

1. Cf. *Le labyrinthe de la solitude* (1950), traduction française Jean-Clarence Lambert, Gallimard, Paris, 1972 : *L'ogre philanthropique* (1979), traduction française Claude Esteban et Jean-Claude Masson, Gallimard, Paris 1983 ; « Hora cumplida », *Vuelta*, n° 103, Mexico, juin 1985.

2. Ruiz Cortines, cité par Daniel Cosio Villegas in *La sucesion presidencial*, Cuadernos Joaquin Mortiz, Mexico, 1975.

3. L'expression est de Daniel Cosio Villegas, *op. cit.*

4. Cf. Bertrand de la Grange, in *Le Monde*, 10 et 11 juillet 1988.

facto du PRI. Il a encore pu faire assassiner des proches du candidat du FDN et imposer son candidat grâce à la fraude, mais il lui est désormais impossible d'user massivement et publiquement de la violence dans la rue ou de faire élire partout des députés de son choix par des citoyens capables de faire obstacle localement au bourrage des urnes. Cette dernière opération est d'ailleurs devenue d'autant plus difficile qu'en maints endroits certaines corporations autrefois inféodées au PRI – militaires, employés et ouvriers – ont fait voter pour Cuauhtemoc Cardenas. Cet effondrement n'a pas été sans conséquence sur les représentations qui ont cours au sein de la « famille révolutionnaire ». Les uns invoquent la menace du chaos et du réveil de la réaction cléricale pour justifier leurs prébendes. Les autres, tel Salinas de Gortari, tiennent des discours libéraux, font preuve de tolérance, s'attaquent même à des féodalités « historiques » comme le Syndicat des travailleurs du pétrole, tout en louvoyant pour s'imposer.

Le deuxième phénomène n'est pas forcément le signe d'un renforcement des mœurs démocratiques. Les limites de ce renouveau ne tiennent pas tant à des gestes spectaculaires – les manifestations de rue, les apostrophes cinglantes à la chambre lors du premier discours de Salinas de Gortari, les menaces de désobéissance civique – ou au supposé irréalisme de certaines propositions – l'annulation de l'élection présidentielle, la nomination d'un président intérimaire, la suspension du paiement de la dette – qu'au fondement de certaines représentations. Car la tentation est grande pour certains de redonner sens au projet corporatiste qui fut celui du PRI. Et leur lutte sans merci contre le pouvoir vise moins la reconnaissance de droits démocratiques, que l'appropriation de la place des anciens dominants.

L'avenir du Mexique oscille désormais entre deux projets : la reconstitution d'un système corporatiste et l'invention démocratique. Si le premier est à moyen terme voué à l'échec, car les conditions socio-économiques le rendent impossible, il n'est pas sans compter de nombreux partisans au sein du PRI et de l'opposition. Aussi peut-il parfaitement mener le pays au chaos. Quant au second, défendu tant par l'entourage du président que par certaines fractions de l'opposition, il devra prendre corps dans une société où le pouvoir est loin de faire figure de « lieu vide ».

Gilles Bataillon

L'HEURE PROMISE[1]

J'ai soutenu depuis 1969 dans différents livres et articles, spécialement dans les pages de *Vuelta* et *Plural*, que le système politique mexicain, tel qu'il fut conçu par Plutarco Elias Calle en 1929, avec les changements, les réformes et les adaptations de ses successeurs, en particuliers Lazaro Cardenas et Miguel Aleman, avait accompli son œuvre : éviter la double infirmité de l'histoire du Mexique, le césarisme des caudillos et le désordre violent des factions. Le processus de démocratisation a été lent, trop lent. J'ai souligné en 1987 les raisons de cette lenteur dans un essai, « Remache, Burocracia y Democracia en México[2] ».

Cela dit les élections du 6 juillet 1988 représentent un bénéfice considérable que personne ne peut dédaigner ou minimiser. Pour la première fois dans l'histoire moderne du Mexique les courants de l'opposition sont largement repré-

1. Texte traduit de *Vuelta*, n° 143, octobre 1988.
2. *Vuelta*, n° 127, juin 1987.

sentés à la Chambre des députés. Ce premier succès doit déboucher sur d'autres, comme ceux réclamés par les écrivains signataires du manifeste « Gagner le principal ». Tout d'abord une réforme de l'actuel code électoral de telle sorte qu'il garantisse non seulement un scrutin inattaquable, mais plus encore, qu'il le rende insoupçonnable. Après quoi les prochaines élections des gouverneurs dans les États du Jalisco et du Tabasco montreront si la volonté de changement, au sein du PRI et du gouvernement, est plus puissante que les forces de l'immobilisme.

Je reproduis ci-dessous le texte de la déclaration que j'ai faite le 11 septembre dernier à un quotidien de la capitale. [...].

Nous sommes face à un pays différent. Les changements, qu'il y a vingt ans nous étions déjà quelques-uns à prévoir, se sont réalisés. Ou plus exactement sont en train de se réaliser. Changements non sans dangers, ni sans embûches. Le pluralisme ne doit pas dégénérer en divisions et en fragmentations. Aujourd'hui, les Mexicains, dont je suis, font face à l'alternative : ou nous assurons tous la transition pacifique à la démocratie : ou, au travers de manifestations et de gesticulations de plus en plus violentes, nous retournons au désordre des époques passées. Nous savons tous, ou nous devrions tous savoir, que le désordre débouche fatalement sur l'instauration de régimes de force. Nous, citoyens sans parti mais non sans opinions politiques qui formons la majorité de la nation, devons exiger des partis qu'ils découvrent rapidement, non une impossible solution à leurs différends, mais une méthode pour que ces querelles ne mettent pas en danger la paix et la stabilité du Mexique.

La responsabilité est conjointe. Le PRI doit assumer, en paroles et en actes, une attitude tolérante face à ses rivaux. Certains de ses dirigeants l'ont déjà fait – parmi les premiers, Carlos Salinas de Gortari – mais il doit être clair que, quelles qu'aient été les violences verbales de l'opposition, le nouveau gouvernement est décidé à respecter la pluralité des opinions et l'existence de forces politiques indépendantes.

Le PRI doit accepter que le pays ne soit plus homogène politiquement parlant (il ne l'a jamais été ni socialement ni culturellement). Mais de leur côté, les partis d'opposition doivent nous dire s'ils préfèrent « gagner la rue » (pour employer leur langage), et poursuivre une agitation non seulement nocive mais suicidaire, ou s'ils acceptent les responsabilités et les privilèges de l'opposition parlementaire dans les régimes démocratiques. Ce dernier choix consiste à opter pour la voie civilisée et à cogouverner, non pas à partir du pouvoir, mais à partir de la critique du pouvoir, non pas au sein du cabinet ministériel, mais depuis les bancs du Parlement. Une précision s'impose à ce sujet : l'accord entre les deux groupes de l'opposition est sporadique et circonstanciel. Les points de vue du PAN et du Front cardéniste sur les thèmes fondamentaux de la politique nationale sont diamétralement opposés et inconciliables. C'est là une des incongruité du moment : les passions ont prévalu sur les idées.

Dans le futur immédiat, les partis pourront nous démontrer s'ils désirent réellement servir la démocratie et ses intérêts politiques. Le PRI devra se transformer en ce qu'il pourrait et devrait être : un parti social-démocrate de centre gauche.

Le PAN a réussi à devenir un parti démocratique. Il devrait maintenant se vivifier et rénover sa respectable tradition conservatrice, qui est une partie essentielle de notre histoire. Il aurait avantage à plus se tourner vers Lucas Alaman[1] et

1. Leader conservateur mexicain de la fin du XIXe siècle.

moins vers le parti républicain nord-américain.

Le Front cardéniste, réunion hétérogène de groupes, d'idées, d'intérêts, de personnes et de dépits, doit se donner (et rapidement) un programme clair et une physionomie. Les groupes qui le composent doivent nous dire à quoi ils aspirent réellement, quels sont les projets et les idées qui les réunissent. Jusqu'à ce jour, ils se sont fait l'écho du mécontentement, souvent légitime, de beaucoup de Mexicains ; aujourd'hui, ils doivent cesser d'être un rassemblement pour se présenter comme un véritable parti, avec des idées et un programme.

Dans les jours qui viennent, nous pourrons très vite juger si les partis veulent favoriser la naissance d'un Mexique nouveau, ou s'ils se sont aveuglément lancés dans sa destruction. L'opposition a demandé la modification de la loi électorale. Il est en effet de la plus grande importance d'avoir un code électoral qui rencontre l'approbation de l'immense majorité des Mexicains des partis d'opposition. Cela pourrait être une première épreuve décisive pour ce Mexique qui commence à se faire jour : si les chambres décident que leur tâche la plus urgente et la plus importante est d'élaborer une nouvelle loi électorale plus équitable, on aura donné un socle inébranlable à notre jeune démocratie.

Octavio Paz

LIEUX COMMUNS SUR L'APARTHEID

VII. Un système colonial ? [1]

Il est permis de se demander si la plupart des critiques de l'apartheid en France n'analysent pas la situation sud-africaine à partir de la simple lecture des caricatures de Plantu dans *le Monde*, qui campent les Blancs coiffés d'un casque colonial. La thèse implicite de ces représentations est celle du « colonialisme interne », formulée par le PC sud-africain et l'ANC. Elle conduit à penser la fin du racisme comme le renversement de ce « colonialisme », à travers l'affirmation d'une lutte de libération nationale comparable à celles menées dans les années 50. Cette représentation n'en est pas moins contestable.

Des raisons socio-économiques

Constituée grâce à un apport massif de capital étranger, l'économie sud-africaine est devenue, c'est l'évidence, une entité autonome, qui n'a aucun lien de type colonial classique avec une quelconque métropole. Le secteur moderne en constitue l'essentiel, qui commande les conditions de vie de tous les Sud-Africains (y compris ceux des Bantoustans). La population active de ce secteur est majoritairement urbaine (y compris dans les bidonvilles des Bantoustans, dortoirs des cités industrielles blanches) : malgré la ségrégation de l'habitat, ses couches d'ouvriers et d'employés transcendent les différences raciales.

Du point de vue de la consommation, malgré des inégalités révoltantes entre Noirs et Blancs, une partie majoritaire de la population de couleur est intégrée dans le circuit économique moderne, capitaliste (régression, entre 1970 et 1985, de la part de la consommation des Blancs de 70 à 55 %). Les couches moyennes sont en développement, constituant une petite bourgeoisie noire dont les initiatives opiniâtres érodent les interdits racistes (cf. l'étonnant exemple des services de transport).

C'est donc une économie unique moderne associant Noirs et Blancs qui est en formation. Rien de

1. Cf. *Esprit*, février, mai, juin, septembre, octobre 1988 et janvier 1989.

comparable avec une économie coloniale.

Les raisons socio-culturelles

Qu'il soit ici permis d'évoquer des faits dont les dessins de Plantu ne rendent pas compte.

Au plan culturel, une homogénéisation tendancielle est possible : en zone urbaine, les taux d'analphabétisme des Africains représentent la moitié de ceux des zones rurales (30 % contre 60 % ; mais 40 % chez les jeunes ruraux de moins de 20 ans). Même avec un système éducatif de seconde zone, contraire aux droits de l'homme, la population africaine est en voie d'intégration dans la culture sud-africaine. C'est d'ailleurs ce qui fonde l'exigence des jeunes de Soweto qui, en 1976, ont donné un élan décisif à la résistance contre la barbarie archaïque boer.

Dans les ghettos relativement « riches », une expérience commune aux Noirs et aux Blancs est en formation. Les indications ténues des sondages indiquent d'ailleurs que les façons de voir des citadins transcendent les divisions raciales que le pouvoir maintient.

D'autres facteurs traversent également la division de l'apartheid, au premier rang desquels il faut citer la présence unifiante du christianisme. Le poids des traditions politiques européennes n'est pas non plus négligeable. Un homme comme Nelson Mandela, au temps de sa liberté, s'y référait, dans la continuité de l'ancien ANC. A cet égard, l'opposition entre les africanistes socialisants et les modérés n'est pas étrangère aux catégories occidentales.

On est encore loin d'une culture nationale unique sud-africaine, en germe cependant dans des œuvres littéraires qui n'ont que faire de la distinction de prétendues « races ». Mais est-il interdit de prévoir l'avènement d'une société unifiée qui serait le produit synthétique de racines composites, africaines et européennes ? Les évolutions tenaces de la société civile, malgré les barrières institutionnelles, en fournissent en tout cas l'espoir. Et l'on peut croire que c'est de ce côté que se trouve la raison.

Dans ces conditions, le schéma classique de la lutte anticoloniale nous semble archaïque : ressassé par une partie de l'opposition noire, derrière l'ANC et le PC sud-africain, il s'explique par les torts immenses infligés à la population de couleur, mais il ne répond pas fondamentalement aux intérêts de tous les Sud-Africains.

Ce constat ne signifie pas qu'une autre vision que celle du nationalisme africain ait des chances de triompher, ni que le nationalisme afrikaner borné des petits Blancs ne soit pas en mesure de ruiner la formation d'une société sud-africaine unie.

J.C. Barbier

LA VOGUE DU BAROQUE

Le meilleur et le pire

Quand on s'est attristé de voir la vie musicale publique réduite à ne programmer que deux siècles de musique (de Bach à Ravel), on se réjouit que de grandes scènes lyriques (forcément réticentes aux aventures, du fait de leur pesanteur financière) affichent des œuvres appartenant au domaine jusque-là peu exploré de l'opéra baroque. C'est le signe que l'intérêt pour cette époque s'est propagé, façonnant un public à une nouvelle écoute. La joie éprouvée à la lecture des affiches est cependant mitigée lorsqu'on assiste à ces spectacles, qui procurent l'un le plus grand bonheur, l'autre l'indignation, le troisième le regret devant une réussite avortée.

La réussite absolue, c'est celle d'*Atys* de Lully (dirigé par William

Christie), dont la splendeur anéantit tous les mauvais procès faits aux « baroqueux » : leur a-t-on assez reproché le fétichisme de leur attachement aux instruments anciens, leur vision « archéologique » de la musique (quand on concédait la valeur historique de leur recherche). La preuve est faite, là, que le travail le plus minutieux sur la partition, et tout ce qui en découle au plan visuel dans la mise en scène, aboutit aux transports de l'éblouissement : on voit rarement à l'opéra une telle profusion de richesses si judicieusement employées ; le raffinement des costumes participe de l'intelligence que déploie Jean-Marie Villégier dans l'utilisation de l'espace : toujours harmonieusement occupée, jamais creuse ni envahie, la scène voit se succéder les danses (dans l'admirable travail réalisé par la compagnie Ris et Danceries), les chœurs (dont chaque membre est traité comme un individu responsable de l'action scénique et musicale, et non comme participant à une masse) et les chanteurs-*acteurs* dont le jeu est dirigé de façon à rendre plus expressif encore le livret, leur parfaite diction ne laissant rien échapper.

Une conception tout autre était visible au Châtelet, avec *Le couronnement de Poppée* de « Monteverdi ». Alors que depuis quelques années la « nouvelle musique ancienne » s'attache à retrouver les conditions d'interprétation contemporaines des œuvres (en utilisant des instruments originaux ou des copies, en étudiant des traités d'interprétation et, surtout, en recherchant les partitions originales) afin de les alléger de ce dont la tradition – romantique essentiellement – les a alourdies et défigurées, tous ces efforts sont délibérément ignorés dans la production du Châtelet. La partition utilisée est l'adaptation réalisée par R. Leppard il y a trente ans : Monteverdi réécrit au XXe siècle, toute la saveur sonore évaporée. Le metteur en scène et le chef vont plus loin encore : là où Leppard s'était « contenté » de fondre en un seul deux personnages, et de transformer un haute-contre en baryton, Pierre Strosser n'hésite pas à infléchir plus encore l'œuvre pour la faire correspondre à sa propre vision : les scènes tragiques deviennent dérisoires (l'admirable mort de Sénèque, que ses disciples veulent retenir à la vie par la lente montée chromatique sur « Non morir Seneca », est chantée ici sur un tempo de valse qui le pousse au tombeau), les duos de Néron et Poppée, d'où émane – chez Monteverdi – un érotisme brûlant, ne sont plus que conversations désincarnées. Plus grave, la suppression du personnage allégorique de l'Amour, qui intervient sur scène pour arrêter le bras d'Ottone sur le point de poignarder Poppée : l'instrusion du merveilleux, composante essentielle des opéras baroques, est ici remplacée par la seule inhibition intérieure, volonté de « psychologisation » très moderne.

Comment s'étonner alors que l'on s'ennuie tant devant cette scène vide, où les acteurs écrasés par un décor monumental fuient sans cesse le centre du théâtre pour, littéralement, raser les murs et y trouver un appui ? Est-ce la crainte de la redondance qui retient P. Strosser de *représenter* le désir, la volupté, l'acceptation sereine de la mort, la dignité bafouée, le désir de vengeance, l'exaltation du pouvoir absolu... les passions, les *affetti* auxquels Monteverdi donne vie par le code du genre naissant de l'opéra ? Faute d'avoir accepté d'endosser ces codes, l'essentiel manque ; là où la force des contrastes doit soutenir la dynamique de la tragédie baroque, le laminage musical est soutenu par le statisme visuel le plus uniforme : une plaine aride, large comme le plateau du Châtelet, comble mal les désirs de cimes et d'abîmes, de ces paysages tourmentés dont l'époque était si férue.

Avec *Platée* de Rameau, c'est autre chose. L'équipe responsable est rompue à ce répertoire ; Jean-Claude Malgoire offre aux oreilles

les délices que sa longue familiarité avec la partition lui a fait découvrir. Ce sont les yeux qui souffrent devant des effets de mise en scène trop volontaristes et, surtout, devant la hideur des costumes. La volonté semble avoir été de ne pas « reconstituer » mais de donner une vision « actuelle », dans laquelle voisinent des moments de perfection chorégraphique pure et des danses plus discutables.

Dans la vogue dont jouit actuellement le mot baroque, s'inscrivent à la fois les réflexions stimulantes – comme celle que développe Guy Scarpetta dans *L'artifice*[1], où il s'attache à repérer le cheminement de l'esthétique baroque jusqu'à notre époque, et les dérapages incontrôlés qui, associant le baroque à la richesse, à l'extravagance, voient dans tout délire coûteux l'esprit baroque en action. Pour avoir négligé la maîtrise d'une forme en « ratissant large », en cultivant cette ambiguïté, *Platée* manque son but.

Alors que les musiciens baroques voient tomber les frontières du ghetto de spécialistes dans lequel ils ont été longtemps confinés, on souhaite les voir insuffler à l'ensemble du monde musical le meilleur de leur exigence : la curiosité, la rigueur, l'esprit de découverte d'œuvres oubliées, la responsabilité individuelle de chaque artiste faisant œuvre de « créateur » devant la partition exhumée. Qu'ils échappent au risque de banalisation que leur fait courir l'ouverture des grandes portes.

Sophie Debouverie

1. Grasset, 1989.

REPÈRES

CONTROVERSE

Vatican II n'a-t-il été qu'une illusion ?

Le concile Vatican II serait-il une simple parenthèse dans la continuité renouée d'une politique romaine entre Pie XII et Jean-Paul II, sinon entre Pie VI et Jean-Paul II ? C'est la thèse exposée à plusieurs reprises par Paul Ladrière, notamment dans *L'état des religions* et dans le dernier numéro des *Archives de sciences sociales des religions* [1]. Elle nous oblige à examiner une hypothèse que nous n'envisageons qu'avec une extrême répugnance : l'échec d'un concile, l'échec d'un événement qui a porté l'enthousiasme de notre jeunesse. Admettre qu'aujourd'hui Vatican II soit progressivement normalisé ou réduit, c'est reconnaître que des forces plus puissantes qu'un concile peuvent le récupérer à la longue. Admettre que le concile lui-même ait été ambigu (c'est la position de Paul Ladrière), c'est admettre que cette ambiguïté nous a au moins en partie échappé (elle était présente cependant, cette ambiguïté, dans le fait que le concile se soit voulu « pastoral » plutôt que « dogmatique » ; on ne gagne rien à avoir peur des mots). Enfin admettre l'échec d'un concile, ce serait admettre la part de responsabilité que nous pourrions avoir, nous aussi, dans cet échec [2]. Et pourtant, ce ne serait pas le premier concile qui échoue !

Le XIXe siècle n'a cessé de s'interroger sur la compatibilité entre catholicisme et liberté (Tocqueville, Michelet, Quinet, Lamennais). Il n'a cessé de s'interroger sur la « forme » de religion qui convenait aux temps modernes, il a imaginé de toutes les façons la réforme de l'Église catholique. Mais jamais cette réforme ne vit le jour, car tous ces plans n'émanaient pas de la seule autorité qui pouvait l'autoriser et la concevoir. Au contraire, de 1790 à 1960, le refus et le raidissement prévalurent du côté romain.

Avec le concile Vatican II (1962-1965), la réforme partait de la plus haute autorité dans l'Église catholique. Il apparut que l'heure trop longtemps attendue était venue, et que le programme du concile était bien la réconciliation de l'Église catholique et de la liberté. De cette réconciliation, Jean XXIII montrait une figure en sa propre personne et donnait la ligne directrice dans le discours d'ouverture du concile, le 11 octobre 1962. Le décret conciliaire sur la liberté religieuse (1965) manifesta clairement que l'Église catholique reconnaissait désormais les droits de la conscience, acceptait les

---

1. « La restauration catholique » in *L'état des religions dans le monde*, sous la direction de Michel Clévenot, la Découverte/le Cerf, 1987 ; *Archives de sciences sociales des religions*, 1986/62.1 et 1988/66.1. Voir aussi Claude Geffré, « Le traditionalisme sans Lefebvre », *Concilium*, n° 221, janvier 1989.

2. *Esprit* avait publié alors deux numéros spéciaux : « Vœux pour le concile, enquête parmi les chrétiens », décembre 1961, et « Nouveau monde et Parole de Dieu », octobre 1967.

libertés modernes et rompait avec la tradition de refus de ces libertés inaugurée par Pie VI en 1790. La liberté, considérée comme caractéristique de la condition chrétienne, figure au cœur de la constitution dogmatique *Lumen gentium :* « Ce peuple a pour condition la dignité et la liberté des fils de Dieu, dans le cœur desquels l'Esprit saint habite comme en son temple » (n° 9). Nul doute que ces mots ne constituaient pour les protagonistes du concile comme une réponse à Luther, une manière d'honorer ce qu'il y a de juste dans les principes de la Réforme du XVIe siècle, la liberté du chrétien, la liberté du laïc dans l'Église.

Une réponse à Luther ? Peut-être seulement un hommage, un clin d'œil, plutôt qu'un vrai débat avec lui. La structure de l'organisme catholique n'était pas bouleversée, mais la liberté était replacée au centre, comme il en était à l'origine du message chrétien et dans les premiers siècles. D'où une question immédiate : l'articulation d'une liberté individuelle et d'une hiérarchie aussi puissamment structurée que celle de l'Église catholique est-elle évidente ? Comment une structure aussi centralisée peut-elle promouvoir la liberté ? Cependant ce rétablissement de perspective entraînait immédiatement des effets non seulement sur l'Église catholique elle-même, mais aussi sur la société, où d'autres partenaires, protestants, juifs, franc-maçons ou athées, commençaient à la percevoir différemment.

Dans l'enthousiasme des années qui suivirent Vatican II, il nous a échappé que la mise en œuvre d'un concile est peut-être plus importante que le concile lui-même. Comme après le concile de Trente, une vingtaine d'années est nécessaire pour qu'on puisse prendre la mesure des tenants et aboutissants de l'événement et pour que se dessinent les lignes de force de sa mise en œuvre. Ce qui revient à dire que le moment actuel est probablement aussi décisif pour l'avenir que les sessions de 1962-1965.

L'avenir du concile de Trente s'est joué vingt ans après sa conclusion, quand des décrets pontificaux en fixèrent un type d'interprétation et de mise en pratique[1]. C'est bien ce qui risque de se produire ces années-ci à propos de Vatican II, d'autant plus facilement que le concile, « pastoral », a pris peu de décisions juridiques précises. Une mise en œuvre fait nécessairement un choix parmi les orientations et textes d'un grand concile. Or cette fois, comme il y a quatre siècles, la mise en œuvre semble bien marquer un retrait, un rétrécissement des orientations proposées. Le code de droit canonique de 1983, les synodes de 1985 et 1987 et les règlements subséquents, la politique de nominations épiscopales ultra-conservatrices, et parfois étrangères au droit en vigueur, pratiquée par Jean-Paul II opèrent une « réduction » et indiquent qu'une nouvelle interprétation du concile, qui l'aligne sur Trente et Vatican I, a cours désormais[2]. Cette seconde lecture, fort différente de celle, plus novatrice, qui eut cours dans les premières années suivant l'événement, risque bien de devenir la vulgate des décennies sinon des siècles à venir, consacrée et imposée par l'institution chargée de la mettre en œuvre. A la limite, elle videra le concile de son contenu !

Quelques années après le concile, il apparut clairement que des choix décisifs devaient être faits au niveau des moyens et relais à mettre en œuvre ; il fallait ou bien faire un pas de plus : s'orienter dans le sens de ministères laïcs (traiter donc le problème du prêtre qui n'avait pas été traité à fond à Vatican II) et donner une place institutionnelle aux femmes, ou bien freiner des quatre fers. Les responsables romains n'étaient pas prêts à remettre en cause la structure de pouvoir traditionnelle pour aller jusqu'au bout des principes posés par le concile. On resta au milieu du gué : on en avait fait assez pour déstabiliser l'ancien équipage, pas assez pour permettre à de nouvelles

---

1. Voir G. Alberigo, « La réception du concile de Trente », *Irenikon*, 1985/3, p. 311-337.

2. Voir David Seeber, « La grande illusion du catholicisme », *Esprit*, septembre 1988.

équipes de prendre le départ. Restait alors à tout bloquer, à reprendre en mains tout ce qui pouvait l'être encore. Les attitudes romaines sous-entendent aujourd'hui sans ambages une mise en cause de la naïveté des épiscopats occidentaux, accusés d'avoir laissé se perdre la religion du peuple, d'avoir dilapidé l'héritage par manque de fermeté : rejeter la faute sur les autres, s'affirmer le seul centre crédible, est la condition de la reprise en mains.

La mise en œuvre de Vatican II, me dit un ami, a échoué sur les relais. Les relais, dans le catholicisme, ce sont d'abord les prêtres. Le statut des prêtres, relais entre les laïcs et les évêques, resta figé dans le modèle mis en place après le concile de Trente. Ils ne reçurent pas la liberté accordée aux laïcs et prise par les évêques. Pouvaient-ils être les pédagogues de la liberté, ceux qui ne recevaient pas eux-mêmes les libertés élémentaires du nouveau régime ecclésial ? L'Action catholique constituait autrefois un autre relais, de laïcs cette fois, entre le peuple et la hiérarchie, contraignant celle-ci à mesurer ses propos ; aujourd'hui, c'est au contraire un type de relation populiste qui s'instaure entre les masses catholiques et le leader charismatique, sans relais et médiations institutionnelles autonomes. Dans ces conditions, il est relativement aisé que des problèmes nouveaux, comme celui de l'émancipation des femmes, ne reçoivent d'autre réponse que dilatoire.

Aujourd'hui, l'incertitude n'est plus permise. Une reprise en main systématique, sinon une restauration, est mise en œuvre par les autorités vaticanes. Une interprétation minimaliste de Vatican II fait autorité. Tout ce qui peut être récupéré de l'ordre ancien est récupéré, par le biais du droit (nouveau code de droit canonique) et au besoin en dépit du droit (nominations épiscopales imposées, modification pour les besoins de la cause des procédures du chapitre cathédral de Cologne : ce n'est pas le droit qui embarrasse ces messieurs quand il s'agit de récupérer du pouvoir). Mais le plus frappant est que cette nouvelle restauration ne suscite pas d'intense réaction du côté des fidèles. Par crainte de la griserie de la liberté, les catholiques redeviennent-ils facilement troupeau conduit par ses bergers ? Les catholiques – même charismatiques – demeurent-ils ce qu'ils ont toujours été : obéissants ?

Peut-être voit-on ici la limite d'une réforme initiée d'en haut : les catholiques, en 1962, voyaient-ils la nécessité d'une réforme ? Ne la leur a-t-on pas donnée malgré eux ? Quant aux évêques français, ils courbent l'échine. Seuls, quelques-uns élèvent la voix et les protestations se perdent dans le brouillard.

Que devons-nous, que pouvons-nous faire ? Certainement pas laisser faire et rester silencieux, parce que « ce n'est pas notre affaire », « nous sommes au-delà de ces médiocres questions institutionnelles », « au-delà de toute déception »... Dans ce contexte la parole des quelques chrétiens qui peuvent et osent s'exprimer et argumenter publiquement (Delumeau, del Castillo, Valadier, Poulat) prend valeur d'exemple et constitue un de ces relais d'opinion publique, qui font si radicalement défaut pour l'heure et maintiennent un minimum de mœurs démocratiques dans le catholicisme.

Jean-Claude Eslin

COUP DE SONDE

Le théâtre, l'édition

La liaison entre le théâtre et l'édition a connu un âge d'or, le temps de l'innocence, quand l'édition se réduisait à l'imprimerie, puis le temps de l'organisation, quand les affaires de prééminence se sont réglées socialement. L'époque héroïque de la naissance de l'édition moderne, avec Calmann-Lévy et Gallimard, avait favorisé celle du texte par rapport au théâtre vivant. Mais dès les années 60, avec la contre-offensive des enfants de l'agit prop et d'Artaud, et parmi eux le Living Theatre, Grotowski, puis Bob Wilson, la crise est ouverte.

Dès lors, le théâtre se moque comme d'une guigne des textes, il les récupère, les détourne, les transforme, les ignore, les fabrique, au jour le jour. Il s'empare de n'importe qui, en « mettant en bouche » Guyotat ou Blanchot. Il coupe allègrement les classiques. Il fait ses propres collages, musique, diapos et humains en voix off. Il fait même silence, souvent. Il devient incontrôlable, et affronte en de singuliers combats tous les autres jeux humains : politique (aux deux sens, philosophique et militant), radio-télévision, arts plastiques, cinéma et autres cirques.

Les éditeurs, anciens *go-between* de génie, comme de vieilles maîtresses délaissées, fonctionnent au dépit. Ils se contentent d'assurer le strict quotidien, l'incontournable, ou les fantaisies de leurs auteurs maison. Après tout, le théâtre ce n'est que la (belle) vie (ça dépense), ou une forme particulière de la littérature (ça rapporte). Le modèle en demeure *Le Cid*, grand *best-seller* traduit dans toutes les langues, y compris l'espagnole, et de plus, objet de polémiques publicitaires.

Gallimard, stoïque, continue à éditer les œuvres dramatiques de ses auteurs, séparément, dans « Le manteau d'Arlequin », ou regroupées en œuvres complètes (« Collection blanche », « Pléiade », etc.). Robert Voisin ayant créé les éditions de l'Arche en 1948, en commençant par des titres de philosophie et de psychanalyse, se spécialise insensiblement, et devient l'homme de Brecht, avec ses amis – Barthes, Duvignaud, Dort –, sa revue, *Théâtre populaire*, et sa bande, le TNP.

A la fin des années 70, boucs émissaires désignés de la crise, les auteurs, frustrés ou conquérants, provoquent un nouveau débat inédit : le texte contre le corps. Les jeunes générations s'amusent, plus gaies, plus insolentes ; d'autres enjeux plus futiles apparaissent : recherche, avant-garde, nouvelles écoles. Que peut-on publier d'un happening ? Où se place donc le livre quand le texte disparaît et quand le mot ne trouve de sens que dans la parole ? Qu'est-ce que c'est exactement que cette *théâtralité* qui fracture la belle continuité entre l'écrit et le spectacle ? « Le théâtre moins le texte », disait Barthes, ou « ce qui se passe entre les mots » aurait pu dire Braque. Et que faire de ce que Planchon se met à appeler « l'écriture scénique », à part la caser dans les didascalies en italique ? Que penser et que faire de l'appréciation d'un Boulez sur un Chéreau : « C'est avant tout un grand tailleur sur mesure ! » Les hommes de théâtre seraient-ils donc bien ces « manuels » que l'on dit ? Comment récupérer les proliférations tentaculaires des scénographes qui occupent le terrain du texte sacré, relégué, perdant et son autonomie et sa relative antériorité ?

L'édition traditionnelle et aristocratique ne suit plus, et n'y trouve pas son compte. Et puis, les auteurs ont beau être inventifs et solitaires, le corporatisme les guette toujours un peu. La problématique commerciale prend donc le relais : si les auteurs disparaissent, le « circuit économique du théâtre » est mort, s'alarment les grands animateurs du petit milieu.

Réponses éditoriales

Aujourd'hui, on trouve, face à ce théâtre protéiforme, toutes les sortes de réponses, des plus résistantes aux plus agitées. Gallimard peut par exemple, alors qu'il publie Thomas Bernhard, laisser échapper le théâtre de celui-ci au profit des éditions de l'Arche, et dans le même temps, offrir une version « Manteau d'Arlequin » du *Récit de la servante Zerline* (extrait des *Irresponsables* d'Hermann Broch), après le tabac qu'a fait le spectacle de Jeanne Moreau. Quant aux éditions de Minuit, elles restent tenaces. Quand on publie Beckett, Pinget et Duras, on n'hésite pas à publier Bernard-Marie Koltès, et on peut se risquer à Marie Redonnet ou Annie Zadek.

Pendant ce temps, Christian Bourgois, égal à lui-même, surtout depuis qu'il a créé sa propre maison en 1966, et toujours à flairer l'air du temps, fonctionne au feeling avec dix copains (pour le théâtre Jean-Christophe Bailly, Michel Deutsch et le philosophe Philippe Lacoue-Labarthe, ce qui n'est pas mal en soi, mais comment séduire un clan, qui par définition fonctionne à l'exclusion ?).

Son challenger, Rudolph Rach, venu d'Allemagne, après une belle pratique dans des théâtres et chez Suhrkhamp, a repris l'Arche à la demande de Robert Voisin en 1985. Il tente de trouver des issues nouvelles. Il se trouve exilé, inquiet de rater ces Français qui seraient géniaux et qu'il n'aurait pas vus. Mais il importe, dans le même temps, les faits et dits de Wim Wenders, Joseph Beuys, Pina Bausch. Formé aux méthodes allemandes de décentralisation, il ne joue pas le jeu de l'exclusivité des droits[1], presque toujours demandée par les metteurs en scène pour Paris et la province. « Car c'est comme s'ils refusaient la concurrence artistique, et c'est douteux ! », dit-il.

A ces principaux partenaires, est venu s'ajouter une édition d'urgence, comme on pourrait l'appeler : Théâtre ouvert de Micheline et Lucien Attoun qui, depuis 1971, font de l'agitation théâtrale une vertu cardinale. Avec leurs « tapuscrits », sortes de polycopiés sans prétention, et leurs formules intermédiaires de « mises en espace », de lectures de gueuloir, et de confrontations originales de textes et d'hommes, avec la générosité des provocateurs, ils ont vu passer depuis presque vingt ans tout ce que les Festivals d'Avignon ont eu de fécond. C'est ainsi qu'Enzo Cormann a pu sans inconvénient être publié d'abord chez eux, puis chez Edilig, dans la collection « Théâtrales » de Jean-Pierre Engelbach, et enfin aux éditions de Minuit.

En 1983, le Centre national des lettres s'émeut des appels au secours intellectuels des protagonistes et engage Michel Vinaver, le président de sa commission théâtrale (par ailleurs auteur dramatique), à instruire une vaste enquête sur l'état des lieux et des choses. Elle paraît en 1987, sous le titre *Le compte rendu d'Avignon. Des mille maux dont souffre l'édition théâtrale et des trente-sept remèdes pour l'en soulager*, aux éditions Actes Sud. Une des clés du problème serait évidemment la question des « droits dérivés », c'est-à-dire ce qui permet aux éditeurs de vivre malgré les tirages limités de certains de leurs ouvrages, grâce aux traductions et aux adaptations. Dans le cas du théâtre, c'est bien le moins, et la Société des auteurs et compositeurs dramatiques, protégeant jusqu'alors jalousement ses auteurs, se met à envisager la question. D'autres remèdes : l'édition d'un catalogue raisonné bisannuel des pièces éditées, l'encouragement à la lecture des textes de théâtre dans les lycées, et une meilleure diffusion à l'occasion des représentations dans les théâtres nationaux, etc.

Vinaver reconnaît que, pendant les trois ans de son enquête, il y a eu des progrès. Le dernier éditeur apparu sur le marché proprement théâtral, Actes Sud de Hubert Nyssen, y est pour quelque chose, qui a donné à Christian Dupeyron, ancien directeur de la revue *l'Avant-scène théâtrale*, la responsabilité de la collection « Papiers ». La maison, après avoir coproduit avec Antoine Vitezà à Chaillot, la revue *l'Art du théâtre* (ultime livraison, hiver-printemps 1989) a également repris la revue *Acteurs*, gazette œcuménique. Ici, ni cénacle, ni hautaine sélectivité, mais le sentiment de profusion que donne un hall de gare. Nulle ironie dans ce constat. Quand les grands renoncent à toute stratégie ou s'interrogent sur les modes de transformation de celle-ci, il est normal qu'apparaisse un certain prêt-à-porter culturel. Vitesse de rotation des stocks et quantité ne sont pas des vices, au contraire cela accompagne comme naturellement le mouvement éphémère du théâtre vivant. Logique de

1. En France, quand un Georges Lavaudant monte *Baal*, il en demande naturellement l'exclusivité pour Paris et la province. Cela exclut que la moindre troupe de théâtre de France puisse toucher à cette pièce, pendant ce temps. Il arrive également qu'un metteur en scène acquière les droits d'une pièce, et ne parvienne pas pour autant à la monter. Tout demeure donc bloqué durant le temps du contrat. En Allemagne, il arrive très fréquemment qu'une même œuvre soit jouée par cinq troupes différentes, dans cinq villes, sans que cela pose problème.

l'objet-livre qui se démocratise, se banalise, souvent s'éparpille, mais se trouve à temps sur les stands, à l'entrée du théâtre, le soir de la première.

Qui a besoin d'aide ?

L'édition de théâtre, qui appelait à l'aide, semble désormais mieux se porter et même évoluer. Rudolph Rach constate que les textes dramatiques actuels commencent à différer complètement des anciens. Ils sont de moins en moins littéraires et ressemblent de plus en plus à des partitions très compliquées, qui demandent au lecteur de « connaître la musique », c'est-à-dire d'avoir déjà une vision scénique, un imaginaire de l'espace et du temps. La lecture innocente et confortable est devenue impossible. Chez les éditeurs, le texte de théâtre ne peut plus être un aimable supplément d'âme des bibliothèques.

Mais le théâtre vivant dans tout ça ? Car enfin, c'est bien la vraie question. L'édition passera, elle sait désormais qu'elle est mortelle. Après avoir proposé de nombreuses solutions d'intendance, Michel Vinaver, en 1987, suggérait timidement que, peut-être, il était temps que le théâtre sorte de son autarcie.

Dans le spectacle permanent et généralisé, il ne retrouve plus ses origines : la *mimesis,* ni ses raisons d'être : la communion, la *catharsis,* l'enthousiasme au sens premier du terme. Tout le monde lui a dérobé les armes de sa nécessité. Ces larcins, on les a appelés la théâtralité (les sciences humaines), le texte (la littérature), l'hystérie (la médecine). Pillé et dévêtu, il est effectivement devenu un lieu de corporatisme souvent misérable. Or, après tout, c'est lui qui a le véritable droit d'aînesse, avec son geste, sa mimique, son cri, puis son mot dit. Tout se passe comme s'il était humilié, ayant perdu sa grâce et sa foi, ses utopies, mendiant ses subventions, plus ou moins exclu des médias et du centre commercial. Il a perdu ses quartiers de noblesse sans gagner pour autant le cœur du peuple.

Il est peut-être temps de lui rendre sa place de noyau dur de la socialité dans la cité. Le théâtre, ce n'est pas seulement un métier, « une grande famille » de paumés, une bonne « maison », éternel refuge. Ce n'est pas non plus la métaphore d'un *theatrum mundi* ouvert à la contemplation. C'est d'abord la matrice du corps social. Car dans cet endroit invraisemblable, dans cette étrange exhibition de la scène à la salle, dans ce rite jamais stabilisé, dans cet art définitivement non reproductible – « le seul art qui ait comme objet l'homme dans sa relation avec les autres », disait Arendt –, se construisent les miroirs dont le monde a besoin pour trouver son identité. C'est là que se fabrique son narcissisme, sans quoi il se perd et perd son âme. Là est la voie, là quelque chose commence.

Anne Laurent

LIBRAIRIE

LA MÉMOIRE VAINE
Du crime contre l'humanité
d'Alain Finkielkraut
Gallimard, 1989, 130 p., 62 F

Qu'est-ce qu'un crime contre l'humanité ? Conformément à son sous-titre, l'essai d'Alain Finkielkraut sur le procès Barbie tourne tout entier autour de cette question, quoique cela n'apparaisse pas nécessairement à la première lecture.

Le premier caractère du crime contre l'humanité est bien entendu de concerner l'humanité tout entière. D'où la reprise par Alain Finkielkraut de l'argument de Karl Jaspers au moment du procès Eichmann : c'est un tribunal international qu'il aurait fallu pour juger Barbie. Avec toutefois cette réserve que, les institutions internationales étant ce qu'elles sont, la fallacieuse plaidoirie de Vergès y aurait sans doute été entendue, et Barbie acquitté. Mais on peut aussi se demander si la législation de Nuremberg, en confiant à chaque pays où ils ont été commis le soin de sanctionner les crimes contre l'humanité, n'a fait que confier la répression du crime aux criminels ou aux rescapés (p. 97), c'est-à-dire aux seuls protagonistes, ou si elle n'a pas plutôt ouvert la possibilité d'une intégration de ces éléments de droit international au droit pénal de chaque pays. L'argument de Hannah Arendt et de Karl Jaspers en faveur d'un tribunal international pour juger Eichmann reposait sur le fait qu'en Israël il était jugé pour crimes contre le peuple juif. Barbie ne fut pas jugé pour crimes contre le peuple français, mais bien pour crimes contre l'humanité, en vertu d'un certain nombre d'arrêts de la Chambre de cassation qui avaient intégré le crime contre l'humanité au droit français[1]. La nouveauté de cette extension aurait sans doute dû retenir davantage l'attention.

Un deuxième aspect du débat concerne la distinction entre crime de guerre et crime contre l'humanité, qui avait été invoquée dans un premier temps par le juge d'instruction puis par la chambre d'accusation pour ne pas tenir compte des crimes contre les résistants, prescrits comme crimes de guerre, avant d'être contestée par l'arrêt du 20 décembre 1985 de la Cour de cassation qui donnait la définition suivante du crime contre l'humanité : « les actes inhumains et persécutions qui, au nom d'un État pratiquant une politique d'hégémonie idéologique, ont été commis de façon systématique, non seulement contre des personnes en raison de leur appartenance à une collectivité raciale ou religieuse, mais aussi contre les adversaires de cette politique quelle que soit la forme de leur opposition, autrement dit forme armée ou forme non armée ».

S'il reconnaît l'opportunité conjoncturelle de cette décision, Alain Finkielkraut en conteste le bien-fondé, au nom de la distinction à faire entre les victimes et les héros. Et certes il y a une différence considérable entre les deux : faut-il la marquer en considérant que les crimes commis contre les héros, c'est-à-dire les résistants, sont des crimes de guerre prescriptibles, et que seuls ceux commis contre des enfants ou de « purs civils » seraient des crimes contre l'humanité ? Mais que penser alors des tortures infligées à un résistant juif ? Seront-elles prescrites ou non ? On peut également penser que le fait que certains crimes soient *aussi* des crimes de guerre assure cette distinction sans donner lieu à ce type de litiges. Cela ne revient pas à faire passer les héros pour des victimes, mais à refuser d'absoudre la barbarie au nom de l'héroïsme.

Mais la question qui sous-tend tout le livre porte moins sur le crime que sur l'humanité. Quelle est cette humanité à laquelle le crime contre l'humanité attente ? Est-ce *le genre humain* ou la *vertu d'humanité* (p. 83) ? Cette opposition structure toute l'argumentation de la dernière partie du livre. Si le crime contre l'humanité attente à la vertu d'humanité, ou encore à l'homme, alors c'est l'humanisme rhétorique de Vergès qui triomphe, et le procès, malgré le verdict, aura vu la victoire de la défense. Au nom d'une humanité idéale, en effet, tous les crimes sont peu ou prou des crimes contre l'humanité, et le génocide des juifs n'est qu'un cas peu exceptionnel. L'antiracisme ordinaire et sentimental va lui aussi dans ce sens, qui au nom des bons sentiments confond le nazisme et les guerres coloniales, ou encore le régime d'apartheid. Si en revanche c'est le genre humain qui est visé dans sa diversité, alors il est loisible de procéder à des distinctions et la mémoire n'est peut-être pas vaine. Mais la sensibilité contemporaine et le jeu des médias ont semble-t-il tranché : dans un bel élan manichéen nous avons cru conjurer les forces du mal, nous méprenant ainsi sur le sens du procès. (Quelques-uns des éloges déjà reçus par le livre doivent ainsi sonner amèrement aux oreilles de l'auteur : ils ignorent son combat et l'annexent au camp de la sympathie universelle.)

1. Cf. Arnaud Lyon-Caen, « De Nuremberg au procès Barbie », in *Le procès de Nuremberg, conséquences et actualisation*, Bruylant, Editions de l'université de Bruxelles, 1988.

Cette dénonciation de l'humanitarisme moral contemporain est tonique, quoiqu'elle use parfois d'une rhétorique un peu vindicative : ce n'est pas parce que Vergès adosse ses sophismes à la sensibilité antiraciste que celle-ci est *ipso facto* en accord avec lui. Elle a en outre l'inconvénient de masquer le fond du problème : que la figure de l'homme ait été et soit souvent employée à tort et à travers n'empêche pas que ce soit au nom d'une certaine figure de l'homme que sont dénoncés les crimes contre l'humanité. Certes, la précipitation dans l'image de l'Humanité une sert souvent à diaboliser l'adversaire. Mais qu'est-ce qu'être humain sans une telle représentation ? Il y a un antihumanisme ontologico-moral chez Alain Finkielkraut qui va alerter la vigilance des défenseurs de l'universel. Mais que gagnera-t-on à la reprise de ce débat ?

Si l'on réduit, comme semble le faire ce livre, l'humanité à la nécessaire diversité du genre humain, alors le crime contre l'humanité se confond avec le génocide. On peut, sans être d'accord avec Vergès, penser qu'il est au contraire nécessaire de pouvoir user du terme pour d'autres crimes que ceux des nazis, ce que fait d'ailleurs Alain Finkielkraut lui-même quand il écrit : « Les Arméniens luttent toujours, soixante-dix ans après les faits, pour la reconnaissance internationale de leur génocide ; la dékoulakisation en Ukraine n'est un crime contre l'humanité que dans les romans de Vassili Grossmann ou de Vassil Barka, les massacres du Bangladesh et le génocide biafrais ne sont sortis de l'actualité que pour sombrer dans un oubli total. Quant aux Khmers rouges, bien que vaincus et chassés du pouvoir par les Vietnamiens, ils continuent à siéger en toute impunité, sous le nom de Kampuchéa démocratique, dans les instances internationales » (p. 29). Or il y a bien dans la dénonciation de ces crimes plus que le respect de la diversité humaine.

Dans *Eichmann à Jérusalem*, Hannah Arendt avait elle aussi distingué entre deux sens du crime contre l'humanité : « L'expulsion de citoyens est déjà un crime contre l'humanité si l'on entend seulement par " humanité " la communauté des nations. » Et plus loin, à propos de l'extermination des juifs, elle dit : « C'est alors qu'apparut un nouveau crime, le crime contre l'humanité, dans le sens de " crime contre le statut d'être humain ", contre l'essence même de l'humanité[1] ». On voit bien en quoi Alain Finkielkraut lui est fidèle, quand il oppose un universalisme de surface au genre humain dans sa diversité. Mais celui-ci garde-t-il un sens sans la précision qu'apporte Hannah Arendt ? « L'expulsion et le génocide, crimes internationaux, doivent rester distincts : le premier est un crime contre les nations-sœurs, le second constitue une attaque contre la diversité humaine en tant que telle, ou plutôt, contre *un aspect du " statut d'être humain " sans lequel le mot même " humanité " n'aurait plus aucun sens* » *(id.)*.

Le « statut d'être humain » ne peut donc se réduire à la seule diversité du genre humain. Il est regrettable qu'Alain Finkielkraut n'ait pas ouvert ce débat.

Joël Roman

LES IMMIGRÉS ET LA POLITIQUE
de Catherine de Wenden
Presses de la FNSP, 1988,
393 p., 190 F.

LA MOSAÏQUE FRANCE.
Histoires des étrangers et de l'immigration en France
Sous la direction d'Yves Lequin
Préface de Pierre Goubert
Larousse, 1988, 479 p.

L'IMMIGRATION
Revue *Pouvoirs*, n° 47
PUF, 1988, 222 p., 85 F.

ÉMIGRER, IMMIGRER
Revue *Le Genre humain*
Seuil, 1989, 190 p., 85 F.

En 1983, les immigrés avaient été un enjeu important des municipales, avant

1. H. Arendt, *Eichmann à Jérusalem*, Gallimard, 1966, p. 296.

de connaître l'acmé de Dreux. Rien de tel, apparemment, avant celles de 1988. Assisterions-nous au reflux politique des étrangers en France (ou des Français d'origine étrangère !) ? En tout cas, la littérature sur la question semble aller davantage vers une distanciation par rapport au plus immédiat, et se tourner vers l'histoire, régionale ou mondiale, et vers la comparaison avec d'autres pays.

Après avoir été longtemps exclus de l'espace politique français (de 1850 à 1974), les immigrés sont devenus, depuis quinze ans, des acteurs (partiels) et des enjeux (à part entière) de l'espace politique français. On ne s'étonnera donc pas que sur les cent cinquante ans qu'elle étudie, Catherine de Wenden réserve la moitié de son ouvrage à ces quinze ans, qui dénotent donc bien une nouveauté dans l'abord de la question – et ce, des deux côtés : pouvoirs publics et immigrés (sans compter les pays d'origine). Outre l'histoire précise des immigrés avec la politique sur la longue durée, on trouvera dans l'ouvrage de C. de Wenden une excellente remise en perspective des causes et des facteurs du « passage au politique » depuis 1981, marqué en particulier par l'acquisition ou la consolidation de droits, la montée en puissance de nouveaux acteurs (comme les nouvelles générations), la discussion autour des droits politiques, de la nationalité et de la citoyenneté.

On peut compléter son étude de ces années par celle d'A. Hochet (dans *Pouvoirs*, p. 23-30), qui rappelle quelques événements importants, comme la publication d'un numéro du *Figaro-Magazine* sur la démographie immigrée, et voit se dessiner, après les années d'affrontement (1981-1985), un « consensus ambigu ».

La mosaïque France est incontestablement un beau livre, à tous les sens du mot : bien illustré, bien informé, original dans sa conception, il démontre que l'histoire de l'immigration est possible (contrairement à ce que prétend l'article peu convaincant d'A. Limousin, dans *Pouvoirs*), y compris en commençant par le plus lointain, au Ve siècle. Selon une pente naturelle à l'histoire, le passé tend à relativiser les problèmes actuels en montrant qu'ils ont déjà existé, et cette remarque vise notamment ceux qui voudraient à toute force idéaliser l'immigration d'hier pour stigmatiser celle d'aujourd'hui, ou pour mettre en valeur les difficultés d'aujourd'hui. Déjà tentée par le dernier Braudel, l'histoire des étrangers et de la diversité française avant 1800 a, outre son intérêt intrinsèque, celui de bien montrer les passages successifs vers le statut d'immigrés (et d'émigrés). Déception pour la dernière partie, où les réflexions les plus subtiles de ces dernières années, sur une France interculturelle, semblent échapper aux auteurs (et notamment aux « Réflexions d'un historien »), faute de connaître les dossiers de diverses revues (dont le numéro spécial d'*Esprit* de juin 1985).

Le numéro spécial de *Pouvoirs* ne pèche pas non par sa nouveauté ; il fait le point sur diverses questions (l'identité de la France, la politique d'immigration, la deuxième génération, Marseille, les Italiens en France, la comparaison avec les États-Unis). L'article le plus actuel (et sans doute destiné à le rester) est celui que C.-V. Marie consacre aux « clandestins », qui n'est pas extérieur au système des nations modernes et de la France en particulier, mais au cœur de leurs contradictions sociales, économiques et politiques. C. de Wenden propose en outre un dossier utile sur les « pays européens face à l'immigration ».

Enfin, le numéro du *Genre humain* intitulé « Émigrer, immigrer » juxtapose, comme à l'habitude, des textes d'intérêt divers. En ouverture, le texte polémique d'Hervé Le Bras (« Plus français que moi tu rentres chez toi ») fournit des clés d'interprétation : l'arrêt de l'immigration en 1974 aurait figé la mobilité sociale de toute la population et donc transformé les derniers arrivants en danger potentiel pour les classes sociales qui les précèdent immédiatement ; l'auteur serait plus convaincant s'il ne tentait d'accréditer la thèse d'un complot anti-immigré, dont on ne sait d'ailleurs pas bien qui tire les fils. Outre un texte plein de pondération de D. Schnapper, le numéro élargit son thème aux gènes (avec A. Jacquard, évidemment), à une comparaison entre Allemagne et France (R. von Thadden), à l'écrivain exilé (J. Brodsky), au Refuge huguenot après la Révocation de l'Édit de Nantes (E. Labrousse)... Mais à force d'élargir le cercle, on finit par noyer l'immigré – le travailleur venu des pays du Sud, maghrébin surtout, et constitué en population – dans l'« étrangéité » en général.

Dans cette évolution, symptomatique peut-être d'un certain épuisement de la réflexion sur les immigrés, reflet aussi d'un consensus relativement large (avec des points de friction importants, comme le débat sur le rôle de la police et de la justice), il ne faut pas lire seulement une pente négative (on aurait pu ajouter les ouvrages de Tzvetan Todorov, *Nous et les autres*, Seuil, 1989, et de Julia Kristeva, *Étrangers à nous-mêmes*, Fayard, 1988). La réflexion qui tourne un peu en rond, les vastes recherches dans le temps et l'espace, la perplexité (avant un certain silence ?) signalent peut-être le basculement où il faudra cesser de parler d'« immigrés », parce qu'on a affaire à des Français. Et SOS-Racisme, avec son insistance sur la question des droits politiques et autres me paraît, dans ce contexte, manifester un maximalisme inutile.

Jean-Louis Schlegel

EUROPE, EUROPE !
de Hans Magnus Enzensberger
Traduit de l'allemand par Pierre Gallissaires et Claude Orsoni
Gallimard, 384 p.

ÉCOUTEZ-MOI...
Paris-Berlin, aller-retour.
Entretiens de Françoise Giroud et Günter Grass
Texte établi avec la collaboration de René Wintzen
Maren Sell, 176 p.

Au long d'une course nocturne à travers Lisbonne, Lourenço, brillant mathématicien de vingt-deux ans, se met en colère aux évocations de « l'âme portugaise », qui serait complaisance à son propre malheur, cette invention des étrangers qui empêche toute compréhension moins conformiste du Portugal. Il raconte, raconte et après quelques heures, quelques verres, Hans Magnus Enzensberger, au fond de son verre, voit le Portugal, voit l'Europe. C'est depuis longtemps son ambition : il commence par briser le miroir d'un grand coup de poing, et c'est en rassemblant les morceaux du miroir brisé qu'il fait voir un pays, qu'il nous y fait nous perdre pour nous y retrouver. Et ainsi, en laissant parler toutes sortes de personnages atypiques, aussi bien inconnus de rencontre que hauts fonctionnaires un peu las ou hommes d'affaires en veine de confidences, Enzensberger fait sortir une Europe différente, éclatée, composée de visages et d'histoires.

Qu'est-ce qui pousse cet écrivain allemand – un homme qui, pour être honnête dans sa traversée du siècle, s'est fait tour à tour poète, essayiste, journaliste, ayant derrière lui plus de trente ans de pérégrinations et d'expériences européennes – à nous entraîner en un voyage dont les meilleures étapes sont les confins : Hongrie, Norvège, Portugal ? Que manquent ironiquement en ce voyage l'Allemagne, la Grande-Bretagne et la France, que l'approche de nations telles que l'Italie ou l'Espagne paraisse moins réussie, manifeste la difficulté de parler de ces pays sans évoquer leur dynamisme moderne. Enzensberger ne s'explique pas sur ses intentions, mais pour lui, c'est sûr, l'art de vivre de l'Europe qu'il dessine en filigrane n'est pas celui de la puissance, de l'économie et de l'uniformité technocratique. Son Europe n'a pas de centre, elle n'est pas une grandeur construite, mais elle est faite de côtés irréguliers, où les petits pays comptent autant que les grands. C'est une Europe qui *résiste*, au communisme en Hongrie, au capitalisme au Portugal, et même à la social-démocratie en Suède et en Norvège. (Enzensberger ne se désintéresse pas du destin politique de l'Europe : « L'Europe est dans un état préconstitutionnel », disait-il récemment dans un débat à la télévision allemande, mais il n'en souffle mot dans ce livre.)

Comment peut-on aimer l'Europe de cette façon sélective qu'on réserve généralement au petit coin de terre qu'on a choisi ou dont on est issu ? Seul un déraciné comme Hans Magnus Enzensberger, seul un déraciné comme peut l'être un Allemand peut prendre ainsi son sac de voyage, se découvrir partout des amis et témoigner de choses entendues en Europe avec une extrême attention au détail. En poète, il atteint ce qui ne se dit pas autrement. « M'étant heurté aux limites du discours théorique, j'avais compris que la poésie est le langage de celui qui ne comprend pas... Je ne réclame que le droit du poète, car le langage des poètes se distingue de celui des sociologues et des politiciens par le fait qu'il nous permet de parler de ce que nous ne savons pas. » Il comprend l'Europe à partir de ce qui ne se laisse pas faire, à partir de ce qui se perd et peut renaître.

Le recueil d'entretiens – qui se veut le premier d'une série européenne – entre Françoise Giroud et Günter Grass prend les choses tout à fait à l'inverse. Au lieu de casser le miroir des idées reçues, l'entretien les exhibe, les grossit avec la plus grande clarté. Peut-être Günter Grass n'est-il plus représentatif aux yeux des Allemands (qu'est-ce que cela veut dire être représentatif ?), il est cependant lui aussi un déraciné, de l'histoire et de la géographie, il a droit à la parole, et si son propos, tissé de pacifisme, d'intérêt pour l'écologie et pour les Verts, peut sembler ressassé aux Français, son insistance à notre égard mérite d'être entendue : la « merveilleuse exception française » échappera-t-elle toujours aux malheurs qui touchent le reste de l'ordinaire humanité, et notre indifférence à la dégradation du cadre de vie n'est-elle pas le voile hypocrite de qui se croit encore riche ? Tous les malentendus traditionnels entre France et Allemagne paraissent ici, et ce petit livre servirait aisément de « livre de textes », de point de départ pour d'autres entretiens et exercices de formation continue, faisant surgir, pour les surmonter, ces innombrables points où positions françaises et allemandes se disposent toujours en quinconce.

Jean-Claude Eslin

LE XIXe SIÈCLE ET L'HISTOIRE
Le cas Fustel de Coulanges
de François Hartog
PUF, 1988, 400 p., 195 F

Célèbre pour avoir mis la religion au cœur de la cité, dans *La Cité antique*, Fustel de Coulanges fut aussi, et peut-être surtout, un historien des origines de la France. François Hartog montre bien comment, à l'instar de ses contemporains, il est hanté par le mystère de la Révolution, qu'il s'agit de comprendre et d'expliquer. Aussi reprend-il le débat sur les origines de l'aristocratie, qu'avaient déjà campé au XVIIIe siècle les thèses anologues, mais inverses dans leurs effets, de Boulainvilliers et Sièyès : si tous deux pensaient que l'aristocratie était d'origine franque, celui-ci en tirait parti pour la renvoyer dans les forêts de Germanie, là où celui-là voulait restaurer sa grandeur primitive. On sait comment Augustin Thierry puis Guizot allaient entrer dans ce débat. A la synthèse libérale qui voit dans l'origine franque la tradition de la liberté, Fustel oppose, après Sedan, un apparent retour à la thèse « romaniste », qui minimise les effets de la conquête franque. Mais c'est pour déplacer le débat sur la question des origines de la propriété : commune ou individuelle ? En s'opposant à la thèse du communisme primitif, Fustel conteste le modèle contractualiste qui s'ensuit : la propriété est de nature, en rapport avec la famille primitive. La société est fondée sur cet ordre naturel que la Révolution a voulu ébranler.

Continuité nationale, donc, qui conduit au paradoxe, maintes fois repris depuis que « toutes les révolutions ont été accomplies par des conservateurs ». On voit comment Fustel est en porte-à-faux tant vis-à-vis de la thèse républicaine qui se constitue alors qu'envers l'héritage libéral. Bientôt viendra le temps où, de cette ambiguïté, l'Action française fera une arme, et où il sera annexé par Maurras sous l'épithète d'« historien national ». L'Université le défendra alors mollement, moins en raison de la modération de son républicanisme, qu'en vertu de la singularité de sa méthode : car ce maître d'une histoire « méthodique », fondée sur la lecture des textes, s'est opposé de toutes ses forces à l'emprise de l'érudition allemande sur les études historiques. Dès lors il disparaît dans un entre-deux, dont seul Marc Bloch viendra le tirer.

La figure de Fustel sert ainsi à François Hartog de fil conducteur dans ces débats où s'entrecroise la tentative de définir une histoire scientifique, et la constitution d'un ancrage national des institutions républicaines. Son étude est en outre augmentée de riches inédits, où se donnent à lire les enjeux qui portèrent la réflexion de Fustel de Coulanges.

Joël Roman

LE DANDYSME
Obligation d'incertitude
de Françoise Coblence
PUF, Recherches politiques, 1988

Qu'une philosophe consacre un livre à Beau Brumell, prince des dandys, et à ses émules, effarouchera peut-être ceux qui tremblent dès que la philosphie se rapproche de « nos problèmes de vie », dont Wittgenstein disait qu'ils « n'ont même pas été effleurés ». Or, il faut le dire d'entrée, le livre de Françoise Coblence est, dans le sens le plus fort du terme, le livre d'une philosophe.

Il s'agit, certes, de l'étude d'un personnage à sa façon exceptionnel (comparé, à son époque, à Napoléon), et de ses émules français (Baudelaire, Barbey d'Aurevilly), lesquels, reprenant la panoplie, en changent le sens ; mais au-delà de Brumell lui-même, dont la vie, découpée en scènes, éclatée en anecdotes, est du reste évoquée ici avec talent, c'est une figure emblématique qui est analysée, dont on sait l'importance qu'elle a eue et qu'elle a toujours dans l'imaginaire collectif (pensons au nombre impressionnant d'écrivains qui, aujourd'hui encore, un peu laborieusement parfois, louchent vers elle).

Mais l'espace dans lequel se situe l'analyse de Françoise Coblence est bien plus intéressant que celui de la simple « psychologie » (« qui était Beau Brumell ? » n'est pas, en définitive, la question qu'elle pose) ; l'analyse, très nourrie, montre avec netteté le lien de cette figure avec un certain état des valeurs aristocratiques, ou avec la montée des valeurs démocratiques, mais, au-delà de ces considérations, elle s'efforce de définir ce qu'on pourrait appeler un *geste*. Se dire dandy, vouloir l'être, en afficher le comportement, c'est en somme, dans l'éventail des gestes possibles à l'égard de la vie, en effectuer un ; comment le définir ? Qu'est-ce qu'il implique ? Qu'est-ce qu'il peut nous apprendre ? Et quelle en est la portée ? Sa portée, c'est de refuser l'opposition entre l'être et le paraître, d'exhiber le vide du moi, de montrer que l'*ego* n'est finalement que du *ready-made*. Lacan, la mystique, le bouddhisme disent-ils autre chose ? Et vivre cette chose est toujours une ascèse, même si ici elle paraît étrange, frivole, paradoxale (extrême rigueur dans le vêtement, deux heures chaque matin à sa toilette, contrôle permanent de soi, renonciation à divers plaisirs, notamment au sexe, singulièrement absent de ce programme) : le dandy, comme le « guerrier » de Castaneda, doit mener une vie impeccable.

On voit, derrière le récit des frivolités de Brumell et de ses émules, la portée de l'analyse qui se déploie ici. On pense parfois au meilleur Sartre (celui qui, phénoménologiquement, savait définir des *attitudes*, des *figures*, justement, du célèbre « salaud » jusqu'au garçon de café qui joue à être un garçon de café), mais Françoise Coblence, contrairement à son illustre prédécesseur, ne condamne ni n'absout, même implicitement – le dandysme n'est pas *politiquement condamnable ;* il n'est pas non plus (autre rengaine) *la seule attitude possible dans un monde que le sens a déserté* – ce serait plutôt une expérience intéressante, que devraient mieux connaître ceux qui prétendent s'y livrer (et les autres) –, ne serait-ce que pour éprouver de la déception : car telle est peut-être la tonalité ultime (mais qui justement a elle aussi sa profondeur) de ces « sphynx sans secret ».

Jean-Luc Giribone

LES MAÎTRES ANCIENS
de Thomas Bernhard
Gallimard, 1988, 85 F

Comment se fait-il qu'on soit emporté, aimanté par le monologue de Thomas Bernhard ? On va non seulement jusqu'au bout de cette incantation, mais on apprend que chacun de ses procédés, chacun de ses thèmes est réversible, et ainsi on est obligé, quand on l'a fermé, d'ouvrir encore ce livre.

La misanthropie a donné depuis longtemps toute sa force moraliste et satirique à la meilleure littérature. Mais Flaubert, pour qui la contemplation de la plupart de ses semblables était odieuse, croyait en la rédemption par l'art pur dans un monde de plus en plus vulgaire.

Maîtres anciens est la dérision de cette rédemption. Une plume incorruptible remplit ces pages véhémentes où « tous les gens sont seulement ridicules » dans « un monde ridicule de bout en bout ».

Bernhard ne précise pas s'il admet avec La Rochefoucauld que toute attitude humaine est ridicule pour peu qu'on veuille se donner la peine de faire sauter aux yeux ce ridicule. Il fait de cette vue le principe d'une démonstration de deux cents pages, et de ce principe l'indispensable acte de survie au milieu de la comédie du monde : « C'est seulement lorsque nous trouvons le monde et la vie qu'on y mène ridicules que nous avançons, il n'y a pas de meilleure méthode. » Il faut admettre ce ridicule pour admettre qu'il y a peut-être des ridicules plus grands que d'autres. De même, il faut prendre conscience de l'échec général pour respecter – admirer rend idiot – certains demi-échecs. Ainsi, rien ne résiste, et ceux qui se souviennent avoir assisté, dans les volumes autobiographiques de Thomas Bernhard, à la survie par la musique, liront que « nous devons écouter Bach et entendre comment il échoue, écouter Beethoven et entendre comment il échoue, même écouter Mozart et entendre comment il échoue ».

Celui qui ne serait pas sensible à ce charme incantatoire peut-il se moquer du ridicule qui dénonce le ridicule ? Y a-t-il une impasse de l'ironie moraliste pessimiste ? Le lecteur réticent se trouve pris au piège des précautions oratoires et des machinations narratives du récit. Car le monologue satirique, apprend-on assez tard, est débité par un homme de quatre-vingt-deux ans. La satire est mise à distance par le fait que le personnage narrateur, Atzbacher, est lui-même cité citant le personnage narré, Reger. Lequel donne la clef de son propre ridicule : « Chacun a sa propre logorrhée, sa logorrhée absolument originale. » Or « nous disons tout de même ces absurdités de façon persuasive, a dit Reger ». Ce que dit Reger est très adéquat en ce qui concerne Bernhard : « Tout ce qu'on dit se révèle tôt ou tard absurde, mais si nous le disons de façon persuasive, avec la plus incroyable véhémence dont nous sommes capables, ce n'est tout de même pas un crime. L'humanité aurait étouffé depuis longtemps si elle avait tu les absurdités pensées au cours de son histoire, tout invididu qui se tait trop longtemps étouffe. » Le soliloque a sa part de comédie, comme le monde.

La réussite inattendue de Thomas Bernhard, c'est que sa précision répétitive, sa précision maniaque ne lassent pas, elles tiennent en haleine. L'hyperbole constante garde dans son exagération une sécheresse presque classique. Le sens n'étouffe pas sous la phrase. Le burlesque surgit par bouffées délirantes : « Ce qu'elle préfère, c'est la viande de porc, donc elle rapportait toujours du porc, mais moi si on me pose la question, je ne mange que de la viande de bœuf, voilà ce qu'a dit Reger. J'ai toujours été un mangeur de bœuf, les femmes de ménage sont, sans exception, des mangeuses de porc. »

La bouffonnerie renforce mais aussi atténue, souligne mais aussi gomme la misanthropie, le pessimisme, le scepticisme, le tragique. La netteté du trait embellit l'hyperbole. La justesse de l'expression fait oublier l'insistance. Ce moralisme, fait de bribes d'existence et de maximes soigneusement cousues, finit par être si réjouissant que son désespoir burlesque n'a rien de morbide. Sur ce point, il est l'opposé de Kafka, Céline, Sartre, Beckett, et évoque la prose du XVIIIe siècle. Quelquefois, la satire tombe dans l'enfantin, mais cet échec la rend plus touchante.

A un moment où les tentatives de renouvellement de cette chose qui ressemble à un roman semblent épuisées, quand la vulgarité romanesque tient lieu de succès, l'art de Bernhard donne l'espoir que cette chose qui ressemble à un roman garde la place la plus haute dans tous les genres écrits et ne se réduise pas à un passe-temps dans un monde superficiel[1].

Gil Delannoi

ÉLOGE DE LA LIBERTÉ
Calmann-Lévy, 130 F
et À CONTRE-COURANT
Essais sur l'histoire des idées
d'Isaiah Berlin
Albin Michel, 180 F

La plupart des livres d'Isaiah Berlin[2] sont des regroupements tardifs d'essais, de communications, de conférences. La circumnavigation n'évite pas les redites, mais cette accumulation compense ses inconvénients par l'allant et la persévérance, et chacun de ses objets se trouve éclairé sur plusieurs faces.

Berlin lit toujours, plus qu'un auteur, un homme qu'il approche avec sympathie intellectuelle. Quel type d'homme est-ce ? Quel milieu ? Quelle situation ? Que ressentait-il ? Qu'est-ce qui le poussait vers ses idées ? Et il le considère en individu devant sa condition d'homme et non comme cerveau réceptacle et berceau de quelques formules idéologiques.

Berlin a parfois le don théâtral de reconstituer l'incompréhension réciproque d'une rencontre inimaginable entre Voltaire et Shelley. On trouve les principes de cette méthode historiciste et pédagogique dans sa présentation de Vico, à la source de l'interprétation compréhensive dans l'histoire des idées.

Vico n'est pas seulement cher à Berlin parce qu'il fait la critique des Lumières avant même qu'elles triomphent. Il est le premier qui, en reconnaissant aux mathématiques leur fascinante faculté d'engendrer des propositions universellement valables, a eu cette intuition prématurée, à l'encontre de Galilée, de Descartes, du XVIIIe siècle et du positivisme, de poser qu'elles ne devaient leur privilège qu'à leur absence complète de réalité. C'est-à-dire que les mathématiques sont exactes, non pas en tant que structure de la réalité physique, mais en tant qu'invention purement humaine d'une rationalité purement cérébrale. Ainsi, les mathématiques sont plus apparentées à la musique et la poésie qu'à la physique et la biologie. A la nature opaque elles opposent une transparence tout artistique. L'instrumentation de l'appareil mathématique ne vient qu'ensuite et approximativement. Il y a donc deux types de savoir : l'un de l'extérieur, fondé sur l'intellection, l'autre de l'intérieur, fondé sur la compréhension. Voilà pourquoi nous comprenons intuitivement l'essentiel de ce qui est humain. Berlin se situe ici dans ce sens commun qui a été et reste encore à contre-courant en France, avec sa résonance existentielle, seul point commun de Sartre et Aron, et pour lequel il est réducteur et simpliste d'ap-

1. Nous publierons dans le prochain numéro une « Ode à Thomas Bernhard » de Jean-Philippe Domecq (NDLR).

2. Isaiah Berlin est né en 1909. La *Revue française de science politique* a publié « La théorie politique existe-t-elle encore ? » en 1961. Un livre sur *Karl Marx* (1939) a été traduit en 1962, chez Gallimard, puis *Trois essais sur la condition juive*, Calmann-Lévy, en 1973, *Les penseurs russes*, Albin Michel, en 1984.

pliquer des règles tirées des sciences physiques à la connaissance des faits humains.

La compréhension, de Vico à Dilthey et Weber, a la subtilité de ne pas réduire les mythes humains à des superstitions absurdes et de les considérer comme des développements essentiels de l'esprit humain. L'histoire de l'humanité n'est ni déterminée ni arbitraire. L'historicisme, tel que le pratique Berlin, reconnaît la nécessité d'étudier une œuvre historiquement, mais sait également que cette œuvre résonne au-delà de son époque avec des harmoniques très fortes.

Les essais de Berlin appartiennent à une histoire des idées méconnue, ignorée ou caricaturée, liée au monde anglophone [1]. Chez nous, les philosophes philosophent, les historiens historisent. Foucault se moquait ouvertement de l'histoire des idées dans son « archéologie du savoir ». Cette pauvre histoire des idées, qui réclame tant de soins assidus, a pourtant le mérite de ne pas ignorer l'histoire érudite spécialisée, dont la connaissance évite les contresens et les anachronismes, comme le demandait Febvre [2]. Elle n'impose pas non plus de « problématique », au sens où Strauss voulait ériger une philosophie éternelle compacte qui régentât toute interprétation.

Dans cette histoire des idées, Berlin a sa grande idée : la pluralité des choix des modes de vie, la diversité des morales. On sent qu'il retrouve ce thème dans chaque étude. Mais il n'a pas choisi ses sujets par hasard. Il les révèle et s'y révèle, et réussit à ne pas dénaturer chaque pensée en la soumettant à un traitement trop personnel ; il la sertit, la met en valeur, et fortifie en retour ses propres convictions.

Berlin reprend la question philosophique la plus ancienne (Comment vivre ? Comment gouverner sa vie ?) et de cette vraie question tire l'absence de réponse. Non pas qu'il y ait impossibilité de réponse, mais pluralité.

1. Qu'évoquent également les noms de Lovejoy ou Collingwood.

2. A propos de Rabelais : *La religion de Rabelais, Le problème de l'incroyance.*

Cette connaissance de la pluralité conduit Berlin à batailler contre la théorie déterministe en histoire et contre le positivisme. C'étaient des batailles inévitables. Cependant ce combat ne tourna jamais à l'antidéterminisme. Il s'agissait surtout de montrer l'arrogance des déterministes et l'incohérence du déterminisme. Berlin n'a pas cherché à prouver l'indéterminisme. Il préfère étudier ses auteurs de prédilection plutôt que ses adversaires. Le seul grand obstacle contre lequel il est toujours revenu, c'est le monisme.

Berlin cite Archiloque : « Le renard sait beaucoup de choses, le hérisson n'en sait qu'une, mais grande », (p. 57). Les hérissons intellectuels sont monistes et ramènent tout le réel à leur grande idée centrale (Platon, Dante). Les renards intellectuels reconnaissent qu'il y a plusieurs grandes idées contradictoires équivalentes (Aristote, Shakespeare). Ironie formelle : Berlin est un renard qui doit se faire un peu hérisson, car il fait du refus du monisme sa grande idée. Il y revient souvent parce que le monisme est si puissant qu'il faut toujours lui résister. Le monisme platonico-chrétien est la tradition occidentale. Il repose sur les postulats suivants : 1) le malheur et le vice sont l'effet de l'ignorance ou de la paresse d'esprit ; 2) le réel a une structure intelligible unique. La plupart des grandes écoles philosophiques sont monistes ou tendent au monisme : platoniciens, aristotéliciens, stoïciens, thomistes, positivistes, marxistes... En face, on ne trouve que les sceptiques, les relativistes, les existentialistes, les subjectivistes, qui ne forment guère d'écoles durables.

On peut juger que ce monisme fait un épouvantail trop grand et trop transparent. On ne doit pas oublier ses mérites dans l'aventure scientifique. Mais, à ce point, il faut déjà partager les louanges épistémologiques avec le scepticisme qui est tout aussi indispensable à la science. Et, du point de vue politique et humain qui occupe Berlin, la thèse du pluralisme est encore meilleure. Cette thèse n'est pas le scepticisme qui dénie toute possibilité d'un art de vivre, mais la multiplicité, les contradictions des arts de vivre, eux-mêmes assez cohérents, et pourtant inéluctables éléments d'un choix qu'il faut faire. Ce pluralisme mène à un scepticisme modéré, dont le relativisme est tempéré par la nécessité d'organiser politiquement ce pluralisme, et par la liberté, qui ne peut avoir d'autre fin qu'elle-même sans se dégrader.

Dans la conception pluraliste, l'incertitude politique et morale est le prix de toute liberté. L'incompatibilité des valeurs entre elles condamne à des choix cruciaux. L'individu a le droit de se diriger lui-même sans se soumettre à l'État, au parti ou à l'Église. Toute réduction à un seul principe, qu'il soit l'histoire, la race, la nation, la classe, la religion, est néfaste.

La conséquence majeure du pluralisme est la ruine de l'image de la société parfaite, programme de perfection incohérent, irréalisable, qui se fonde sur un moralisme pour lequel tout désaccord est un vice et dès, qu'on veut l'appliquer, ne conduit qu'à l'hypocrisie, les faux-semblants, l'immobilisme.

Cette critique n'est pas banale depuis si longtemps. Est-elle durable ? N'y a-t-il pas un besoin incurable d'unification idéologique derrière un principe unique ? La contradiction des fins est refusée par la plupart des hommes, avec toute la mauvaise foi que ce refus entraîne. L'exigence de liberté est freinée par un besoin d'autorité, de dogmes et d'appareils qui atténuent la responsabilité individuelle. Berlin rappelle que beaucoup de pluralistes déclarés ne se conduisent pas en pluralistes. Eux aussi masquent derrière un attachement superficiel au pluralisme leur conformisme, et croient, une fois de plus, tenir une réponse irréfragable aux questions existentielles.

Si le pluralisme est la connaissance de l'impossibilité de la synthèse, il est douloureux et vital. Il anime tout l'essayisme moderne et l'essentiel du roman européen et son sujet blessé, dont *L'homme sans qualités* est peut-être l'expression la plus poignante. Il faut s'accrocher à ce pluralisme, car « c'est quand ils poursuivent ces fins ultimes, incommensurables, éternelles quoique toujours différentes, seuls ou ensemble, sans plan précis, sans toujours posséder les moyens adéquats, le plus souvent sans espoir de succès immédiat et surtout sans avoir besoin d'en demander l'autorisation à quiconque, que les individus et les peuples connaissent les meilleurs moments de leur existence [1] ».

Gil Delannoi

HISTOIRE RELIGIEUSE DE LA FRANCE CONTEMPORAINE, 1930-1988
de Gérard Cholvy
et Yves-Marie Hilaire
Avec la collaboration de
Danielle Lemaire, Rémi Fabre,
Jacques Prévotat
Bibliothèque historique Privat,
Toulouse, 1988, 569 p., 230 F.

J'ai dit ailleurs le bien qu'il fallait penser des deux premiers volumes de cette *Histoire religieuse de la France contemporaine* (T. I : 1800-1880 ; T. II : 1880-1930) ; les auteurs insistaient justement sur la vitalité religieuse profonde, sur la capacité créatrice du catholicisme intégraliste, sur des différences régionales importantes confirmés par des chiffres trop ignorés, à l'encontre des slogans sur la déchristianisation et sur le désintérêt de l'Église pour la classe ouvrière, ou sur une Église uniment contre-révolutionnaire. L'insistance sur le foisonnement des initiatives et des renaissances durant les cinquante dernières années, au sein de conflits et de déperditions réelles, fait encore la valeur de ce troisième volume, qui va jusqu'en 1988.

On pouvait lire déjà un soupçon d'apologétique entre les lignes des ouvrages précédents, mais on pouvait le mettre au compte d'un rééquilibrage de la vision. Dans ce troisième volume, on assiste malheureusement à un véritable dérapage sur les suites du concile Vati-

1. *Éloge de la liberté*, p. 96.

can II, notamment, semble-t-il, sous la plume d'Y.-M. Hilaire. Que les auteurs, et Hilaire notamment, aient des préférences pour les « renouveaux » de toutes sortes qu'ils croient voir se produire après 1975 (les charismatiques, Jean-Paul II, les nominations d'évêques dits « spirituels », etc.), rien de plus normal. Qu'ils fassent une lecture aussi orientée (et donc idéologique en sens inverse des attitudes qu'ils dénoncent) de l'agitation, des excès, des erreurs des années 60-70 est choquant, dans un ouvrage d'histoire religieuse publié chez un éditeur indépendant et destiné à un large public.

Parmi de nombreux jugements de valeur peu équitables, d'insinuations douteuses, d'affirmations contestables, je signalerai simplement la présentation caricaturale des deux revues *Concilium* (animée par les principaux théologiens conciliaires) et *Communio* (créée par des grands « repentis du concile » – Urs von Balthasar, de Lubac – et des laïcs regroupés autour de Jean-Luc Marion). Hilaire accable la première (en des termes faux d'ailleurs) avec les arguments de la seconde, pour laquelle il ne tarit pas d'éloges : c'est dire la distanciation de l'historien... Bien entendu, l'accusation de « complexe anti-romain » (titre d'un des plus mauvais livres d'Urs von Balthasar) figure en bonne place ; mais se placer sur ce terrain du « complexe » relève d'une argumentation dangereuse, car que ne pourrait-on dire de ceux qui sont habités par le complexe romain ? Bien entendu, l'ineffable Sollers (entre autres), particulièrement qualifié en catholicisme, vient apporter son renfort à ces « analyses » dérisoires.

Opinion pour opinion (mais moi, je ne suis pas historien !) : sans approuver tout ce qu'a écrit *Concilium* depuis vingt-cinq ans, je préfère sa théologie ouverte et interrogative aux convictions arrêtées et répétitives de *Communio*, qui ont fort peu fait pour l'intelligence de ma foi ; je gagerais aussi, sans nier les bêtises dites et écrites après le concile, qu'il y avait plus de vraie mystique et de foi chez beaucoup de ceux qu'il est de bon ton de stigmatiser aujourd'hui que dans les « excès » voyants de pseudo-spiritualités actuelles et les papolâtries ambiantes.

En tout cas, l'histoire du concile et de l'après-concile reste entièrement à faire après cet ouvrage, qui, au moins sur ce point, préfère voler au secours des vainqueurs plutôt que de faire œuvre historienne.

Jean-Louis Schlegel

BRÈVES

LE LIBAN-SUD
Espace périphérique, espace convoité
de Jacques Seguin
L'Harmattan, coll. « Comprendre le Moyen-Orient », 1989, 218 p.

Depuis 1982, le Sud-Liban est le centre des principaux conflits entre chiites et Palestiniens, mais aussi la zone privilégiée par Israël pour ses opérations militaires. Ce qui s'explique d'un point de vue géographique, mais l'évolution historique et les derniers développements relatifs au conflit israélo-palestinien sont des facteurs tout aussi déterminants : après les massacres entre chiites de ces derniers mois, on devrait assister à un retour en force des Palestiniens au Sud-Liban. Cet ouvrage est la première étude qui permet de prendre la mesure du rôle du Sud-Liban dans les conflits récents et à venir.

BEYROUTH
ou la fascination de la mort
d'Issa Makhlouf
Les éditions de la passion, 1988, 210 p.
97 F.

Si Beyrouth est apparemment plus calme qu'il y a quelques années, tant à l'Ouest qu'à l'Est, on continue à y vivre dans la guerre. Après un premier chapitre où l'auteur, qui est écrivain plus que sociologue, décrit charnellement le quotidien d'une ville ensanglantée par l'histoire, nous sommes invités ensuite à méditer sur les formes d'expression (bandes dessinées, écrits...) nées de la guerre et du sang, avant de lire une réflexion finale sur les martyrs. Le religieux et la guerre convergent car l'un et l'autre légitiment de transgresser l'interdit du meurtre par le sacrifice.

Un livre beau et discret sur l'obscénité de l'histoire.

LE REGARD MUTILÉ
Schizophrénie culturelle : pays traditionnels face à la modernité
de Daryush Shayegan
Albin Michel

Dans *Qu'est-ce qu'une révolution religieuse ?*, Shayegan montrait comment l'Iran de la Révolution khomeiniste se confrontait à une double perte d'identité qui n'était pas sans lien avec la violence révolutionnaire. Dans ce deuxième ouvrage, il brusque sensiblement son propos : comme il veut opposer deux blocs de pensée, l'occidental et l'autre, il durcit sa conception « des gens de la périphérie », « des civilisations restées en retrait de l'histoire », qui « sont pris dans la faille des mondes incompatibles ». Là où il y avait encore tension, confrontation apparente entre deux mondes, il n'y a plus que blocage.

POUR UN NOUVEAU LANGAGE DE LA RAISON
Convergences entre l'Orient et l'Occident
de Michel Fattal
Beauchesne, 1988, 120 p., 120 F.

A la différence de Shayegan dont le dernier livre durcit l'opposition entre le langage de l'Orient et celui de l'Occident, le jeune philosophe libanais Michel Fattal propose de distinguer deux traditions du logos : une tradition analytique dont les rameaux sont multiples (Platon, Aristote, Anaxagore, Parménide) et une tradition synthétique dont la principale figure est Héraclite. Si l'auteur souligne le rôle de la première et son monopole en Occident, il cherche surtout à montrer les analogies entre l'héraclitéisme et les textes évangéliques de Jean et Marc, mais aussi avec le Coran. On est loin des lourdes alternatives habituelles, et la préface de Pierre Aubenque nous convainc sans mal du sérieux de ces démonstrations.

RÉVOLUTION À LA FRANÇAISE OU À LA RUSSE
de Catherine Durandin
PUF, coll. « Les chemins de l'histoire », 1989, 354 p., 165 F.

L'auteur présente modestement ce travail historique comme un essai, c'est-à-dire la tentative de « saisir au cœur des années 1850 du XIXe siècle européen une déroute et un triomphe ». La déroute est celle des intellectuels français qui renoncent au messianisme révolutionnaire qu'ils retrouveront plus tard, avec Marx et la Révolution bolchévique ; le triomphe est celui des intellectuels russes qui reprennent le flambeau de la Révolution, mais aussi des intellectuels polonais et des disciples roumains de Michelet auxquels est consacré un chapitre fort original. Cet ouvrage ne se contente pas de revenir sur les polémiques relatives au lien entre la Révolution française et la Révolution bolchévique, il s'interroge sur cet imaginaire français dont le projet messianique a été « volé ». D'où une méditation finale sur Bernanos et les « enfants humiliés » que sont les Français.

LA RÉVOLUTION GORBATCHÉVIENNE
de Jacques Baynac
L'Arpenteur/Gallimard, 1989,
297 p., 110 F.

Auteur de travaux historiques sur les origines de la révolution bolchévique et la terreur sous Lénine, Jacques Baynac s'appuie sur une lecture précise de la presse soviétique pour avancer une interprétation du moment gorbatchévien qu'il ne qualifie pas par hasard de « révolutionnaire ». D'une part, cette révolution procède de la contradiction d'un parti-classe-État qui n'a d'autre choix que de persévérer dans son être ou de se saborder ; d'autre part, le « sabordage » gorbatchévien engage un processus de restructuration de la société autour du tertiaire, « rendue d'autant plus urgente que la révolution scientifique et technique exclut le travail productif humain du procès de production » (p. 264).

Baynac, qui cite Alexandre Herzen en exergue – « Le socialisme occupera la place du conservatisme actuel et sera vaincu par une révolution à nous inconnue » (1849) –, attend beaucoup de cette révolution ; on le comprend mieux en lisant ses annexes qui dénoncent la dictature du présent dans nos sociétés ! L'avenir serait donc à la Révolution... on avait fini par l'oublier.

L'ARGENT NOIR
Corruption et sous-développement
de Pierre Péan
Fayard, 1988, 290 p., 95 F.

L'ouvrage de Péan n'a pas la prétention de proposer une mine d'informations inédites comme c'est souvent le cas des livres consacrés à la corruption dans les pays sous-développés. Faisant remonter son enquête à la crise mexicaine d'août 1982, c'est-à-dire au premier refus déclaré de rembourser la dette, Péan montre, en s'appuyant essentiellement sur l'exemple de pays africains ou du Proche-Orient, que la rigueur des institutions internationales et de ceux qu'il appelle les « incorruptibles de Washington » n'ont pas suffisamment pris en compte un double affairisme : celui qu'incarne la corruption locale, mais aussi celui des hommes d'affaire occidentaux qui, comme des rapaces, se sont emparés des mines d'or qu'ont représenté les prêts et crédits de la Banque mondiale et du FMI. Il a manqué une politique au long terme à nos incorruptibles de Washington. « Les 1 200 milliards de dollars de la dette ont-ils été dépensés en pure perte ? Une chose au moins est certaine : les peuples dans leur ensemble sont encore plus pauvres qu'avant ces gigantesques emprunts (p. 137). »

LES MILLIARDS DE L'ORGUEIL
de Bruno Dethomas
et José-Alain Fralon
Gallimard, 1989, 252 p., 90 F.

Cet ouvrage, qui se lit comme un « roman économique », raconte comment l'homme d'affaires italien Carlo de Benedetti a lancé une offre publique d'achat sur la Société générale de Belgique... et comment il a échoué, non sans le soutien de jeunes loups de la finance comme François Sureau et Alain Minc. D'où les deux leçons de l'ouvrage : d'une part, nos idéologues qui décrivent les conditions de la renaissance du marché économique sont de piètres manœuvriers ; d'autre part, il ne suffit pas de s'en prendre au corporatisme bancaire et à l'inertie du capitalisme d'*establishment* pour que naisse miraculeusement une nouvelle éthique entrepreneuriale. Toujours l'histoire de l'arroseur arrosé.

LA CRISE DES NATIONS UNIES
de Pierre de Senarclens
PUF

Dans cet ouvrage qui précède la publication de celui de Marie-Claire Smouts chez l'Harmattan, Pierre de Senarclens ne se soucie pas de raviver la polémique récente sur les institutions internationales, et plus particulièrement l'UNESCO. Selon lui, une réforme institutionnelle des Nations Unies exige d'une part de revenir au discours des origines, i.e de procéder à « une épuration de son langage et de ses perspectives, par une consolidation de ses projets autour du noyau central de son mandat universaliste » ; et de mettre en cause d'autre part la prépondérance des États-nations au profit des mouvements d'intégration régionale.

L'OCCIDENTALISATION DU MONDE
de Serge Latouche
La Découverte, Coll. « Agalma », 1989, 146 p., 85 F.

Collaborateur de la revue *Mauss*, Serge Latouche nous propose une synthèse rapide et fort discutable des questions et polémiques concernant le rôle et les prétentions de l'Occident. S'il refuse le discours complaisant qui souligne la supériorité historique de l'Occident, il veut éviter également les dérapages du relativisme. La situation actuelle doit être considérée dans cette optique : l'occidentalisation économique et technologique étant effectuée, l'Occident peut être jugé à l'aune de ses propres valeurs. Si l'auteur a raison quand il affirme qu'il « convient de s'interroger sur la barbarie de notre propre civilisation » (p. 138), il va un peu vite en besogne quand il renonce à l'universalité des valeurs transhistoriques, alors que celle-là réside déjà dans ce partage des cultures qu'il appelle paradoxalement de ses vœux.

ÉLOGE DE LA VOLONTÉ
à l'usage d'une France incertaine
de Louis-Michel Bonté
et Pascal Duchadeuil
Éditions universitaires, 1988, 384 p.

Conçu à partir de nombreux entretiens avec des sociologues (Touraine, Mendras, Le Bras...), des historiens (Delumeau, Le Roy-Ladurie) et des spécialistes de la stratégie (Hoffmann, Gallois), cet ouvrage bizarrement composé a retenu notre attention dans la mesure où il recoupe beaucoup de nos analyses du numéro de janvier. Si la description des maladies françaises est convaincante, l'appel à la volonté apparaît un peu volontariste. Peut-être aurait-il fallu s'entretenir avec des penseurs plus soucieux des conditions de l'action qu'un sceptique comme Comte-Sponville. Il ne reste plus alors à nos deux énarques qu'à proposer une réforme radicale de l'Etat français. Une fois de plus.

GASTON DEFFERRE
de Georges Marion
Albin Michel

Cet ouvrage qui livre des informations inédites sur l'enfance protestante de Defferre, sur le combat du *Provençal*, entre autres, est intéressant à deux titres, l'un historique, l'autre plus psychologique, qui sont implicitement liés : il est fascinant qu'un homme dont l'intelligence politique fut souvent remarquable n'ait pas marqué davantage l'histoire politique française : il demeurera pour la postérité le maire de Marseille. Mais on découvre parallèlement que la force du Parrain, sa capacité de s'entourer et de passer des alliances, était la rançon d'une immense timidité. « Sa chance fut que peu, à Marseille, comprirent combien l'homme était fragile. » Si peu que « trois ans après sa mort Marseille n'a pas digéré son maire » (p. 361).

LA PROTECTION SOCIALE
de Numa Murard
La Découverte, coll. « Repères », 1989

Au lieu de nous étouffer dans des débats techniques, Numa Murard passe au laminoir, en 115 pages, les grandes discussions qui traversent le social : de la décomposition de la société féodale, endiguée par les *poor laws* et les *workhouses* anglaises, au passage de la bienfaisance à l'assistance avec, comme centre de gravité, le rapport au travail. Il aborde également la discussion entre Leplay et Bismarck à la fin du XIXe siècle, les tensions entre les mutualités, les ouvriers et les syndicats, et la distinction entre l'État libéral et l'État-providence, ce qui le conduit à rencontrer les thèses de Polanyi, les matériaux de Hatzfeld et les arguments d'Ewald.

Un vrai « Repère » qui arrive à point nommé dans le maquis des manuels ennuyeux.

CRITIQUE DE LA RAISON UTILITAIRE
d'Alain Caillé
La Découverte, coll. « Agalma », 1989, 146 p., 85 F.

Les lecteurs d'*Esprit* qui ont eu l'occasion d'apprécier les articles du fondateur de la revue *MAUSS* et de l'auteur de *Splendeurs et misères des sciences sociales* (Droz, 1986) auront tout bénéfice à lire cet opuscule léger et vigoureux, dont l'ambition est de présenter les thèses anti-utilitaristes du mouvement Mauss. L'auteur ne se contente pas de présenter pédagogiquement ses réflexions, et on observe des avancées : la distinction entre l'utilitarisme diffus, dominant et euphémisé ; la relation entre les incertitudes de la raison et la situation contemporaine du sujet ; le statut du don et de la communauté dans la démocratie.

Dans cette optique, la deuxième livraison de la nouvelle série du *Mauss* consacre des articles à la crise de la raison (E. Barilier) et au sens commun (Jean-Pierre Dupuy) [1].

L'EUROPE AU SORTIR DE LA MODERNITÉ
Cerf/CERIT

Cet ouvrage issu d'un colloque qui s'est tenu à Strasbourg en 1987 a un double mérite : d'une part, il n'abuse pas à tort et à travers des notions de modernité, d'Europe, voire d'Occident, il les passe au crible de la critique, comme le manifeste le texte de Taguieff qui porte sur l'identité européenne selon la nouvelle droite. D'autre part, la réflexion théologique n'est pas mise au second plan, ce qui nous vaut des interventions intéressantes sur les liens du christianisme et de l'Europe. « Alors qu'au sortir de la modernité, nous ressentons la nécessité de forger une autre conscience européenne, il me semble que la théologie demeure un partenaire des autres lieux de savoir » (Claude Geffré).

UN SIÈCLE QUI VEUT CROIRE
de Michel Clévenot
Retz, 1988, 232, p. 89 F.

Le XVIe siècle est un siècle décisif pour l'histoire occidentale. L'extension européenne débute, les échanges marchands se généralisent, l'Occident se renforce et la religion chrétienne connaît son premier grand schisme. Avec des séquences colorées, rédigées en un style alerte et rigoureux, Michel Clévenot restitue le fil des événements. Il s'agit pour lui, à travers des illustrations exem-

1. En revanche, le premier numéro du *Mauss* comporte une contribution sur l'excision qui témoigne d'une dérive surprenante. Nous y reviendrons dans le prochain numéro d'*Esprit*.

plaires, de nous montrer à l'œuvre la foi ou, plus exactement, la recherche d'une religiosité vraie en ce siècle tourmenté. Érasme et Luther sont à coup sûr les deux grandes figures de ce temps.

Ce livre nous réserve de nombreuses surprises et nous permet de mieux nous initier à cette histoire des mentalités au temps de l'humanisme dont nous provenons. Ce huitième volume de la saga des « hommes de la fraternité » est une réussite. C'est à une véritable histoire laïque du monde chrétien que nous invite l'auteur. Pour notre plus grande satisfaction.

LE CHRISTIANISME DE PAUL
de Juan Luis Segundo
Cerf

Connu pour ses contributions originales à la théologie de la libération et profondément influencé par l'œuvre de Lévinas, Segundo nous propose une approche des textes pauliniens apparemment plus traditionnelle. Non sans écho à *Jésus devant la conscience moderne*, où il affirmait la transcendance de Jésus après la Résurrection, il met l'accent sur les ressorts anthropologiques des textes de Paul. « On a souvent accusé la théologie de la libération d'oublier la transcendance pour se tourner vers les urgences historiques. Je crois que toute urgence [...] limite sérieusement une réflexion profonde. Et c'est précisément à ce niveau de profondeur que toute histoire se heurte à la transcendance » (p. 329).

LA PHILOSOPHIE AU XXᵉ SIÈCLE
de Jean Lacoste
Hatier

La mode est à l'encyclopédie, à moins que l'esprit de la mode ne suscite à lui seul l'encyclopédisme. Tout le monde y va de son article de dictionnaire ou de son « Que-sais-je » ? nouvelle manière. Mais la qualité et la rigueur sont rarement au rendez-vous. A quelques exceptions près, comme cet excellent petit ouvrage où l'auteur réussit le tour de force de présenter l'évolution récente de la pensée philosophique grâce à un parcours historique (Le Cercle de Vienne, la phénoménologie), et à la mise en avant du thème de la communication. Mais pourquoi l'auteur de *L'idée de Beau* (Bordas, 1986) ignore-t-il l'apport de la réflexion politique ?

MORALES DU GRAND SIÈCLE
de Paul Benichou
Gallimard, Essais Folio

On ne sait pas nécessairement que notre meilleur spécialiste d'histoire littéraire a d'abord publié un ouvrage sur le XVIIᵉ siècle avant de s'intérresser au XVIIIᵉ et surtout au XIXᵉ avec *Le sacre de l'écrivain, Le temps des prophètes* et tout récemment *Les mages romantiques* (Lamartine, Vigny, Hugo). Qu'est-ce qui retient son attention dans ces études consacrées au jansénisme, à Corneille, Molière et Racine ? C'est d'une part de refuser la coupure traditionelle entre le classicisme et le siècle des Lumières. Et d'autre part de rejeter l'image d'un siècle sceptique et malheureux, ce qui le conduit à renverser notre représentation du jansénisme, qui aurait plutôt contribué à préparer l'esprit de la révolution. « Le grand siècle donne le spectacle d'une consolidation générale de certaines valeurs morales proprement humaine qui [...] acquièrent définitivement droit de cité » (p. 302).

MERLEAU-PONTY À LA SORBONNE
Résumés de cours 1949-1952
Cynara, Grenoble, 1988, 580 p., 250 F.

Cette republication en seul volume de résumés de cours dispersés entre les bulletins du CDU et le *Bulletin de psychologie* de 1964, (épuisés pour certains d'entre eux), et augmentée de passages inédits, est une heureuse initiative. On redécouvrira la vivacité d'une pensée qui ne craignait pas d'affronter les sciences positives. Ce livre peut ainsi servir d'introduction aux sciences humaines, plus particulièrement à la psychologie de l'enfant.

QU'EST-CE QUE LA PHÉNOMÉNOLOGIE ?
de Jan Patǒcka
traduit du tchèque par Erika Abrams
Jérôme Millon, 1988, 336 p., 135 F.

LE MONDE NATUREL ET LE MOUVEMENT DE L'EXISTENCE HUMAINE
de Jan Patočka
traduit du tchèque par Erika Abrams
coll. Phenomenologica n° 110
Kluwer Academic Publishers, Dordrecht, Boston, Londres, 1988, 280 p., 700 F. env.

Avec ces deux recueils, ce sont parmi les plus importants des textes proprement philosophiques de Patočka qui nous sont donnés à lire. L'auteur y reprend les intuitions du *Monde naturel comme problème philosophique* (Nijhoff, La Haye, 1976) et les développe dans deux directions : d'une part en radicalisant la fondation transcendantale husserlienne en faisant l'économie de l'*ego* (il parle de phénoménologie « asubjective ») ; d'autre part en analysant le monde de la vie, et notamment l'espace et le mouvement, dans leurs déterminations élémentaires. Ces nouvelles traductions d'Erika Abrams font désormais du français la principale langue d'accès à Patočka, après le tchèque évidemment.

LA MACHINE DE VISION
de Paul Virilio
Galilée, 1988, 170 p., 89 F.

Avançant imperturbablement, au fil de ses publications, vers une réflexion historique sur les métamorphoses de l'image, Paul Virilio invite à distinguer trois époques de l'image qu'il associe à une logique et à une représentation de l'espace public. Après la logique formelle de la peinture et la logique dialectique marquée par la naissance de la photographie et du cinéma, nous vivons à l'heure de la vidéographie, de l'holographie et de l'infographie, et de leur logique paradoxale : une logique qui rompt avec toute représentation de l'espace public au profit d'une image publique.

Cet ouvrage mérite la discussion car il décrit la crise de la foi perceptive. La cécité est au cœur du dispositif de la prochaine « machine de vision », la production d'une vision sans regard n'étant elle-même que la reproduction d'un intense aveuglement... (p. 152).

INTRODUCTION À L'HERMÉNEUTIQUE LITTÉRAIRE
de Peter Szondi
Le Cerf, 1989, 160 p., 120 F.

Au moment où l'œuvre de Jauss commence à être connue en France, il faut saluer cette traduction d'un ouvrage de Peter Szondi, le fondateur d'un célèbre Institut de théorie littéraire à l'Université libre de Berlin. Cette *Introduction à l'herméneutique littéraire* est avant tout une présentation de l'œuvre mal connue de Chladénius, l'auteur d'une *Introduction à l'interprétation juste des discours et des œuvres écrites.* Suivent des chapitres consacrés à Ast, Meier et Schleiermacher. Dans sa préface, Jean Bollack insiste sur l'actualité de ces travaux : « Ce qui se laisse reconnaître, c'est la constellation critique (W. Benjamin) qui relie tel fragment du passé à ce qu'est ce présent-ci. Si le passé nous touche, il a une portée culturellement transhistorique » (p. XIV).

AU-DELÀ DU SOUPÇON
La nouvelle fiction américaine de 1960 à nos jours
de Marc Chénetier
Seuil, 1989, 460 p., 150 F.

Comme pour Pierre-Yves Pétillon, la production contemporaine américaine n'a apparemment aucun secret pour Chénetier. Mais cette passion qui éclate de mille feux au risque d'oublier le pauvre lecteur, de temps à autre, s'appuie sur l'idée que la fiction américaine est d'autant plus inventive qu'elle ne craint pas d'aller jusqu'au bout de la mutation inaugurée par le nouveau roman. D'où cette distinction entre roman et fiction : « Le " roman " est bien mort, nous léguant son éternelle jeunesse... Son esprit, la fiction, flotte, libéré, sur les meilleures proses américaines de notre temps, oublieux d'un corps rejeté pour ses rides. Pour pleurer ce " cher disparu ", il faudrait être debien peu de foi » (p. 378). Cette foi qui manque au roman français, pris entre la littérature du désœuvrement et l'éloge du vide, quand il ne raconte pas simplement les bonnes vieilles histoires sans l'humour du vaudeville d'hier.

LA FOLLE RUMEUR DE SMYRNE
de Claude Gutman
Payot, coll. « Romans Payot »

Après un cycle autobiographique – *Dans le mitan du lit, Les larmes du crocodile* et *Les réparations* –, Claude Gutman publie à présent une sorte de roman historique, dont l'une des ambitions est de donner à voir cet étonnant phénomène que fut le mouvement sabbatéen, étudié notamment par Gershom Scholem dans son célèbre article « La rédemption par le péché » (in *Le messianisme juif*).

L'auteur joue sur trois registres d'écriture. Le premier est celui de l'écriture intime de son héros – Josué Karillo, juif d'abord converti au christianisme après être réchappé des massacres perpétrés par les Cosaques, médecin à Amsterdam en 1687, finalement revenu au judaïsme sans cesser de revendiquer la libre pensée, au terme du périple entrepris pour assister au phénomène sabbatéen dont témoignent ses carnets, rédigés une vingtaine d'années auparavant. Le deuxième registre est celui du roman historique proprement dit, qui confine par moments, non sans bonheur, au picaresque. Enfin, les citations, volontairement longues, qui vont d'Hippocrate et Uriel da Costa au Talmud et à la Bible, constituent un dernier registre dont la scansion parcourt l'ouvrage.

L'OFFICIEL DU ROCK
Guide annuaire du rock et des variétés, 1989
CIR, 750 p., 150 F.

Le rock « français » trouve enfin des instruments de travail à sa mesure. Pour la deuxième année consécutive, le Centre d'information du rock et des variétés[1] publie un guide d'une ampleur exceptionnelle qui, plus qu'un *Who's Who*, constitue une remarquable mine de renseignements.

Tout d'abord un « magazine » de 140 pages : bâti à partir d'entretiens avec des artistes, des « tourneurs », des politiques, etc., il insiste sur la vitalité historique, esthétique, sociologique et même technologique (le son, la mise en scène, les instruments...) du rock. L'idée principale est que le rock s'est imposé *de lui-même*, en dépit de toutes les réticences rencontrées depuis trente ans.

Le « guide » proprement dit rassemble les informations sous dix rubriques : organismes, artistes, organisateurs,

1. Le CIR, présidé par Bruno Lion, a publié deux autres fascicules : *Rock et mécénat*, de Philippe Lottiaux (analyse de la situation et nombreux entretiens avec des partenaires économiques et institutionnels) et *Profession artiste*, de Stéphan Le Sagère (explications des aspects juridiques, fiscaux, sociaux, etc., des jeunes musiciens et entretiens avec des professionnels). On peut se procurer ces ouvrages au CIR (Parc de la Villette, 211, av. Jean Jaurès, 75019 Paris).

médias, image, scène, enregistrement, disque, Europe, Canada ; un copieux index permet de s'y retrouver dans les quelque 8 500 items retenus.

EN ÉCHO

D'Allemagne

Que la politique européenne de défense soit avant tout une politique franco-allemande, c'est ce que confirme la livraison d'hiver 1988 de la revue de l'IFRI, *Politique étrangère*, avec un dossier sur cette question (on y lira aussi deux contributions importantes sur Gorbatchev, celle sur la réévaluation de la politique étrangère de l'URSS dans le passé, par Marie Mendras, et celle du Groupe européen de stratégie).

Le même problème est repris dans la revue *Documents* (n° 5, 1988). Mais surtout cette dernière consacre son dossier à « l'affaire Jenninger », en publiant la traduction intégrale du discours de l'ancien président du Bundestag, avec une introduction éclairante de Joseph Rovan. Enfin, dans le même numéro, l'article d'Odo Marquard, « La génération sceptique », essaye de rendre compte des sentiments des philosophes allemands qui accédaient à la maturité dans les années cinquante.

C'est l'occasion de revenir à « l'affaire Heidegger » avec la pénétrante étude que consacre Richard Wolin à « la philosophie politique de *Sein und Zeit* » dans les *Temps Modernes* de janvier 1989. (Signalons dans le numéro de décembre de la même revue, qui semble prendre un nouveau départ, le beau texte d'Étienne Balibar, « Tais-toi encore, Althusser », qui tente de comprendre l' « échec » philosophique d'Althusser sans céder au moindre pathos.)

A propos de Heidegger enfin, l'une des plus stimulantes réactions a été celle de Paul Veyne, interrogeant le rapport Char-Heidegger, publiée par *Raison présente*, n° 87.

L'Association des lecteurs d'Esprit

Nous continuons ce mois-ci la publication de la liste des souscripteurs qui ont répondu à l'appel de l'association des lecteurs. En même temps, nous renouvelons notre appel pour cette souscription, et nous signalons à tous ceux qui n'ont pas encore été touchés par cette information, qu'une simple lettre à l'association des lecteurs permet de recevoir une documentation sur ses activités. Parmi les projets, rappelons qu'une rencontre est organisée fin mai, et qu'elle est ouverte à tous ceux qui nous ont aidés. Précisons d'un mot que le but de l'association n'est pas limité à un effort financier en faveur de la modernisation des moyens de travail de la revue, il est aussi de créer un lien entre les lecteurs et la revue. D'ores et déjà l'abondance et la qualité du courrier reçu (nous en aurons un aperçu dans le journal intérieur), le nombre des amis qui proposent de nous aider à la diffusion et à la recherche d'abonnés nouveaux, sont pour nous de précieux encouragements.

Guy Coq
Secrétaire général de l'Association
des Amis d'Esprit

Liste n° 2

BAUDUIN Marguerite à Amiens (200)
BILLOT Jeannine à Peyréhorade (1000)
BOINET Jean-Pierre à Aunay/s/Odon (100)
BOURCIER Gérard à Saint-Quentin (100)
BOURG Dominique à Besançon (400)
BOURGES Pierre à Redon (250)
BOUTIN Martin à Bressuire (500)
CAILLÉ Alain à Paris (300)
CANIVEZ Patrice à Lille (200)
CARISTAN Alfred à Pessac (250)
CHEVILLIER Alain à Asnières (540)
CLÉMENT Jean-François à Velaine-en-Haye (200)
COLLART Denise à Marseille (300)
COULET Andrée à Strasbourg (100)
DA LAGE Christian à Boulogne (500)
DE BENOIST Bruno à Niamey (400)
DE BODMAN Jean et Laurence à Paris (250)
DE LA FOREST DIVONNE Louis à Paris (1000)
DE MONTMARIN Arnaud à Paris (500)
DOMENACH Jean-Luc à Paris (500)
DOMENACH Jean-Marie à Châtenay-Malabry (1000)
DREYFUS Philippe à Paris (1000)
DRUBIGNY Jean-Loup à Paris (500)
DUFOUR Olivier-Constant à Paris (100)
DUPRÉ Jacques à Paris (500)
ESTÈVE Michel à Sceaux (200)
FARINE Jean-Daniel à Carouge (200)
GAUTRAT Jacques à Paris (400)
GOURE Claude à Maisons-Alfort (250)
HABIB Claude à Paris (500)
HECKMANN Mireille à Paris (300)
JULIEN Pierre à Levallois (500)
LACORNERIE André à Strasbourg (500)
LAVILLE Philippe à Antony (100)

→

LEMONNIER Jean à Saint-Malo (100)
LEVEAU Rémy à Paris (500)
LIMAT Daniel à Besançon (500)
LIVET Pierre à Aix-en-Provence (2000)
MANGIN Guy à Nancy (1000)
MARTIN Gérard à Saint-Martin-d'Hères (100)
MILLIEX Roger à Athènes (250)
MONGIN Bernard à La Rochelle (300)
MOREUX Gilbert à Vineuil (500)
MOUCHET Jean-Marie à Whitehorse ($20)
MOUGIN Thierry à Clichy (200)
NARCYZ Alain à Saint-Cloud (200)
PATIE Jean à Pau (50)
PLENEL Edwy à Paris (500)
POMPOUGNAC Jean-Claude à Antony (200)
RABIER Jacques-René à Bruxelles (500)
RAYBAUD Jacques et Marie à Luxembourg (500)
THOMAS Jean-Paul à Paris (300)
VERGELY Bertrand à Paris (250)
VERLHAC René à Orsay (200)
VIGUIER Jean-Paul à Paris (600)
WITHOL DE WENDEN Catherine à Paris (100)

Devenu i
voici le Littré som

7 volumes vraiment très précieux pour la Bible de la langue française.

Seulement **135F** par mois

Depuis 1865, on a constamment réédité ce fastueux travail sur la langue française. Œuvre d'une vie entière qui, du nom d'Emile Littré, fit un nom commun : le Littré.

Mais jamais encore on n'avait apporté autant de soin à une réédition. Du travail de grand artisan pour le plus bel écrin offert aux 85 000 mots qui irriguent notre culture.

Mots exhumés du passé, mots apprivoisés pour l'usage, mots savants, mots de la rue : tout est là. Définis comme jamais. Ordonnateurs impitoyables du mieux-dire. Juges suprêmes de tous les différends linguistiques.

Mais sans rien de professoral. Chaque mot, ici, vit et est heureux de vivre. Constamment mis en situation dans le vif de la langue. Héros de centaines de milliers de citations dont chacune est une œuvre d'art.

Toute la légende des mots.

Montaigne et Bossuet, Voltaire et Musset, ou tel poète anonyme du XVe, ont ainsi collaboré au Littré. Pour le faire lire comme

C'est là le plus beau des Littré. Un monument de 7732 pages, enrichi des 5000 mots les plus récents de notre langue.

politique étrangère
Le traité
de Washington
1/88
institut français des relations internationales
politique étrangère
Israël 40 ans après
2/88
institut français des relations internationales
politique étrangè
L'Afrique :
incertitudes et espoir
3/88
institut français des relations internationales
angère
L'Europe et sa défense
4/88
institut français des relations internationales

AVIS

A l'occasion du Salon du livre (19-25 mai), qui consacrera une place à l'édition allemande, nous publierons en mai un court dossier sur la culture allemande. Vous pourrez lire par ailleurs des reportages sur la Nouvelle-Calédonie et l'Afrique du Sud, des articles sur le Carmel d'Auschwitz, le sida, ainsi qu'une réflexion de Pierre-Luc Séguillon sur la privatisation dans l'audiovisuel.

Avec *la Lettre internationale*, *Esprit* disposera au Salon du livre d'un stand où l'on se bousculera d'autant plus qu'il sera étroit. Renseignez-vous en temps voulu.

La première réunion nationale de notre Association de lecteurs aura lieu à Paris le *dimanche 21 mai*.

Un abonné serait prêt à donner sa collection (septembre 1966-décembre 1976). Prière de s'adresser à la revue.

L'Association des amis de Jean Sullivan organise un colloque les 20 et 21 mai au Centre de conférences Panthéon (16, rue de l'Estrapade, 75005 Paris), sous la présidence de Jacques Madaule et Jacques de Bourbon-Busset. Y participeront, entre autres, Michel Crépu, Jean Grosjean, et Dominique Bourg. Inscriptions à l'Association des amis de Jean Sullivan, 20, rue Labrouste, 75015 Paris (frais de participation : 150 F, adhérents : 100 F, étudiants : 75 F).

L'espace séminaire du Centre Georges Pompidou organise les 27 et 28 avril 1989 une rencontre sur *Philosophie et Anthropologie*. Avec Alain Caillé, Daniel de Coppet, Vincent Descombes, Mary Douglas, Louis Dumont, Philippe Raynaud, John Skorupski, Lucien Stephan, Emmanuel Terray, Tzvetan Todorov.

Un débat organisé par les revues *Esprit* et *Pardès* autour de l'article d'A. Smolar, « Les juifs dans la mémoire polonaise » (*Esprit*, juin 1987) aura lieu le 18 avril, à 19 h. au Centre Sèvres (35, rue de Sèvres, 75006 Paris).

ESPRIT

ENSEMBLES, NUMÉROS SPÉCIAUX :

Cinquantenaire, janvier 83, 78 F
Pour continuer Esprit. *partir de nos perplexités*, janvier 89, 68 F

POUR AUJOURD'HUI ET POUR DEMAIN

Que penser ? Que dire ? Qu'imaginer ? sept.-oct. 79, 78 F
Génération 80, février 84, 68 F
La techno-démocratie, août-sept. 83, 58 F
Illich en débat, mars 72, 68 F
Avancer avec Illich, juillet-août 73, 58 F
Le risque, janv. 65, 68 F
Le journal et ses lecteurs, février 71, 68 F
Pourquoi le travail social ?, avril-mai 72, 68 F
Enseigner quand même, nov.-déc. 82, 78 F
Universités, nov.-déc. 78, 78 F
L'éducation physique, mai 75, 68 F
Le corps, février 82, 78 F
Le nouvel âge du sport, avril 87, 78 F
Drogue et société, 2ᵉ éd., 68 F
La mémoire d'Auschwitz, sept. 80, 58 F
Mémoire du nazisme en RFA et en RDA, oct. 87, 58 F

LES NOUVEAUX EXCLUS

Vieillesse et vieillissement, mai 63, 78 F
L'enfance handicapée, nov. 65, 78 F
Les étrangers en France, avril 66, 78 F
En finir avec les prisons, juillet- août 72, 58 F
Toujours les prisons, nov. 79, 68 F
Les Tsiganes, mai 80, 58 F
L'extrême pauvreté et le RMI, déc. 88, 68 F

LA CULTURE EN RÉVOLUTION

La passion des idées, août-sept. 86, 78 F
Mainmise sur la culture ?, mars 84, 58 F
Contre l'inculture, février 81, 58 F
Science et culture, juillet 87, 58 F
La culture technique, oct. 82, 58 F
La micro-informatique, février 85, 58 F
La révolution suspendue, août-sept. 68, 68 F
le partage du savoir, oct. 68, 58 F
Le français, langue vivante, nov. 62, 68 F
Théâtre et création collective, juin 75, 58 F
La Bible, septembre 82, 68 F
L'Angleterre à contre-courant, juill. 85, 58 F
Réveil de l'architecture ? déc. 85, 58 F
Picasso, janvier 82, 58 F
L'utopie Beaubourg, février 87, 58 F

LECTURES CRITIQUES

Paul Ricœur, juillet-août 88, 89 F
Hannah Arendt, 2ᵉ éd., 68 F
Claude Lévi-Strauss, mars 73, 58 F
Henri Meschonnic, juillet-août 77, 58 F
Maurice Merleau-Ponty, juin 82, 78 F
Orwell, janvier 84, 68 F
Marguerite Duras, juillet 86, 58 F
L'idéologie française ?, mai 81, 58 F
Lecture I : L'espace du texte, déc. 74, 78 F
Lecture II : Le texte dans l'espace, janvier 76, 68 F

PHILOSOPHIE POLITIQUE

Révolution et totalitarisme, sept. 76, 58 F
Vingt ans après Budapest, janvier 77, 58 F
Dans les fissures du totalitarisme..., juillet-août 78, 58 F
Devant le totalitarisme, avril 82, 58 F
Les Européens en politique, déc. 79, 68 F
Droit et politique, mars 80, 68 F
Réflexions sur le droit, mars 83, 58 F
Politique internationale, juin 81, 68 F
Michel Seurat, juin 86, 58 F
Terrorismes, 2ᵉ éd., 78 F
Police ! février 88, 58 F

POLITIQUE FRANÇAISE

L'administration, janvier 70, 68 F
Les communistes au carrefour, mai 70, 58 F
L'énigme communiste, février 75, 58 F
Unité nationale et minorités culturelles, déc. 68, 58 F
La coopération, juillet-août 70, 78 F
La corruption, janvier 73, 78 F
Soixante-dix-huit, octobre 77, 58 F
La CFDT, avril 80, 58 F
Voyage en Giscardie, mars 81, 58 F
La gauche, expérience faite, déc. 83, 58 F
Politique : la désintoxication, déc. 84, 58 F
Français/immigrés, juin 85, 68 F
Sous l'Élysée, la France, mars 86, 58 F
La France en politique, 1988, mars-avril 88, 89 F.

FRONTIÈRES OUVERTES

L'ordre européen, février 83, 58 F
Les révolutions d'Italie, nov. 76, 68 F
Le Portugal, janvier 79, 58 F
Arménie : le droit à la mémoire, avril 84, 58 F
Révisions du communisme, mars 70, 58 F
Les Hongrois de Transylvanie, mars 78, 58 F
Au nom de la loi... des Soviétiques contestent, nov. 69, 58 F
Les opposants en URSS, juillet-août 71, 58 F
La Pologne emmurée, mars 82, 68 F
Le Canada français, février 65, 58 F
Israël et les Palestiniens, janv. 74, 58 F
Le Moyen-Orient dans la guerre, mai-juin 83, 78 F
La démocratie indienne, H.S. 85, 68 F
Que savons-nous de la Chine ?, nov. 72, 58 F
Deng Xiaoping nettoie la Chine, janv. 84, 68 F
Perspectives sur l'Afrique, fév. 79, 58 F
Amériques latines à la une, oct. 83, 78 F
Nicaragua, janvier 86, 58 F
La démocratie en Amérique latine, juil. 86, 58 F

CHRISTIANISME

Nouveau monde et Parole de Dieu, oct. 67, 78 F
Réinventer l'Église ?, nov. 71, 78 F
Lire l'Écriture, dire la Résurrection, avril 73, 68 F
Les militants d'origine chrétienne, avril-mai 77, 68 F
La religion dans notre mémoire et dans l'actualité, oct. 85, 58 F
La religion sans retour ni détour, avril-mai 86, 78 F

Le Directeur-Gérant : Olivier Mongin
Photocomposition Imprimerie Hérissey, Évreux
Imprimé en France – Printed in France
Publié avec le concours du Centre National des Lettres
N° d'inscription à la Commission paritaire des publications : 58.339